CHEAP & CHIC

NEW YORK

à petits prix

EMMA REVERTER

L'AUTEUR

Traductrice et éditrice, Emma Reverter vit à New York, entourée d'écrivains et d'artistes. Licenciée en droit et journalisme, elle est l'auteur du livre *Guantánamo*, de la nouvelle *Citas en Manhattan* et de la BD *Politik*, et a édité le livre *Corazón y ment*. Croquer la Grosse Pomme à travers ses déambulations est un plaisir quotidien, qui atteint des sommets quand elle déniche un nouveau coin secret ou une nouvelle boutique.

CHEAP & CHIC

NEW YORK À PETITS PRIX

1re édition
© En Voyage Éditions 2011,
12 avenue d'Italie, 75627 Paris Cedex 13
☎ 01 44 16 05 00
lonelyplanet@placedesediteurs.com
www.lonelyplanet.fr

Dépôt légal
Juin 2011
ISBN 978-2-35219-093-6

Direction Frédérique Sarfati-Romano
Direction éditoriale Didier Férat
Coordination éditoriale Juliette Stephens
Prépresse Jean-Noël Doan
Fabrication Céline Premel-Cabic
Conception graphique et maquette Nelly Riedel
Couverture Stéphane Rébillon
Cartographie AFDEC (Florence Bonijol, Bertrand de Brun, Martine Marmouget, Catherine Zacharopoulou)
Traduction Marine Héligon, Lyne Strouc
Contribution Caroline Delabroy
Merci à Caroline Delabroy pour sa contribution, ainsi qu'à Françoise Blondel et Nicolas Benzoni pour leur travail sur le texte.
Remerciements Plan de métro de New York Manhattan Subway Map © 2011 Metropolitan Transportation Authority
Photographies Toutes les photographies : © José Ramón Ferreira, 2011 excepté p. 54 Balthazar © Sylvia Paret ; p. 60 gauche Pegu Club ; p. 60 droite Pravda ; p. 61 Vin et fleurs ; p. 87 Pulino's Pizzeria © Daniel Kreiger ; p. 89 Spitzer's Corner ; p. 98 DBGB Kitchen & Bar ; p. 100 gauche Bourgeois Pig ; p. 101 gauche Decibel © Juan Yen-Chi ; p. 101 droite Simone Martini Bar ; p. 113 droite Strand Bookstore ; p. 124 gauche Bar Veloce ; p. 124 droite Maritime Hotel ; p. 125 Frying Pan ; p. 132 Juliette Stephens ; p. 133 courtesy of The Madison Square Park Conservancy ; p. 136 Gramercy Tavern ; p. 142 Juliette Stephens ; p. 145 Juliette Stephens ; p. 151 Campbell Apartment ; p. 161 Intrepid Sea, Air & Space Museum ; p. 165 gauche et droite © Robert at Mad ; p. 171 Asia Society © Frank Oudeman ; p. 172 haut Cooper-Hewitt National Design Museum ; p. 173 haut Congregation Kneses Tifereth Israel, Port Chester, New York, suite of sculpture and ceremonial objects, 1956-57 : Ibram Lassaw, Creation (Wall sculpture/bimah screen), 1956-57 ; Philip Johnson and Ibram Lassaw, Torah Ark, 1956 ; Ibram Lassaw, Eternal Light, 1956-57 ; Philip Johnson, Bimah Chairs, 1956. The Jewish Museum, New York. Purchase : Contemporary Judaica Acquisitions Committee Fund ; Dr. Harry G. Friedman, by exchange ; Mrs. Bernhard Kahn, by exchange ; Judaica Acquisitions Fund, by exchange ; Dorothy George Baker, by exchange. Photo by John Aquino ; p. 178 The Raising Rover and Baby ; p. 179 Vosges Haut-Chocolat © vosgeschocolate.com ; p. 180 gauche New York Botanical Garden © Ivo M. Vermeulen ; p. 180 droite Bronx Zoo © Julie Larsen Maher – Wildlife Conservation Society ; p. 180 et p. 187 bas Lincoln Center for the Performing Arts © Mark Bussell ; p. 189 Vue des jardins et du cloître du monastère bénédictin Saint-Michel-de-Cuxa, près de Perpignan, France, 1130-40 The Metropolitan Museum of Art, The Cloisters Collection, 1925 Image © The Metropolitan Museum of Art, New York ; p. 192 Bar Boulud © E. Laignel ; p. 196 David Méchinaud ; p. 203 BAM © Peter Mauss ; p. 204 gauche Brooklyn Botanic Garden © Rebecca Bullene ; p. 204 droite Juliette Stephens ; p. 205 Brooklyn Children's Museum ; p. 205 droite Brooklyn Museum ; p. 210 Black Mountain ; p. 219 haut Installation View, The Noguchi Museum © The Noguchi Museum. Photo : Elizabeth Felicella ; p. 219 bas Louis Armstrong House Museum ; p. 220 haut PS1 MoMA © Adrian Moeller ; p. 220 bas Queens Museum of Art ; p. 224 Café Bar Astoria
Photographies de couverture
Haut : © Richard Cummins/Corbis
Bas : © Snap Decision/Getty
4e de couverture :
De gauche à droite © Emma Reverter

Imprimé par Loire offset
Saint Étienne, France

Humeur new-yorkaise

avec son roman *Stuart Little*. White remit un manuscrit qui, plus d'un demi-siècle plus tard, reste la meilleure description de la ville. Dans *Un air de New York*, il distingue trois types de New-Yorkais : ceux qui sont nés et ont grandi dans la ville, ceux qui viennent d'une autre région des États-Unis ou d'un autre pays pour réaliser leur rêve et ceux qui arrivent le matin dans la "Grosse Pomme" pour regagner une ville des environs en fin de journée.

Aujourd'hui, la moitié des New-Yorkais appartiennent à la deuxième catégorie. New York est une ville cosmopolite, ouverte et tolérante, dont la diversité est évidente à tous points de vue. Cela saute aux yeux dans le métro, dans la rue, dans la diversité des restaurants et des langues que l'on entend.

On ne peut pas faire de généralités, mais il semble que les New-Yorkais évitent d'entrer en conflit avec qui que ce soit et attendent la même chose de leur voisin. Il est important de respecter ces règles de base de la convivialité, sans quoi la ville serait invivable.

Chaque visiteur trouvera à New York ce qu'il est venu chercher, de l'ambiance victorienne au climat punk, du parcours culturel aux nuits les plus déjantées, de l'expérience mystique à la consommation la plus effrénée. Il est en tout cas important d'organiser son voyage, car, comme l'a fait remarquer Yogi Berra, le joueur mythique des New York Yankees, dans une phrase qui est restée célèbre : "Si tu ne sais pas où tu vas, tu arriveras probablement ailleurs."

LE COMBLE DU CHIC

- Savourer un millefeuille à la cafétéria Lady M (p. 177) après une visite de la Frick Collection (p. 172).
- Conclure la visite de la Neue Gallery au Café Sabarsky (p. 177).
- Finir son parcours au Metropolitan Museum (p. 173) par le temple de Dendur.
- Compléter le tour du MoMA par un goûter à la pâtisserie japonaise Minamoto Kitchoan (p. 166).
- Se refaire une garde-robe branchée à Soho (p. 62), et l'accessoiriser de touches vintage dénichées à East Village (p. 102).
- Après un opéra, un ballet ou un concert classique, faire une visite nocturne du Lincoln Center (p. 187).
- Déguster un bagel au caviar chez Barney Greengrass (p. 190).
- Prendre un verre au Mandarin oriental (p. 193) avec une vue superbe sur Central Park.
- Faire le brunch du dimanche matin au restaurant Freeman's (p. 86).
- Acheter ses basiques à UniQlo (p. 67).
- Contempler la ville depuis la plate-forme de Top of the Rock (p. 161).
- Dîner au Chiyono (p. 98) et siroter un saké au *speakeasy* Decibel (p. 101).
- S'acheter une paire de lunettes vintage chez Fabulous Fanny's (p. 102) et s'inscrire au cours de pâtisserie de Butter Lane Cupcakes (p. 102).

LE COMBLE DU CHEAP

- Faire la tournée des galeries de Chelsea (p. 20) et se promener sur la High Line.
- Arpenter les jardins communautaires d'East Village (p. 96) et finir sa course au 5c Cafe (p. 97).
- Faire un tour à Grand Central (p. 146) et prendre un verre au Campbell Apartment (p. 150).
- Traverser le pont de Brooklyn (p. 204) au coucher du soleil.
- Assister à une messe gospel à Harlem (p. 197).
- Prendre le ferry de Staten Island (p. 45).
- Pique-niquer avec vue sur Manhattan, au Brooklyn Bridge Park (p. 204) ou au Gantry Plaza State Park, dans le Queens (p. 218).
- Déguster une soupe de coquillages au Chelsea Market (p. 121).
- Assister à un concert improvisé devant la fontaine du Washington Square Park (p. 109).
- Acheter une BD chez Cosmic Comics (p. 138) et un hamburger à Shake Shack (p. 135).
- Tester la cafétéria Building on Bond (p. 211) et flâner sur la Brooklyn Promenade (p. 205).
- Prendre un soda au Hudson Beach Cafe (p. 193) et marcher le long de l'Hudson jusqu'à Midtown.
- Louer un vélo au Bike Rental de Central Park (p. 167) et faire le tour du parc.
- Se faire une toile en plein air sur le pont de l'*Intrepid* (p. 161) ou au Bryant Park (p. 159).

8 ASTUCES DE BASE

centre-ville en taxi ne sont pas si chers, à condition de partager la course (environ 60 $). Autre possibilité économique, le service de navette (*shuttle*), qui convoie huit passagers (environ 14 $ par personne), toutefois un peu lent. On peut réserver sur Internet (www.goairlinkshuttle.com) ou s'adresser directement à l'aéroport. À la différence de la navette, qui s'arrête devant votre hôtel ou votre appartement, l'autobus (15 $) ne dessert que Grand Central et quelques autres lieux du centre-ville.

POUR SE DÉPLACER DANS LE CENTRE. Le métro est le meilleur allié. Rapide et sûr, il fonctionne toute la nuit. Les distributeurs vendent des tickets à l'unité (2,25 $) et des abonnements (1 jour 8,25 $, 7 jours 27 $, 14 jours 51,50 $, 30 jours 89 $) valables aussi dans les autobus. Pour les séjours plus longs, achetez votre abonnement avec une carte de crédit pour qu'on puisse vous le remplacer en cas de perte.

POUR TESTER LES MEILLEURES TABLES. Manger dans les bons restaurants sans se ruiner n'est pas impossible. L'option brunch du week-end est une bonne solution puisqu'on est, à bon prix, à mi-chemin entre le petit-déjeuner et le déjeuner. Beaucoup de restaurants proposent aussi un menu de midi ou du soir à prix abordable : ce sont les boissons (vin et bière) qui font monter la note.

...ET EN PROFITER AU MAXIMUM. Les quantités sont impressionnantes et les New-Yorkais ont l'habitude de demander qu'on leur emballe les restes dans les fameux *doggy bags*. Faites comme eux !

POUR TÉLÉPHONER SANS SE RUINER. Les cabines téléphoniques et les cyber-cafés brillent par leur absence, en revanche le Wi-Fi est partout. On peut acheter des cartes de téléphone dans les kiosques pour appeler en Europe sur les fixes (5h pour 5 $, 10h pour 10 $). Les appels vers les portables sont très chers.

POUR VOYAGER EN TOUTE SÉCURITÉ. Une assurance médicale est recommandée, car les médicaments et les consultations reviennent très cher.

POUR PROFITER DE L'ART AVEC UN GRAND A. Il faut s'informer sur place des événements gratuits ou des possibilités. Ainsi, par exemple, le prix d'entrée du Metropolitan Museum et de l'American Museum of Natural History est laissé à la discrétion du visiteur et peut être sans problème inférieur au tarif recommandé ; le MoMA est gratuit le vendredi après-midi ; les points de vue les plus inoubliables sur Manhattan ne coûtent rien depuis la Brooklyn Promenade ou le pont de Brooklyn et les traversées en ferry sont gratuites.

3 jours Cheap & Chic à NEW YORK

JOURNÉE 1

LE DÉBUT D'UNE BELLE AMITIÉ

Débutez la journée par la visite, comme un New-Yorkais, de **Grand Central Terminal** (p. 146 ; Ⓜ 4, 5, 6, 7, station Grand Central-42nd St). Admirez le grand hall de la gare et explorez les quais et les sous-sols. Achetez des plats cuisinés au **marché** (p. 155). En sortant sur 42nd St, levez les yeux vers le **Chrysler Building** (p. 145). Marchez dans cette direction jusqu'à la **New York Public Library** (p. 146) et découvrez les salles de lecture.

PIQUE-NIQUE À BRYANT PARK

Installé sur les pelouses de ce célèbre **parc** (p. 159), profitez du beau panorama sur les façades de la New York Public Library et sur les gratte-ciel qui entourent l'un des lieux de repos favoris des New-Yorkais.

APRÈS-MIDI CÉLESTE

Descendez 5th Ave jusqu'à 34rd St et montez sur les cimes de l'**Empire State Building** (p. 145). Après la visite, poursuivez sur la même voie jusqu'au **Rockefeller Center** (p. 160). Faites un tour à la **St Patrick's Old Cathedral** (p. 147).

DÎNER AU CŒUR DE MANHATTAN

Deux propositions, séduisantes l'une comme l'autre. La première : revenir à Grand Central et dîner à l'**Oyster Bar** (p. 148) pour se régaler d'huîtres, de coquillages et de soupe de crabe, puis prendre un verre au **Campbell Apartment** (p. 150), dans un recoin de la gare. Ou, option plus chic, le restaurant **TAO** (p. 149).

JOURNÉE 2

ÉVEIL ARTISTIQUE

Commencez la journée par une plongée dans l'art au **Metropolitan Museum** (p. 173 ; Ⓜ 4, 5, 6, station 86th St) et parcourez les salles de l'une des collections d'art les plus spectaculaire du monde (deux millions de pièces !).

PIQUE-NIQUE À CENTRAL PARK

Achetez votre déjeuner à la cafétéria du musée. Sortez par l'entrée principale et pénétrez dans **Central Park** (p. 16). Installez-vous à quelques mètres de la façade du musée, tout près du temple égyptien de Dendur.

APRÈS-MIDI DANS LE POUMON VERT DE MANHATTAN

Promenez-vous dans le parc et traversez-le d'est en ouest jusquà la sortie de Strawberry Fields, située près de l'**immeuble Dakota** (p. 187 ; 72nd St), à Central Park West. Faites un tour sur les grandes avenues commerçantes (Broadway, Columbus et Amsterdam), sans oublier de faire des détours par les rues perpendiculaires, plus résidentielles.

DÎNER DANS L'UPPER WEST SIDE

Les plus gourmands s'arrêteront d'abord au *deli* **Barney Greengrass** (p. 190) pour y savourer un bagel au poisson fumé. Puis on ira assister à un concert de jazz au **Lincoln Center** (p. 238) et dîner à la **Salumeria Rosi Parmacotto** (p. 191).

la **statue de la Liberté** (p. 45) et voir Manhattan sous un autre angle. Nous vous recommandons de faire l'aller-retour sans visiter l'île. De retour sur la terre ferme, promenez-vous à **Wall Street** (p. 43) et surtout, ne ratez pas le **Woolworth Building** (p. 44).

DÉJEUNER CHEZ DE NIRO

La balade de Wall Street à TriBeCa est très agréable (15 min par Broadway Ave). Déjeunez à TriBeCa, de préférence dans l'un des restaurants de Robert de Niro. Nous vous recommandons **Locanda Verde** (p. 46) ou le menu de midi de l'hyperchic et impeccable **Nobu** (p. 47).

APRÈS-MIDI À CHINATOWN

Bien que **Canal St** (p. 71) soit le point de départ obligé de vos courses, explorez aussi les rues parallèles où se trouvent les poissonneries, les primeurs et les pâtisseries du quartier.

DÎNER À SOHO

Empruntez Broadway vers le nord pour entrer dans le cœur de Soho. Quelques suggestions pour un dîner sympa : l'**Antique Garage** (p. 54), le **Cafe Gitane** (p. 55) ou le **Café Habana** (p. 55).

C, E, station 14th St-8th Ave). Suivez les anciennes voies de chemin de fer jusqu'à la sortie de 23rd St, proche des **galeries d'art de Chelsea** (p. 20). Déjeunez au restaurant **Pastis** (p. 120).

APRÈS-MIDI À BROOKLYN

Rendez-vous à Brooklyn Heights en métro (Ⓜ 2, 3, 4, 5, station Borough Hall). Baladez-vous dans les rues paisibles du quartier où ont vécu Truman Capote et Arthur Miller (Pierrepont St, Montague St et Willow St). Par Montague St, rejoignez la **Brooklyn Heights Promenade** (p. 205), qui offre un superbe point de vue sur Manhattan.

DÉBUT DE SOIRÉE ENTRE BROOKLYN ET MANHATTAN

Dînez tôt à la pizzeria **Grimaldi's** (p. 207). Traversez le **pont de Brooklyn** (p. 204) à la tombée de la nuit pour voir la *skyline* de Manhattan éclairée. Impossible de quitter New York sans avoir fait cette expérience unique. De retour sur Manhattan, remettez-vous de vos émotions en allant boire un verre au **Spitzer's Corner** (p. 89).

"Culture"

AMERICAN MUSEUM OF NATURAL HISTORY (p. 186). Immense et très didactique ; une visite incontourable pour les enfants comme pour les adultes. • MOMA (p. 160). Pour l'extension du musée due à Yoshio Taniguchi, unanimement plébiscitée, et pour la très riche collection d'œuvres d'art moderne. • LINCOLN CENTER (p. 187). Le temple de la musique et de la danse. • BROADWAY (p. 15). Le quartier des théâtres concentre les comédies musicales les plus célèbres. • FRICK COLLECTION (p. 172). L'impressionnante collection d'art d'un millionnaire de l'Upper East Side. • GUGGENHEIM (p. 174). Une référence architecturale de l'architecte Frank Lloyd Wright. • COLUMBIA UNIVERSITY (p. 188). Pour l'ambiance du campus et le shopping dans les librairies alentour. • BROOKLYN MUSEUM OF ART (p. 205). Parce qu'il y a une vie artistique en dehors de Manhattan.

SHOPPING

FIFTH AVENUE (p. 142). Les grandes chaînes de prêt-à-porter se donnent rendez-vous au Rockefeller Center. • UNIQLO (p. 67). La marque de vêtements japonaise réputée pour son style et sa qualité. • STRAND BOOKSTORE (p. 113). Plus qu'une librairie, une institution. • CENTURY 21 (p. 48). Le paradis des accros de la consommation. • APPLE STORE (p. 152). Plus visités que l'Empire State Building. • EAST VILLAGE (p. 102). Pour ses minuscules boutiques vintage.

FÊTE

POISSON ROUGE (p. 235). Une programmation toujours excellente. • BAM CAFÉ (p. 234). Une nuit de jazz à Brooklyn. • GALAPAGOS ART SPACE (p. 235). Pour les fous de la scène alternative. • VILLAGE VANGUARD (p. 237). Jazz sans prétention. • THE CARLYLE (p. 238). Attention, mythomanes... Woody Allen et ses amis y vont. • NOCTURNE À L'AMERICAN MUSEUM OF NATURAL HISTORY (p. 248). Une nuit inoubliable pour les plus jeunes. • CIELO (p. 231) ET MARQUEE (p. 230). Les discothèques branchées du Meatpacking District. • SOB (p. 234). Musiques brésiliennes et métissées.

La Ville

ATTITUDE

BROADWAY

CENTRAL PARK

CINÉMA EN PLEIN AIR

GASTRONOMIE

GALERIES D'ART

GRANDS RENDEZ-VOUS

de A à Z

GRANDS MAGASINS

HISTOIRE

LITTÉRATURE

MÉDIAS

MÉTRO ET BUS

MUSÉES

NEW YORK SECRET

ORIENTATION

POPULATION

POURBOIRE

PUCES ET FRIPES

SEX

"SPEAKEASIES"

SPECTACLES

WOODY ALLEN

Aéroports

Les vols internationaux atterrissent en majorité à **JFK Airport**, le plus important des trois principaux aéroports de New York en termes de trafic. Construit en 1948, il prend le nom de John Fitzgerald Kennedy en 1963, en hommage au président assassiné. Le 11 septembre 2001, ce sera le premier aéroport américain à fermer temporairement à la suite des attentats du World Trade Center. Situé dans le Queens à environ 29 kilomètres du centre de Manhattan, le temps de trajet en voiture peut varier de 35 à 90 minutes selon les conditions de circulation.

Plusieurs compagnies de bus privées proposent une liaison express vers le centre-ville, pour un coût avoisinant les 15 $. La solution la plus économique, et à certaines heures la plus rapide, est de prendre le métro ou le train. L'AirTrain (5 $) relie en effet l'aéroport aux stations Howard Beach et Jamaica, d'où vous pouvez emprunter bus ou métro (2,25 $) ainsi qu'un train en direction de Manhattan (prix en fonction de l'arrêt), cette dernière option étant la plus rapide. Il faut par exemple compter 35 minutes pour rallier Penn Station, dans le centre de Manhattan, avec le train Long Island Rail Road. Le coût total revient à 13 $.

Dans le New Jersey, **Newark Airport** constitue l'autre porte d'entrée des vols transatlantiques. Inauguré en 1928, il fut le premier aéroport de l'agglomération et servit de base à l'armée américaine durant la Seconde Guerre mondiale. Pour rejoindre Manhattan en transport en commun, à 24 kilomètres de là, deux options sont possibles : la navette (15 $, comptez une heure en moyenne) ou la connexion ferroviaire AirTrain, qui rejoint Penn Station en 30 minutes pour un tarif de 12,50 $.

Édifié dans le Queens en 1939, sur le site d'un ancien parc d'attractions, **LaGuardia** est le troisième aéroport d'importance dans la région de New York. Il dessert en majorité les autres villes américaines. Hormis les taxis et autres services de limousines, il est possible de s'y rendre en navette (12,75 $). L'aéroport est situé à une quinzaine de kilomètres seulement du centre de Manhattan.

Alcool

Aujourd'hui on peut boire et danser jusqu'aux petites heures de la nuit à condition d'avoir 21 ans révolus. La loi est scrupuleusement respectée : les restaurants, bars et établissements nocturnes demandent une pièce d'identité où figure la date de naissance pour toute commande de boisson alcoolisée. La règle est appliquée même si vous avez visiblement dépassé l'âge légal et il peut arriver que l'on refuse de vous servir si vous n'êtes pas en mesure de produire une pièce d'identité. Quelques jeunes contournent le problème avec de faux documents ou en empruntant ceux de leurs aînés.
Hormis ces quelques restrictions, on trouve une vaste sélection de vins, de bières et de cocktails dans la majorité des établissements. La série *Sex and the City* a rendu célèbre le cocktail "Cosmopolitan". Les amateurs de bière trouveront d'excellentes marques locales (Brooklyn Lager, East India Pale Ale, Brooklyn Brown, Pennant Ale, Pumpkin Ale, Monster Barleywine). Une originale vodka de pomme, el Core, est aussi élaborée à New York. Beaucoup de bars pratiquent l'*happy hour,* dont les horaires sont variables selon l'établissement, mais qui coïncide en général avec l'heure de sortie des bureaux et dure 2 à 3 heures.
Il est interdit de sortir des bouteilles et de consommer de l'alcool dans les lieux publics comme les parcs ou la rue.

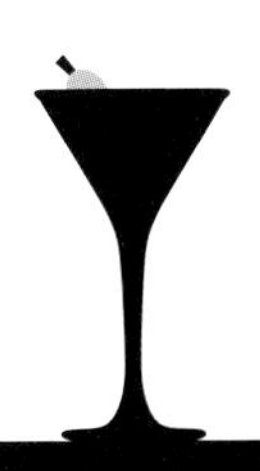

Brownstones, gratte-ciel, architecture néoclassique, néogothique et futuriste

Architecture

Les styles architecturaux cohabitent harmonieusement à New York : néoclassique (Federal Hall), Renaissance gothique (Brooklyn Bridge, Saint Patrick's Old Cathedral, Cathedral Church of Saint John the Divine), Art déco (Chrysler Building, Rockefeller Center), néoclassique Beaux-Arts (Grand Central Terminal), École de Chicago (Flatiron Building) et futurisme (terminal de l'aéroport JFK). D'autres bâtiments sont tout simplement sans style et témoignent du mauvais goût évident de leur concepteur come le complexe résidentiel dû à Donald Trump dans l'Upper West Side, que les New-Yorkais ont baptisé le "Trumpistan".
Dans les années 1960, les habitants se sont rendu compte qu'ils pouvaient se mobiliser pour défendre un projet ou s'opposer à une décision capable de dénaturer leur quartier. Hélas, cette prise de conscience a eu lieu après la destruction de l'un des joyaux architecturaux de la ville, Pennsylvania Station (de style Beaux-Arts). Cette disparition a été un crime architectural qui a énormément nui à la qualité de vie des résidents, qui se se sont vus obligés d'emprunter le hideux souterrain qui a remplacé la gare historique. À ce sujet, la phrase de Vincent Joseph Scully, professeur à l'école d'archictecture de Yale, est restée célèbre : "Autrefois [le voyageur] entrait dans la ville comme un dieu ; à présent, il rôde comme un rat."
Ce triste événement leur ayant servi de leçon, des New-Yorkais se sont mobilisés quand Grand Central a été à son tour menacée. Avec l'aide de Jacqueline Kennedy Onassis, ils ont non seulement réussi à sauver la gare, mais aussi à mettre en place les bases d'un mouvement de sauvegarde des bâtiments historiques. Après les attentats du 11-Septembre, les citoyens ont joué un plus grand rôle dans la prise de décision concernant les espaces publics : les projets ont en effet été soumis au vote. Les critiques d'architecture exercent actuellement une grande influence dans les médias et le New-Yorkais lambda a aussi son mot à dire. Être lauréat du Pritzker (prestigieux prix annuel d'architecture) ne suffit pas à se dédouaner de tout ! Les associations

de quartier ont ainsi suivi de près des projets comme l'agrandissement du MoMA (confié à l'architecte japonais Yoshio Taniguchi) et celui de la Morgan Library (confié à l'architecte italien Renzo Piano), la construction du nouveau siège du *New York Times* (également confiée à Piano), les transformations du Lincoln Center par divers cabinets d'architecture et la création du nouveau parc urbain aménagé sur l'ancienne voie de chemin de fer de Meatpacking District (la High Line) par l'agence new-yorkaise Diller Scofidio + Renfro. À proximité de cette promenade aménagée se trouve le premier édifice construit par Frank Gehry à New York, le siège de l'agence de communication IAC. Le New Museum, dû au cabinet d'architecture Sejima + Nishizawa (SAANA) a reçu un bon accueil dans la Lower East Side. Jean Nouvel, Herzog & de Meuron n'ont pas eu cette chance pour l'ensemble résidentiel qu'ils avaient conçu au n°4 à de Bond St dans l'East Village. Une majorité de résidents se sont opposés, considérant qu'il modifiait l'esthétique de la rue.

Une petite faim à 4h du matin ?
Un *deli* sera toujours ouvert.

Attitude

À New York, personne n'est vraiment d'ici. On y arrive pour étudier ou travailler, avec la conviction d'habiter un autre pays, une autre culture. Ce sentiment d'exception s'accompagne d'une énergie à revendre. Dire que le temps, dans la "Big Apple", ne marque pas de pause n'est pas galvaudé. La ville ne s'arrête jamais. Elle vit et se vit 24h/24. L'emploi du temps est donc tout sauf structuré. L'exotisme à New York résiderait davantage en une invitation à dîner chez des amis, ou un repas en solitaire chez soi. De fait, le choix des restaurants ethniques est tel qu'il revient moins cher d'aller, par exemple, manger un bol de nouilles japonaises dans l'East Village, que de concocter un dîner maison. Les New-Yorkais ont une véritable culture de la vie nocturne. New York, ainsi, est une ville à bars. Prendre un verre dans un lieu, se rendre dans un autre, tester le dernier endroit à la mode, poursuivre la soirée ainsi avant d'aller dîner dans un *diner* ou un resto branché fait partie des coutumes de la nuit. Et chose qui serait inconcevable à Paris, il est d'usage ici d'attendre, jusqu'à parfois une heure et demie, avant de s'attabler dans un restaurant branché. On patiente debout au bar, à discuter, se décontracter, regarder les gens alentour, sans manifester de signe d'agacement.
New York voue un culte à l'exclusivité, au branché, au "happy few". Les lieux se font et se défont au gré du bouche-à-oreille et des chroniques dans le *New-York Magazine* et *Time Out*, la bible des sorties. Une rue excentrée dans un quartier qui l'est tout autant peut se trouver sur la cartographie des nuits new-yorkaises. La nuit mélange sans vergogne les tribus des banquiers, rentiers, étudiants, stylistes, journalistes ou artistes, qui partagent cet adage bien connu ici : "Work hard, play hard." Cette mixité n'est pas un leurre. New York, en cela, est une ville accessible et "cool" – expression qui désigne ici un sentiment d'originalité, d'avant-garde, mais le tout mêlé d'authenticité – où même les happy fews ne se cachent pas pour sortir faire la fête. Et le prix ne fait pas forcément barrage. Ainsi un obscur bar peut se voir propulsé hyper branché et garder ses tarifs d'avant la vague. Quant au look, il convient aussi qu'il soit "cool", avec une pointe d'originalité, mais pas trop. Si on vous dit que vous avez le "downtown look", vous avez décroché vos palmes new-yorkaises. Cela signifie en effet qu'il est soigné, branché, joli, et vous situe définitivement "en dessous de la 14e rue". Là où se font les tendances.

exceptionnelle. Le **Off-Broadway**, c'est la scène située en dehors des limites du quartier des théâtres, qui se donne dans des salles de moins de 500 places et dont les acteurs ne sont pas défendus par les syndicats qui protègent le théâtre commercial. Le **Off-Off Broadway** désigne des salles encore plus petites et la scène alternative ou très expérimentale.

Les guichets KTTS vendent les billets à tarif réduit (jusqu'à moins 50 %) pour les pièces et les comédies musicales de Broadway et du Off-Broadway. Les queues sont impressionnantes, mais avancent très vite. Le guichet de Times Square (Broadway Ave-47th St) vend des billets pour le jour même. Ceux de South Street Seaport (Front St-John St) et de Downtown Brooklyn (Jay St-Myrtle Ave) pour le soir même ou pour la première représentation le lendemain.

En règle générale, les spectacles de Broadway sont donnés aux mêmes horaires : à 19h ou 20h du mardi au samedi et à raison de deux représentations les mercredis, samedis et dimanches, avec une matinée supplémentaire à 14h ou 15h. Le lundi est jour de relâche.

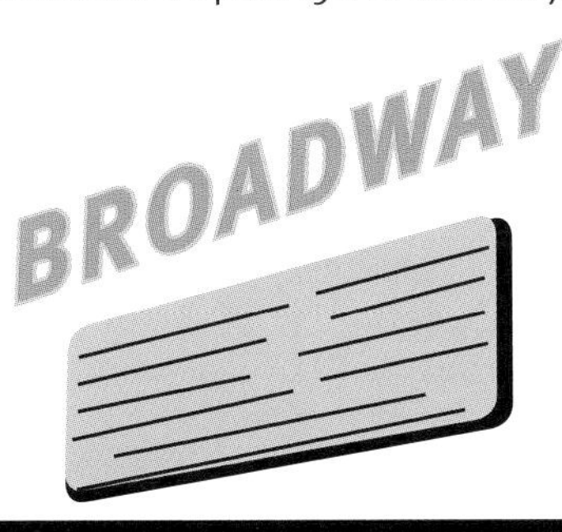

Une oasis de verdure au cœur de la Grosse Pomme.

Central Park

Dans une ville où l'espace privé est trop exigu, le parc se transforme en salon, en gymnase, en lieu de pique-nique idéal. Il devient le cadre de rêve d'un mariage ou un espace de méditation. En été, c'est une plage sans mer, un gigantesque auditorium pour les concerts et les représentations gratuites (Shakespeare in the Park par exemple ; voir p. 37) et un espace de choix pour pratiquer en groupe le yoga ou le tai chi ou pour faire son jogging en solitaire. En hiver, on peut se balader dans Central Park sous la neige et profiter de la piste de patin à glace. Secret d'initiés : quand la nuit tombe, se rendre à l'arrière du Metropolitan Museum (p. 173), qui donne sur le parc, pour contempler le temple de Dendur tout éclairé. Quelques passages obligés de la balade dans Central Park : le grand plan d'eau Jacqueline Kennedy Onassis Reservoir, le Belvedere Castle, qui abrite une station météo, le zoo, le restaurant-cafétéria Boathouse (p. 35) et la mosaïque *Imagine* dédiée à John Lennon non loin de son ancien domicile, l'immeuble Dakota (p. 187).

Le plus souvent, les touristes considèrent avoir fait le tour du parc en arrivant au lac artificiel, voire avant. C'est dommage car faire le tour complet du réservoir (2,5 km) à la tombée de la nuit permet de profiter de l'une des plus belles vues sur Manhattan. Et la partie nord du parc est plus sauvage et plus intéressante que la partie sud.

La place de cinéma coûte 12 $, mais on peut trouver de nombreux festivals de cinéma ou des concerts gratuits dans les parcs en été. L'important est moins dans la programmation, tout à fait classique, que dans l'expérience partagée avec des centaines de personnes : on vient pour s'amuser, se réjouir de l'été et tenter d'organiser le meilleur pique-nique. Si le film s'y prête, il n'est pas mal vu de venir y assister déguisé, en Dracula, en requin ou en Jedi par exemple. Il est recommandé d'arriver une heure avant la projection et d'emporter sa nappe ou son drap de bain pour délimiter l'espace du campement. Les premiers arrivés s'approprient les meilleures places, qu'ils défendent bec et ongles. Rappelons qu'il est interdit de boire de l'alcool en public, même s'il n'est pas rare de trouver une bouteille de vin planquée dans le panier sous les fromages et le casse-croûte.
Voici quelques-uns des festivals les plus fréquentés (consulter les pages web pour la programmation, les dates et les horaires précis) : à Dumbo, le **Brooklyn Bridge Park Summer Film Series** organise des projections une nuit par semaine en été, le jeudi. Une session DJ a lieu avant le film (Empire-Fulton Ferry State Park ; juillet-août ; www.bbpc.net). La programmation du **Celebrate Brooklyn Festival** intègre le cinéma, le théâtre, la danse et la musique (Prospect Park Bandshell ; Prospect Park West-9th St, Brooklyn ; 15 juin-5 août ; www.prospectpark.org). Le très populaire **HBO Bryant Park Summer Film Festival** offre des projections tous les lundis soir dans Bryant Park (6th Ave ; juin-août ; www.bryantpark.org) et on se presse aussi aux séances de l'**Hudson River Park** (juillet-août ; www.hudsonriverpark.org).

De *delis* en *diners*

Gastronomie

New York regorge de spécialités culinaires du monde entier, mais aussi de petites affaires familiales qui font partie des classiques de la ville. Les *delis* Barney Greengrass (541 Amsterdam Ave ; p. 190) et Russ & Daughters (179 East Houston St ; p. 91) sont des adresses incontournables. Elles proposent toutes deux un bagel au poisson fumé. Le bagel est un pain azyme que l'on fait bouillir avant de le faire cuire au four. Les *delis* proposent aussi des *pastrami* confectionnés avec de la poitrine de veau, des sandwichs au pain de seigle habituellement servis chauds. Katz's (205 East Houston St ; p. 87) est le plus ancien *delicatessen* (épicerie fine) de New York et des millions de spectateurs connaissent son *pastrami* grâce au fameux orgasme simulé de Meg Ryan dans *Quand Harry rencontre Sally.* Quant au *pastrami* de Carnegie Deli (854 7th Ave ; p. 162), il contient assez de viande pour nourrir une famille entière.

Nous vous recommandons aussi de vous restaurer dans un *diner*. Ces

ou à la citrouille et le délicieux *apple cider,* mélange de jus de pommes et d'épices servi chaud et très agréable en hiver.

Il faut aussi sacrifier à la tradition du brunch : compromis entre *breakfast* et *lunch,* il se consomme en fin de semaine, sur le coup de 11h du matin. Le brunch typique comporte habituellement des œufs et des patates. Des cocktails aussi, comme le Mimosa (champagne et jus d'orange), le Bellini (prosecco et jus de pêche) ou le Bloody Mary (vodka, jus de tomate, sel de céleri, sauce Worcestershire, sel, poivre, Tabasco et jus de citron). Également populaire, le brunch dim sum, que l'on déguste à Chinatown. Dim sum signifie “ce que ton cœur choisit”, et on choisit généralement sur un plateau chargé de petits ramequins qui circule entre les tables.

Dans les marchés, on trouve des plats cuisinés et les poissonneries offrent de délicieuses soupes mitonnées avec le poisson du jour. La soupe de palourdes façon Manhattan est connue, mais nous vous recommandons aussi la soupe New England à la crème fraîche. La poissonnerie de Chelsea Market (75 9th Ave ; p. 121) et le restaurant Oyster Bar (p. 148) à Grand Central respectent la recette traditionnelle. Ceux qui ne pourront pas finir les généreuses rations pourront emporter les restes dans un *doggy-bag*, option très pratique et socialement correcte.

Carré magique dans cinq rues de Chelsea

Galeries d'art

La zone des galeries de Chelsea se trouve entre 22nd et 26th St et 11st et 12th Ave. Certaines jouissent d'espaces spectaculaires, d'autres sont installées dans des bâtiments industriels entièrement consacrés aux expositions. On peut en visiter une douzaine en moins d'une matinée. Ce lien vous permet de visualiser l'ensemble des galeries de Chelsea : http://chelseagallerymap.com

Nous vous conseillons de faire le parcours et de n'entrer que lorsque les artistes exposés attirent votre attention. Bien sûr, il est plus facile de trouver les galeries qui donnent sur la rue, mais on ne doit pas hésiter à prendre l'ascenseur ou le monte-charge dans certains édifices car certaines galeries situées en étage valent le détour. En voici quelques-unes : Alexander and Bonin (132 10th Ave), Barbara Gladstone Gallery (515 West 24th St-10th Ave), Daniel Reich Gallery (537A West 23rd St), Gagosian Gallery (522 West 21st St), Zach Feuer Gallery (530 West 24th St), Marlborough Gallery (545 West 25th St), Pace Gallery (534 West 25th St), Mike Weiss Gallery (520 West 24th St). Le Baron Building 210 Art regorge de galeries (11th Ave-25th St).

La Grosse Pomme

même mois, la **Martin Luther King Jr Parade** voit défiler chars et fanfares en hommage à l'illustre défenseur des droits civiques, sur la 5e Avenue, entre 61st et la 86th St. La deuxième semaine de février, l'effervescence gagne Manhattan à l'occasion de l'**Olympus Fashion Week** (www.olympusfashionweek.com), un temps fort de la mode également organisé en septembre. Le 17 mars, difficile de passer à côté du défilé de la **Saint-Patrick** sur la 5e Avenue (entre 44th et 86th St). Côté salles obscures, direction East Village où l'Anthology Film Archives diffuse des documentaires et des films expérimentaux dans le cadre du **New York Undergroung Film Festival** (www.nyuff.com). À Pâques, vous pourrez de nouveau apprécier le goût des Américains pour les défilés avec l'**Easter Parade**, le dimanche sur la 5e Avenue (entre 57th et 49th St). Le dernier dimanche de juin, la grande parade du **Lesbian, Gay, Bisexual&Transgender Pride** est un autre rendez-vous festif.

L'été se déroule sous le signe des festivals. **Philharmonic in the Park** (www.newyorkphilharmonic.org) programme en juillet des concerts gratuits à Central Park, Prospect Park, mais aussi dans le Bronx ou à Staten Island. En août le **Fringe Festival** (www.fringenyc.org) est dédié à la création théâtrale, tandis que le **Howl! Festival** (www.howlfestival.com) dans East Village et la **Harlem Week** (www.harlemweek.com) sont l'occasion de rencontres artistiques. En octobre, guettez l'**Open House New York** (www.ohny.org), durant laquelle les lieux les plus secrets de New York ouvrent au public. À l'**Halloween Parade** (www.halloween-nyc.com), le déguisement est bien entendu de rigueur. Le mois de novembre est marqué par le célèbre **marathon de New York** (www.ingnycmarathon.org) et le défilé de **Thanksgiving**. Décembre s'achève rituellement à **Times Square** pour le compte à rebours du passage à la nouvelle année.

La solution quand on dispose d'un temps limité

Grands magasins

À la différence des autres grandes villes américaines, New York a conservé sa tradition du petit commerce de quartier. Boutiques de vêtements vintage, épiceries fines, fromageries, confiseries, bijoux et diamants, chaussures, meubles anciens, parfums sur mesure, livres de voyage, disques vinyles, chapeaux... il est parfois difficile au visiteur de trouver les bonnes adresses sans l'aide d'un guide. C'est pourquoi les grands magasins offrent une bonne alternative. Hormis Macy's (151 West 34th St), les grands magasins se concentrent dans une zone très réduite. Voici quelques adresses : Barney's New York (660 Madison Ave – Barney's a créé une marque légèrement meilleur marché et destinée à un public plus jeune, Barney's Coop), Bergdorf Goodman (754 5th Ave), Henri Bendel (712 5th Ave), Sak's Fifth Avenue (611 5th Ave), Lord & Taylor (424 5th Ave) et Bloomingdale's (1000 5th Ave).

Préparez-vos à faire la queue pour les soldes du mythique "vendredi noir" (le premier vendredi après Thanksgiving, qui donne le coup d'envoi des courses de Noël) et tous les week-ends qui précèdent les fêtes de fin d'année.

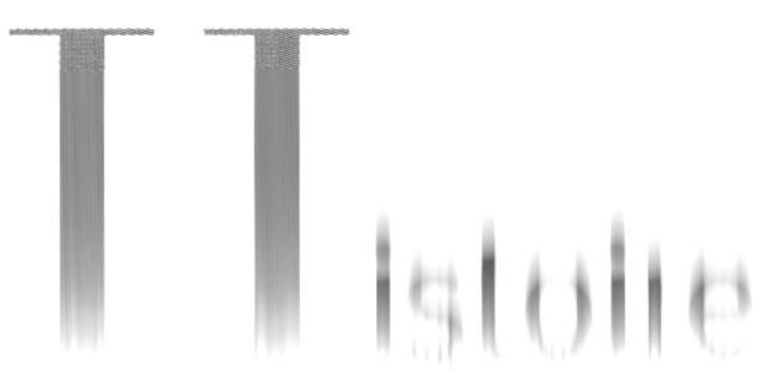

de ce peuple. On estime à plus de 15 000 le nombre d'habitants indigènes avant l'arrivée des Européens et à 700 un siècle plus tard

1524. L'explorateur florentin Giovanni da Verrazzano arrive sur les rivages de Manhattan à bord du navire français *La Dauphine*. Il décime les indigènes qu'il trouve sur son chemin et baptise cette terre La Nouvelle-Angoulême en hommage à François Ier, roi de France et comte d'Angoulême.

1609. Henry Hudson – employé de la Compagnie hollandaise des Indes occidentales –, à la recherche d'une nouvelle route maritime vers l'Asie, débarque dans la région. Dans les années qui suivent, une centaine de colons hollandais s'établissent dans la zone qui deviendra Lower Manhattan, où ils fondent La Nouvelle-Amsterdam. Ils lancent des assaults meurtriers contre les indiens Lenape qui refusent de lâcher leurs terres. Pendant des dizaines d'années, les conflits et les soulèvements dus à la mauvaise gestion du territoire par les gouverneurs hollandais ne cessent de s'envenimer.

1650. Sous l'autorité du gouverneur Peter Stuyvesant, La Nouvelle-Amsterdam connaît un relatif apaisement et une stabilité économique. La communauté parvient à un accord avec le peuple Lenape, organise la zone portuaire et fait creuser un canal (sous l'actuelle Canal St). L'arrivée d'esclaves provoque un accroissement de 20 % de la population.

1664. Les Anglais veulent annexer la région. Peter Stuyvesant ne leur oppose pas de résistance et leur cède La Nouvelle-Amsterdam. La colonie est rebaptisée New York en hommage au duc d'York, frère de Charles II d'Angleterre.

1673. Les Hollandais reprennent New York, qu'ils renomment cette fois Nouvelle-Orange.

1674. Les Hollandais sont à nouveau battus par les Anglais, qui récupèrent New York. Dans les années qui suivent, l'Angleterre étendra sa domination sur les territoires environnants.

1700. New York est devenu un port britannique prospère où vivent plus de 10 000 sujets de Sa Majesté (étranglés par les impôts et assoiffés d'indépendance) et 2 000 esclaves (revendiquant leur liberté).
21 septembre 1776. Un incendie détruit un quart de la ville.
1776. Déclaration d'indépendance des États-Unis.
27 août 1776. La bataille de Brooklyn s'avère la plus sanglante de toute la guerre d'Indépendance. Les Anglais victorieux s'assurent le contrôle de la ville jusqu'en 1783.
30 avril 1789. George Washington est proclamé premier président des États-Unis d'Amérique devant le Federal Hall et New York devient la capitale du pays. L'année suivante, elle perd ce privilège au profit de Philadelphie (et plus tard de Washington DC).
1798-1805. Une épidémie de fièvre jaune fait 12 000 morts et 50 000 personnes fuient la ville.
1870. Fondation du Metropolitan Museum of Art.
1873. Inauguration de Central Park.
1883. Inauguration de Brooklyn Bridge, qui relie les villes, encore distinctes, de Brooklyn et de Manhattan.
1886. La statue de la Liberté est offerte par les Français aux États-Unis. La statue, œuvre du sculpteur Frédéric Auguste Bartholdi (avec la collaboration de l'ingénieur Alexandre Gustave Eiffel pour les détails techniques) a été financée par les Français, mais son piédestal a été achevé grâce à une souscription populaire lancée par le magnat de la presse Joseph Pulitzer.
1892-1954. Plus de 12 millions d'émigrants débarquent à Ellis Island, porte d'entrée des États-Unis d'Amérique.
1898. L'agglomération de New York naît du regroupement de Brooklyn, Bronx, Queens, Staten Island, Manhattan.
1920. Les années 1920 sont restées dans les mémoires comme celles de la Prohibition, des bars clandestins contrôlés par la maffia, des descentes de police, des *flappers* (jeunes filles délurées qui fumaient, dansaient et s'habillaient court), de la renaissance de Harlem. C'est l'ère du jazz.
7 novembre 1929. Inauguration du Museum of Modern Art de New York, le MoMA.
24 novembre 1929. Jeudi noir (suivi du lundi et du mardi noirs). Crach boursier qui entraîne la grande dépression des années 1930. Central Park devient un bidonville.
1930. Inauguration du Chrysler Building, qui sera pendant quelque mois l'édifice le plus haut du monde (319,9 m).

1931. Inauguration de l'Empire State Building (381 m), qui conservera

[illegible]

les promoteurs de s'emparer d'autres bâtiments historiques. Ils parviendront à sauver des centaines d'édifices, parmi lesquels Grand Central Terminal.

1964. L'Exposition universelle a de nouveau lieu à New York.

1970. Cette décennie est marquée par l'endettement de la ville et par l'insécurité. Seule bonne nouvelle : les loyers baissent et les artistes peuvent investir des ateliers et des espaces industriels.

1973. Les tours jumelles sont les plus hautes du monde (526,3 m).

1980. Les drogues et le sida ébranlent la ville.

8 décembre 1980. John Lennon est assassiné face à l'immeuble Dakota, où il vivait avec son épouse Yoko Ono et leur fils Sean.

26 février 1993. Un attentat à la voiture piégée fait 6 morts et des milliers de blessés au World Trade Center.

1994. Rudolph Giuliani est élu maire de New York. Sous son mandat (1994-2001), la criminalité est éradiquée : New York devient la ville la plus sûre du pays et la capitale du loisir.

2001. L'attentat du 11-Septembre fait 2 800 morts : les terroristes lancent deux avions contre les tours jumelles du World Trade Center, qui s'effondrent en laissant une gigantesque cicatrice.

12 novembre 2001. Un avion d'American Airlines s'écrase sur Queens. Ses 260 passagers et 5 habitants trouvent la mort.

2003. Gigantesque panne d'électricité à New York.

2007. Inauguration du New Museum of Contemporary Art.

2009. Les mauvaises pratiques de Wall Street entraînent la suppression de milliers d'emplois et provoquent un tsunami économique, qui touche les États-Unis avant de s'étendre à l'Europe.

2010. Mike Bloomberg est élu à la mairie pour la troisième fois, après avoir fait abroger la loi qui limitait le nombre des mandats.

New York
en toile de fond

Littérature

Henry James (*Washington Square* ; 1880), Washington Irving (*Histoire de New York depuis le commencement du monde* ; 1809), Edith Wharton (*L'Âge de l'innocence* ; 1920), John Dos Passos (*Manhattan Transfer* ; 1925)... La liste est longue et se poursuit aujourd'hui avec des écrivains comme E. L. Doctorow (*Ragtime* ; 1975), Paul Auster (*Trilogie new-yorkaise*; 1985-1986), Don DeLillo (*Outremonde* ; 1997), Philip Roth (*Pastorale américaine* ; 1997), Thomas Pynchon (*Mason et Dixon* ; 1997), Jonathan Lethem (*Les Orphelins de Brooklyn* ; 1999), Jonathan Safran Foer (*Tout est illuminé* ; 2002) et Siri Hustvedt (*Les Mystères du rectangle* ; 2006).

Holly Golightly, l'héroïne de *Petit-déjeuner chez Tiffany* (Truman Capote ; paru en 1958), voulait que sa vie ressemble à la bijouterie Tiffany's car "rien de mauvais ne peut y arriver". Et Holden Caulfield, le protagoniste de *L'Attrape-cœur* (J. D. Salinger ; paru en 1951), parcourait la ville pour tenter de comprendre d'où venaient sa colère et sa douleur, il se demandait aussi ce que devenaient les canards de Central Park quand le lac était gelé. La nuit festive pleine de débordements de *Gatsby le magnifique* (F. Scott Fitzgerald; publié en 1925) finit en tragédie à Manhattan.

La liste des poètes est aussi impressionnante : Walt Whitman (*Feuilles d'herbe* ; 1855), E. E. Cummings, W. H. Auden et les grands auteurs qui écrivent en yiddish, Moshe Lieb Halpern et Yakov Glatshtein. Sans oublier Federico García Lorca, qui a écrit *Poète à New York* pendant son séjour à l'université de Columbia de 1929 à 1930.

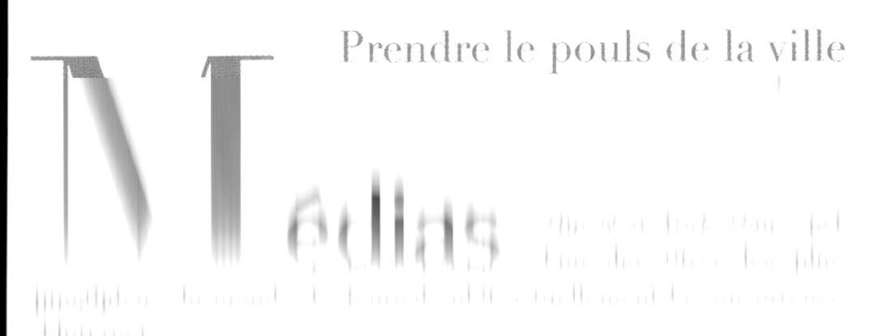

l'agence Fox News et le *New York Post,* réputé pour ses titres chocs. Le *Daily News* est calqué sur le même modèle. *The Village Voice* est un hebdomadaire alternatif gratuit. Le *New York Press,* son concurrent, est mieux distribué. Il faut savoir que *The Onion* est un journal satirique dont il ne faut pas prendre les informations au sérieux.

Évidemment, dans une ville comme New York, la presse des différentes communautés est très importante : on trouve plus de 270 périodiques publiés en 40 langues.

Des hebdomadaires comme *The New Yorker* offrent la meilleure solution pour suivre l'actualité culturelle et lire des articles de qualité. *Time Out New York* est une source d'informations pratiques sur les restaurants et les sorties, et le *New York Magazine* donne à la fois des infos culturelles et des potins *people*.

Les studios d'ABC, CBS, FOX et NBC se trouvent à New York. C'est aussi le cas de beaucoup de télévisions câblées comme MTV, Fox News, HBO et Comedy Central (les humoristes Jon Stewart et Steven Colbert ont créé un véritable phénomène de société). La chaîne d'information locale permanente NY1 News n'est disponible que sur le Time Warner Cable.

Sur Internet, les pages sur New York et les blogs sont incontournables. On peut aussi écouter l'émission gratuite d'East Village Radio (www.eastvillageradio.com) et consulter le site Gothamist (www.gothamist.com).

Sûrs, pratiques et économiques, les transports new-yorkais fonctionnent 24h/24.

Métro et bus

Moins sophistiqué que celui de Paris, le **métro** de New York couvre néanmoins toutes les zones et circule 24h/24 et 7j/7. Il est sûr et possède 468 stations et 1 000 km de voies. Sa gestion est assurée par la Metropolitan Transportation Authority (MTA). La fréquence des passages peut varier en fonction les horaires et des périodes. En principe, on distingue les tranches horaires suivantes : *rush hour* (heure de pointe), de 6h30 à 9h30 et de 15h30 à 20h ; *midday* (journée), de 9h30 à 15h30, du lundi au vendredi ; *evening* (soirée), de 20h à minuit, du lundi au vendredi ; *week-end*, de 6h30 à minuit, samedi et dimanche, et *late night* (toutes les nuits de la semaine), de minuit à 6h30. Le week-end, il faut faire attention car certaines rames marquent moins d'arrêts ou modifient leur itinéraire.

Le système est assez simple : chaque ligne possède sa couleur et des chiffres ou des lettres qui varient en fonction des destinations. Les trains *local* sont omnibus (s'arrêtent à toutes les stations) et les *express* sont plus directs. Il faut être vigilant : plusieurs lignes pour des destinations différentes passent sur un même quai et, quand c'est la bonne ligne, il peut s'agir d'un *local* ou d'un *express*. Un cercle de couleur, un chiffre et une lettre figurent sur les fenêtres des voitures. Le plus simple est de se procurer un plan gratuit du métro (*subway map*) dans une station. On peut acheter les billets au guichet ou dans les distributeurs, qui acceptent les pièces et les cartes de crédit.

À condition d'éviter les heures de pointe, le **bus** constitue à New York une bonne alternative au métro. Comme lui, il fonctionne 24h/24 et l'usage en est simple : la direction est indiquée *uptown* (vers le nord de Manhattan) ou *dowtown* (vers le sud), et les bus s'arrêtent tous les deux ou trois blocs (ceux indiqués comme "limited" font cependant moins d'arrêts et permettent d'aller plus vite). Bon à savoir : de 22h à 5h, pour des questions de sécurité, il est possible de demander au chauffeur de vous déposer en dehors d'un arrêt officiel. Le prix du trajet unique revient à 2,50 $. Si vous devez prendre une correspondance métro ou bus, pensez à demander un ticket "transfert". Pour vous diriger, sachez que les numéros de ligne précédées de B vont à Brooklyn, de Bx dans le Bronx, de Q dans le Queens, de M à Manhattan...

Portes ouvertes

Musées

Botanic Garden (mardi toute la journée, samedi 10h-12h • 1000 Washington Ave, Brooklyn • www.bbg.org) ; New Museum of Contemporary Art (jeudi 18h-20h • 583 Broadway Ave • www.newmuseum.org) ; Jewish Museum (jeudi 17h-20h • 1109 5th Ave • www.jewishmuseum.org) ; Museum of Modern Art, MoMA (vendredi 16h-19h45 • 11 West 53rd St • www.moma.org) ; Whitney Museum of American Art (vendredi 18h-21h • 945 Madison Ave-75th St • www.whitney.org).

Libre participation : American Museum of Natural History (Central Park West-79th St • www.amnh.org) ; The Brooklyn Children's Museum (145 Brooklyn Ave-St Mark's Ave, Brooklyn • www.bchildmus.org) ; Brooklyn Museum of Art (200 Eastern Pkwy, Brooklyn • www.brooklynmuseum.org) ; Isamu Noguchi Garden Museum (32-37 Vernon Blvd, Long Island City • www.noguchi.org) ; Metropolitan Museum of Art, et espaces associés (1000 5th Ave-89th St • www.metmuseum.org) ; El Museo del Barrio (1230 5th Ave-104th St • www.elmuseo.org) ; Museum of the City of New York (1220 5th Ave-103rd St • www.mcny.org) ; Morgan Library (29 East 36th St • www.morganlibrary.org) ; Queens Museum of Art (www.queensmuseum.org).

Entrée libre tous les jours : The Hispanic Society of America (613 W 155th St • www.hispanicsociety.org).

Des lieux clandestins, secrets et exclusifs

New York secret

C'est parfois un secret de Polichinelle, mais certains *speakeasies* (bars clandestins) demeurent difficiles à trouver. Même si nous sommes loin du temps de la Prohibition, depuis quelques années, la mode est aux bars ou restaurants installés dans des lieux improbables. Angel's Share (8 Stuyvesant St) est un bar à cocktails spécialisé dans le saké, dissimulé derrrière le restaurant japonais Villa de Yokocho (il faut ouvrir la porte qui se trouve au sommet de l'escalier partant du restaurant). Le Please Don't Tell ou PDT ("ne le dites à personne" ; 113 St Marks Pl ; p. 101) se cache à l'arrière d'une cabine téléphonique. Apothéke (9 Doyers St ; p. 244), dans une ruelle de Chinatown, est aussi très couru. Comme dans les films, on accède à The Back Room ("l'arrière-salle" ; 102 Norfolk St) par une entrée secrète cachée dans une bibliothèque. Employees Only ("réservé au personnel" ; 510 Hudson St ; p. 240) est moins clandestin mais plus chic. Au Milk & Honey (134 Eldridge St), où l'on ne pouvait autrefois entrer que sur invitation, on peut même désormais réserver sur Internet. Little Branch (22 7th Ave S ; p. 245) se trouve derrière une banale porte marron. Pour dîner dans la salle secrète du restaurant mexicain La Esquina (106 Kenmare St ; p. 57), il faut impérativement réserver. C'est un bar à tapas minuscule avec un restaurant en sous-sol. My Little Secret ("mon petit secret" ; 149 Mulberry St) se trouve aussi dans une cave. The Cabin Down Below ("la cabine en enfer" ; 110 Ave A ; p. 100) se situe, elle, à l'arrière de la pizzeria The Pizza Shop. Le dernier faux *speakeasy* est le XIX (19 Ken mare St) : aucune inscription sur la porte, mais un portier plutôt strict. Dans le Queens, il y a aussi le Dutck Kills (27-24 Jackson Ave ; p. 225).

S'orienter à Manhattan

9th... jusqu'à 12th. Au niveau du parc, les avenues changent de nom : 8th devient Central Park West, 9th Colombus, 10th Amsterdam et 11th West End. 59th Street aussi se métamorphose en Central Park South.
Il faut rappeler aussi que 5th Avenue marque la séparation entre l'est et l'ouest et que les numéros se répètent de part et d'autre. On peut ainsi, par exemple, se trouver devant le n°40 de 40th St et ne pas trouver Bryant Park Hotel parce qu'on se trouve en fait au 40th East... Dans ce cas, il faudra traverser 5th Ave et se rendre au 40th West. Dans le Village, à TriBeCa, à Chinatown, dans le Lower East Side et à Wall Street, les rues ont un nom. C'est aussi le cas à Brooklyn. Dans le Queens, la plupart des rues et des avenues suivent le système métrique.
Les New-Yorkais, et les promoteurs immobiliers en particulier, aiment inventer des noms à partir d'acronymes pour désigner les micro-quartiers. Les plus connus sont SoHo (South of Houston), NoLiTa (North of Little Italy), NoHo (North of Houston), TriBeCa (Triangle Below Canal), Dumbo (District Under the Manhattan Bridge Overpass). À ceux-là, on peut ajouter NoHa (North of Harlem), SoHa (South of Harlem), NoMad (North of Madison Square Park) ou SoBro (South Bronx).
Les plaques de rue sont de couleur verte, excepté quand la voie fait partie du patrimoine historique de la ville : dans ce cas, elle est marron.

Les bases pour comprendre la ville qui ne dort jamais

Population

Avec ses 8,5 millions d'habitants au dernier recensement de 2006, New York est la plus grande ville des États-Unis. Bien que la capitale officielle soit Washington DC, New York reste le centre financier, culturel et médiatique du pays et la capitale de la mode et des arts. C'est en outre une ville importante pour ses universités et ses centres hospitaliers, ainsi que pour la diplomatie, puisque le siège des Nations unies se trouve sur 1st Avenue.

New York est formée de cinq districts : le Bronx, Brooklyn, Manhattan, Queens et Staten Island. Ceux-ci sont à leur tour divisés en quartiers. Manhattan est le plus touristique et considéré par la plupart des visiteurs comme le New York authentique.

Dès ses origines, la ville a été un important foyer d'immigration et elle se démarque par une population très diversifiée : 40% des New-Yorkais sont nés en dehors des États-Unis. Pour le comprendre, une visite s'impose au Musée de l'immigration d'Ellis Island. Plus de 12 millions d'Européens sont passés par là pour entrer aux États-Unis entre 1892 et 1924. En 1900, New York était la deuxième ville italienne après Rome, les Polonais y étaient plus nombreux que dans toutes les villes de Pologne excepté Varsovie. New York hébergeait le même nombre d'Irlandais que Dublin et la communauté juive la plus importante du monde. Bien que l'expression *melting pot* soit née dans le Lower East Side, c'est aujourd'hui dans le Queens que l'on trouve la plus grande diversité de cultures, de religions et de langues (140 langues différentes).

Du bon usage

Pourboire

[illegible] réside dans l'importance de la somme qu'il laisse en plus du minimum (de 15 à 20 % selon le montant de l'addition). Refuser de laisser un pourboire parce que l'on considère que le service n'a pas été à la hauteur ou que le restaurant est trop cher n'est pas la bonne solution. Ceux qui engagent avec le garçon un débat philosophique et moral sur la perversité du système se trompent aussi : il préférerait sans doute qu'on s'en tienne au pourboire minimum et qu'on n'en parle plus ! La meilleure façon de calculer le pourboire est de doubler le montant des taxes qui apparaissent sur le ticket. De nombreux restaurants ont pris l'habitude d'inclure le pourboire dans l'addition, surtout pour les clients étrangers ou les groupes.

Dans les bars à cocktails, on laisse généralement 1 $ par verre. On laisse également 1 $ pour le vestiaire. Les taxis attendent aussi un pourboire : pour les longs trajets, l'aéroport par exemple, suivre la même règle qu'au restaurant et ajouter quelques dollars si le chauffeur vous aide à sortir les bagages ; pour les trajets plus courts, pas la peine d'être aussi strict.

En tout cas, le pourboire est d'usage pour tous les services et il faut veiller à avoir des petites coupures sur soi. Il est parfois difficile de savoir quelles sont les bonnes pratiques. Chez le coiffeur, par exemple, on laisse 15 à 20 % de pourboire au styliste et 2 $ à la shampoineuse.

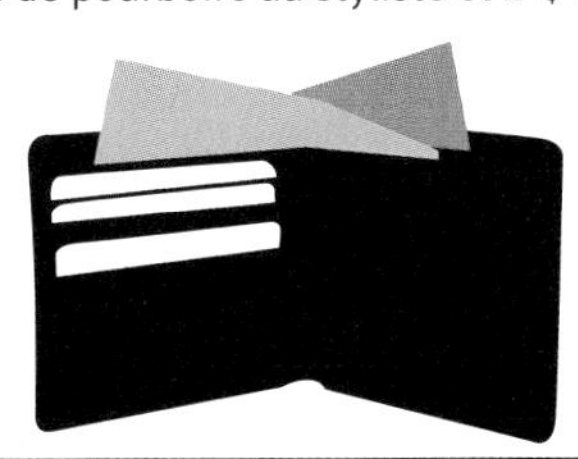

Découvrir les quartiers en chinant

Puces et fripes

À New York, on adore faire les boutiques d'occasion et les marchés aux puces le dimanche. Housing Works est une association qui soutient les malades du sida : son local de Chelsea (143 West 17th St) possède un excellent choix de meubles. Dans l'Upper East Side (202 East 77th St), les riches habitants du quartier font don de meubles Art déco, de pianos, de tableaux et de toutes sortes d'objets extraordinaires. Au marché de Gramercy (157 East 23rd St), on trouve des robes de soirée et des antiquités (meubles). Quant aux amoureux des livres, il faut absolument qu'ils passent au Housing Works Bookstore Cafe del SoHo (126 Crosby St).

D'après la revue *Vogue,* la boutique de fripes City Opera (222 East 23rd St) offre "la meilleure qualité à New York". On y trouve des vêtements pour homme et pour femme et des articles neufs, car bon nombre de stylistes qui ne parviennent pas à vendre leur collection préfèrent en faire don à ces organismes plutôt que de les brader. Les bénéfices sont reversés à la costumerie du New York City Opera.

Au Cancer Care Thrift Shop (1480 3rd Ave), le visiteur curieux peut tomber sur des affaires. On y trouve des vêtements griffés très Upper East (BCBG) dans les 100 $. Le Sloan-Kettering Cancer Center, un prestigieux centre de recherche médicale, possède une boutique dans l'Upper East (1440 3th Ave). Non loin se trouve Arthritis Thrift Shop (1383 3rd Ave), qui peut réserver le pire et le meilleur.

Sex... and the City : la série

[illegible] mais elle a également mis à la mode des restaurants, des bars et des boutiques. *Sex and the City* est devenu un véritable agenda des sorties. Il suffisait que les filles aillent dans un restaurant pour que, le lendemain, le carnet de réservation soit complet pour la semaine. Des agences de voyages ont commencé à proposer à leurs clients les itinéraires *Sex and the City.* Passage obligé de la série : la maison de Carrie. Bien qu'elle soit censée vivre dans l'Upper East Side, la petite maison de brique qui apparaît à l'écran est située dans West Village, plus précisément au 66 Perry St, non loin de la maison de Sarah Jessica Parker dans la vraie vie. La bijouterie Tiffany's (727 5th Ave) a beaucoup réjoui les quatre amies. Manolo Blahnik (31 West 54th St) est devenu le chausseur officiel de Carrie, suivi de près par Jimmy Choo (645 5th Ave). La styliste de la série n'est autre que Patricia Field (302 Bowery). Quand Charlotte n'était pas avec ses amies ou en goguette pour trouver un mari, elle travaillait dans la galerie d'art Louis K. Meisel Gallery (141 Prince St). Dans l'un des épisodes, l'achat du désormais célèbre "rabbit" a fait fureur (le modèle est épuisé) : les fans se sont elles aussi ruées vers The Pleasure Chest (156 7th Ave).

Voici quelques bars et restaurants de la série : Sushi Samba (245 Park Ave South), Pastis (9 9th Ave), *speakeasy* O'Neals (174 Grand St), pizzeria Grimaldi's (19 Old Fulton St), Central Park Boathouse (72 Central Park West), Blue Hill (75 Washington Pl), Balthazar (80 Spring St), pizzeria Lombardi's (32 Spring St), Union Square Cafe (21 East16th St), Cafe Habana (17 Prince St), Cafeteria (119 7th Ave), Kittichai (60 Thompson St), Tomoe Sushi (60 Thompson St), Il Gattopardo (33 West 54th St), Russian Samovar (256 West 52nd St), Inoteca (98 Rivington St) et Bar Pitti (268 6th Ave).

Vestiges de la Prohibition

"Speakeasies"

L'ambiance des *speakeasies*, ces bars clandestins du temps de la Prohibition, apparaît dans beaucoup de films, comme *Cotton Club,* de Francis Ford Coppola. Ces "clandés" sont toujours liés au jazz, aux excès et aux bagarres, aux descentes de police et aux amours de maffieux et de *flappers,* ces filles modernes et libérées des années 1920, facilement identifiables à leurs cheveux coupés court, leur maquillage et leurs jupes courtes pour l'époque.

Pendant la Prohibition, New York a compté près de 100 000 *speakeasies* à Harlem et dans le centre. Quelques-uns ont survécu depuis cette époque et on peut y commander un hamburger et une bière sans se faire épingler par Eliot Ness et ses hommes. 21 Club (21 West 52nd St) a gardé son charme et est devenu un restaurant. Bill's Gay Nineties (57 East 54th St) est un bar qui propose des spectacles musicaux. P. J. Clarke's (915 3rd Ave) possède le meilleur barman de tout New York et de bons hamburgers (l'original est bien meilleur que celui qui est servi dans les autres établissements de la chaîne). Dans le Village, Julius (159 West 10th St) a d'abord été un *speakeasy* avant de devenir le repaire de Truman Capote et de Tennessee Williams. Fanelli (94 Prince St), à SoHo, est parfait pour prendre un sandwich et une bière. McSorleys (15 East 7th St) est un passage obligé pour les buveurs de bière et les poètes (E. E. Cummings y a écrit son poème "*I Was Sitting in McSorleys*"). The White Horse Tavern (567 Hudson St) a été le lieu de rendez-vous de musiciens comme Bob Dylan ou Jim Morrison, mais son client préféré reste Dylan Thomas.

SummerStage existe à New York depuis 1986. À l'origine, il ne concernait que Central Park, mais le concept s'est étendu pour finir par offrir des représentations gratuites dans les principaux espaces verts de chaque quartier. Le visiteur trouvera sur le programme (www.summerstage.org) des spectacles de tous les styles et des artistes internationaux. Shakespeare in the Park (www.publictheater.org) est un autre rendez-vous annuel organisé par le Joseph Papp Public Theater. Les pièces classiques – de Shakespeare, mais aussi d'autres auteurs comme Tchekov – sont données en plein air sur la scène magique du Delacorte Theater : les plus grands acteurs viennent y interpréter *Hamlet, Othello* ou *Macbeth*. Pour retirer ses places (gratuites et limitées à deux par personne), il faut faire la queue tôt le matin et attendre 13h pour retirer les invitations délivrées pour le jour-même. Un secret : le Metropolitan Opera met en vente 200 billets au prix incroyable de 20 $. Pour les acheter, il faut se rendre au Lincoln Center au moins trois heures avant le spectacle (a priori cela suffit, sauf en période de fêtes) et faire une heure de queue. Les guichets ouvrent quelques heures avant la représentation. Attention, ne pas confondre ces places et celles qui sont vendues au même prix pour assister au spectacle debout.

Personne n'a su mieux que lui exprimer la névrose des New-Yorkais.

Woody Allen

Woody Allen, incarnation parfaite du New-Yorkais, a témoigné de la transformation de sa ville dans des films qui sont devenus des classiques. Puisqu'à New York on ne sort généralement pas du quartier où on habite, le réalisateur met le plus souvent en scène un seul quartier. Central Park reste une constante. Le restaurant Elaine's (1703/2nd Ave), qui a été le lieu de rendez-vous de toute une génération d'écrivains et d'éditeurs et qui a été aussi le QG du réalisateur, apparaît pour la première fois dans *Manhattan* et revient dans *Meurtre mystérieux à Manhattan*. *Manhattan* est sorti en 1979, mais une bonne partie des lieux filmés existe toujours aujourd'hui, comme le supermarché Dean and DeLuca (560 Broadway ; p. 64), à la seule différence que les patrons ne sont plus italiens mais japonais, ou la librairie Rizzoli (31 West 57th St). Le bruyant restaurant Carnegie Deli (854 7th Ave ; p. 162), réputé pour servir le meilleur sandwich au pastrami de la ville apparaît dans *Broadway Danny Rose*.

Certains décors sont beaucoup moins connus. Sur l'affiche de *Manhattan*, ce n'est pas le pont de Brooklyn qui est représenté, mais le Riverview Terrace de Sutton Square (sur 59th St près de l'East River). Dans *Annie Hall*, Avy (Woody Allen) passe son enfance à Coney Island. Le ferry de Staten Island, le Lincoln Center (p. 187), l'hôtel Saint-Regis (2 East 55th St ; p. 150), le temple de Dendur au Metropolitan Museum (p. 173) ou le restaurant Pastis (p. 120) sont autant d'exemples de lieux visités par des milliers de touristes, que par les habitants eux-mêmes.

Quartier par Quartier

LOWER MANHATTAN ET TRIBECA

SOHO, NOHO, NOLITA

UPPER EAST SIDE ET LE BRONX

UPPER WEST SIDE ET HARLEM

BROOKLYN

QUEENS

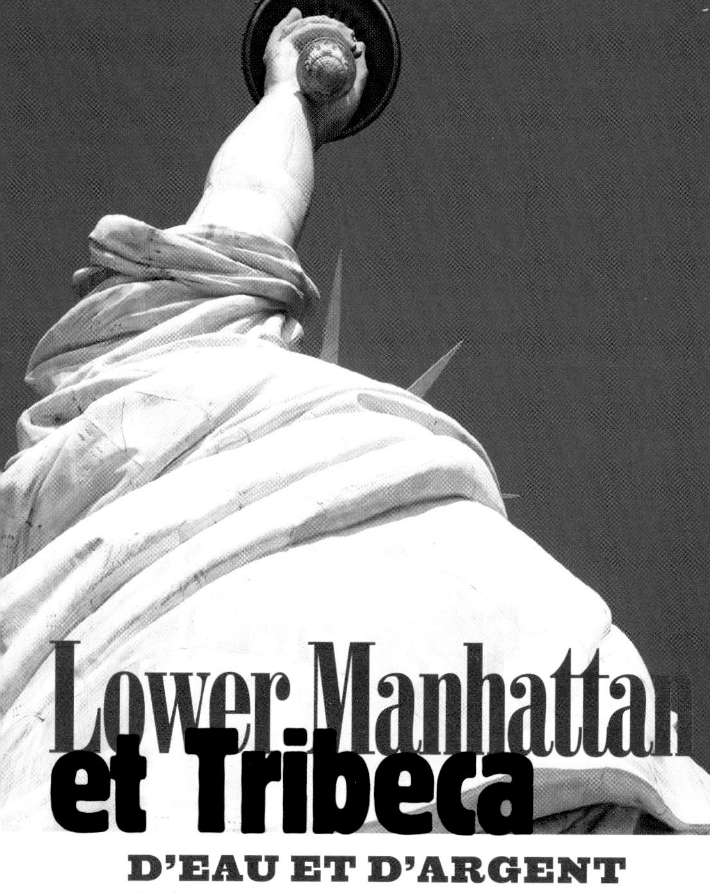

Lower Manhattan et Tribeca

D'EAU ET D'ARGENT

Lower Manhattan est un quartier riche en symboles. C'est ici qu'on prend le ferry pour rejoindre la statue de la Liberté et le musée de l'Immigration, à Ellis Island. Près des quais, South Street Seaport, l'ancien port de New York, a été reconverti en musée et en zone commerçante. Wall Street, la rue emblématique du capitalisme, abrite la Bourse de New York et la Réserve fédérale, sans oublier Tiffany and Co, le temple de la joaillerie. C'est également ici que se trouvent Ground Zero, la St Paul's Chapel et le centre d'information sur le 11-Septembre (WTC Tribute Visitors Center, 120 Liberty St), témoignages d'une histoire plus récente. À Tribeca, on pourra flâner entre les luxueux lofts aménagés dans d'anciens bâtiments industriels.

Tribeca Grill p. 47).

SOUTH STREET SEAPORT/⊙22 : l'ancien port de la ville abrite un musée, des commerces et de vieux navires.

LES FERRIES/⊙8 : pour se rendre à Staten Island, Liberty Island et Ellis Island (détails p. 43).

BATTERY PARK/⊙1 : un havre de verdure offrant de très beaux points de vue sur la statue de la Liberté (détails p. 43).

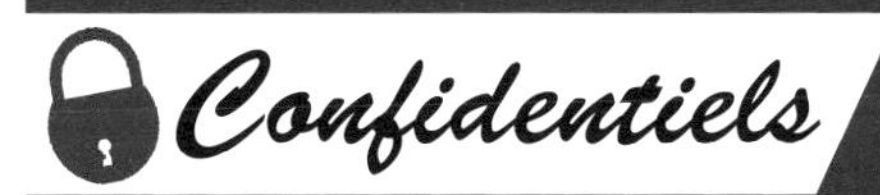

MACAO TRADING COMPANY/☾N35 : un bar se cache derrière le hall du restaurant Macao Trading Company (détails p. 239).

J CREW MEN'S SHOP AT THE LIQUOR STORE/20: cet ancien magasin de vins et spiritueux de Tribeca abrite une boutique de vêtements et d'accessoires pour hommes modernes et élégants (détails p. 49).

100 m
CANAL ST
CANAL ST
Hudson
Beach St
Ericsson Pl
Beach St
Lispenard St
N Moore St
Varick St
Walker St
Franklin St
FRANKLIN ST
White St
Franklin St
Harrison St
Greenwich St
Hudson St
Leonard St
Jay St
Worth St
Washington Market Park
Duane St
W Broadway
CHURCH ST
AVE OF THE AMERICAS
BROADWAY
Thomas St
Duane St
Reade St
WEST ST
CHAMBERS ST
CHAMBERS ST
Reade St
Warren St
CHAMBERS ST
CHAMBERS ST
Murray St
Warren St
W Broadway
Murray St
BROOKLYN BRIDGE-CITY HALL
CITY HALL
BARCLAY ST
Park Pl
CHURCH ST
PARK PL
City Hall Park
CENTRE ST
VESEY ST
PARK ROW
WEST ST (WEST SIDE HWY)
VESEY ST
Site du World Trade Center
FULTON ST
Ann St
Nassau St
CORTLANDT ST
Fulton St
John St
BROADWAY-NASSAU
Cortland St
Nassau St
Liberty St
John St
FULTON ST
Cedar St
Albany St
Maiden Ln
Gold St
Carlisle St
TRINITY PL
BROADWAY
Nassau St
Pearl St
Fulton St
Pine St
William St
Rector St
Wall St
WALL ST
Maiden Ln
WATER ST
Front St
John St
WALL ST
Pine St
Pearl St
Wall St
East River
Vers
1
7
8
9
Visiter
À table
Autour d'un verre
Un peu de shopping
Sortir (voir chapitre spécifique p. 229)

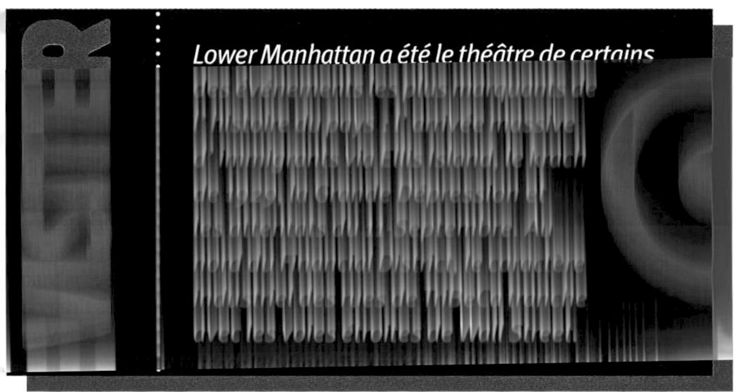

1. BATTERY PARK

Chaque jour, des milliers de touristes affluent à Battery Park pour monter à bord des ferries à destination de Staten Island ou de la statue de la Liberté. Depuis le 11 septembre 2001, le parc accueille *The Sphere*, une sculpture qui se dressait au pied des tours jumelles, sur la place du World Trade Center.

···› ***La promenade qui longe l'Hudson offre une vue imprenable sur la statue de la Liberté.***

Battery Pl sur State St • Ⓜ 1 South Ferry ;
4, 5 Bowling Green ; R Whitehall St-South Ferry
212-344 3491 • www.thebattery.org • tlj 6h-1h

3. FEDERAL RESERVE BANK

GRATUIT

Les fans des films des frères Coen ne manqueront pas cet édifice protégé par un impressionnant dispositif de sécurité. Descendre dans ses entrailles pour contempler son trésor, flanqué de deux colosses armés jusqu'aux dents, est une expérience unique. Petit conseil : inutile d'imaginer dérober la réserve d'or, estimée à plus de 195 000 dollars... !

···› ***La visite est gratuite, mais il est indispensable de réserver un mois à l'avance sur le site Internet ou par e-mail à : frbnytours@ny.frb.org.***

33 Liberty St, à hauteur de Nassau St
Ⓜ 2, 3, 4, 5, A, C, J, Z Fulton St-Broadway-Nassau
212-720 6130 • www.newyorkfed.org
lun-ven 10h-16h

2. NEW YORK CITY HALL

Construit entre 1803 et 1812, le bâtiment du New York City Hall est le plus ancien hôtel de ville des États-Unis. L'historique Blue Room, meublée de l'imposante table de travail de George Washington, accueille les manifestations les plus solennelles ainsi que la signature des conventions. Le City Hall se trouve au milieu du City Hall Park.

···› ***Des visites guidées gratuites sont organisées en semaine sur rendez-vous, au 311 (ou 212-NEW-YOK depuis l'extérieur de la ville).***

Broadway St à hauteur
de Murray St • 212-639 9675
Ⓜ R City Hall-Broadway ; 4, 5, 6
Brooklyn Bridge-City Hall ;
J, Z Chambers St

4. NEW YORK STOCK EXCHANGE

Même si la Bourse de New York n'est plus ouverte au public pour des raisons de sécurité depuis le 11-Septembre, cela vaut le coup de s'arrêter pour admirer la façade néoclassique de ce symbole du capitalisme et s'imprégner de l'ambiance qui règne dans cette partie de la rue, en particulier vers 9h30, à l'heure d'ouverture.

→ *Le bâtiment est l'œuvre de l'architecte George B. Post. Le fronton a été réalisé par le célèbre sculpteur américain, John Quincy Adams Ward.*

18 Broad St, à hauteur de Exchange Pl • Ⓜ R Rector St ; 4, 5 Wall St ; 2, 3 Wall St ; J, Z Broad St • 212-656 3000
www.nyse.com

5. TRINITY CHURCH

Non loin de Wall Street, cette église, troisième du nom bâtie sur le site, est un temple épiscopalien de style néogothique construit par l'architecte britannique Richard Upjohn. Les propriétés de la paroisse comprennent la St Paul's Chapel, toute proche des tours jumelles, qui a fait office d'hôpital de campagne le 11 septembre 2001. Aujourd'hui, l'endroit est intimement lié aux victimes des attentats et à ceux qui ont participé aux opérations de sauvetage.

→ *Des concerts sont régulièrement organisés à Trinity Church (programme au 212-602 0747).*

74 Trinity Pl, près de Rector St • Ⓜ R Rector St ; 4, 5 Wall St ; 2, 3 Wall St ; J, Z Broad St
212-602 0800 • www.trinitywallstreet.org
tlj 7h-18h

6. WOOLWORTH BUILDING

Cet impressionnant gratte-ciel de 60 étages, imaginé par l'architecte Cass Gilbert, est le fruit de la commande d'un richissime directeur d'une chaîne de magasins (aujourd'hui Foot Locker), Frank W. Woolworth. Cette "cathédrale du commerce", comme elle fut qualifiée, avec ses 241 m de hauteur, est resté le plus haut immeuble du monde pendant 17 ans, avant d'être détrônée par le 40 Wall Street (282,5 m) en 1930.

→ *Le bâtiment est fermé au public, mais on peut admirer la façade et le hall.*

233 Broadway • Ⓜ R City Hall-Broadway ; 2, 3, A, C, E Chambers-Park Pl-World Trade Ctr ; 2, 3, 4, 5, A, C, J, Z Fulton St-Broadway-Nassau

7. ELLIS ISLAND ET LIBERTY ISLAND

Ellis Island fut la porte d'entrée de plus de 12 millions d'immigrants. L'île accueille aujourd'hui le **musée de l'Immigration**, qui retrace l'histoire de l'île et des immigrants qui y firent escale. Liberty Island abrite, quant à elle, la **statue de la Liberté**, une colossale sculpture néoclassique dessinée par Frédéric Bartholdi à la fin du XIXe siècle. Ce cadeau de la France au peuple américain est devenu l'emblème de la ville et le symbole des États-Unis à travers le monde. Il est vivement recommandé de réserver le trajet en ferry car l'affluence est grande vers ces deux îles.

Attention : l'intérieur de la statue de la Liberté sera fermé pour travaux durant le deuxième semestre 2011. Consulter le site Internet.

Ferry : 311 Whitehall Terminal, à l'angle de Whitehall St et South St • Ⓜ 1 South Ferry, R Whitehall St-South Ferry ; 4, 5 Bowling-Green • réservation du ferry : www.statuecruises.com
ferry pour Liberty Island et Ellis Island : adulte/senior/-12 ans 13/10/5 $, ferry + statue de la Liberté (accès à la couronne) : adulte/senior/-12 ans 16/13/8 $

8. STATEN ISLAND FERRY

GRATUIT

Le trajet en ferry jusqu'à Staten Island est une expérience inoubliable. Ce ferry est aussi un moyen de transport quotidien pour les 500 000 habitants de l'île, qui compte parmi les district de New York. L'aller-retour (40 minutes au total) est gratuit ! Si votre temps est compté, inutile de débarquer à Staten Island, une banlieue américaine typique qui ne donne à voir que des zones résidentielles, des écoles et des terrains de football.

Ferry : 311 Whitehall Terminal,
à l'angle de Whitehall St et South St
Ⓜ 1 South Ferry ; R Whitehall St-South Ferry ; 4, 5 Bowling-Green
gratuit

9. GOVERNORS ISLAND

Cette île demeura une base militaire pendant deux siècles, avant d'être rouverte au public en 2003. Depuis 2010, une partie de l'île a été transformée en un espace vert propice aux pique-niques, promenades à pied et à bicyclette (location possible sur place) et expositions d'art.

L'île n'est ouverte au public qu'en été (mi-mai à mi-septembre), du vendredi au dimanche (et lundis fériés). Au moment de nos recherches, elle faisait l'objet d'un ambitieux projet d'aménagement.

Ferry : Battery Maritime Building,
10 South St, à côté du Staten Island Ferry
Ⓜ 1 South Ferry ; 4, 5 Bowling Green ;
R Whitehall St-South Ferry
www.govisland.com

À TABLE !

10. BREAD TRIBECA

ITALIEN

Dans une jolie salle pleine de charme, d'un blanc immaculé, ce restaurant propose une cuisine italienne originale. Le brunch (sam-dim 10h30-16h) pour 21 $ est un excellent choix, avec cocktail Bellini au litchi à volonté. Pour les familles avec enfants, le menu du soir à 25 $ (17h-20h) est imbattable.

301 Church St,
près de Walker St
Ⓜ 1 Franklin St ; A, C, E
Canal St • 212-334 8282
www.breadtribeca.com
lun-jeu 11h30-23h, ven 11h30-minuit, sam 10h30-minuit, dim 10h30-23h

11. KITCHENETTE

AMÉRICAIN MAISON

Ce mignon restaurant propose, dans un cadre agréable, une cuisine maison délicieuse et à prix doux. On peut y venir pour le petit-déjeuner, le déjeuner, le brunch ou le dîner. Le midi et le soir, un menu à 12/15 $ permet de déguster les spécialités de la maison et autres plats typiquement américains. Large choix de gâteaux, de *cupcakes*, de cookies et de tartes.

Autre adresse dans l'Upper West Side (1272 Amsterdam Ave, 212-531-7600).

156 Chambers St, près de Greenwich St
Ⓜ 1, 2, 3 Chambers St ; A, C Chambers St
212-267 6740 • http://kitchenetterestaurant.com
lun-ven 7h30-23h, sam-dim 9h-23h

12. LOCANDA VERDE

ITALIEN

Un des restaurants de l'acteur Robert de Niro. Accueillant, bon marché, agréable et logé dans un bâtiment de Tribeca impeccablement rénové... Que demander de plus ? *Locanda* signifie "auberge" en italien, ce qui résume bien la devise de l'établissement : qualité et hospitalité. On y sert petits-déjeuners, déjeuners, brunchs, goûters et dîners. La plupart des plats tournent autour de 10 $. Chaudement recommandé.

377 Greenwich St, près de N Moore St • Ⓜ 1 Franklin St • 212-925 3797
http://locandaverdenyc.com • lun-ven 7h-11h, 11h30-15h et 17h30-23h,
sam-dim 11h-15h et 17h30-23h

13. NOBU — VERY CHIC

... que l'on peut savourer sans forcément se ruiner.

Le secret le mieux gardé : le menu déjeuner à 24 $, avec soupe miso ou salade et teriyaki, sushis, sashimis ou tempuras.

105 Hudson St • Ⓜ 1 Franklin St
212-219 0500 • myriadrestaurantgroup.com
lun-ven 11h45-14h15 et 17h45-22h15,
sam-dim 17h45-22h15

14. NOBU — VERY CHIC

... des ans une personnalité propre. Il propose un menu pour le dîner à 32 $ (sushi) ou 34 $ (sashimi).

Pas de réservation. Mieux vaut venir en semaine plutôt que le samedi.

105 Hudson St, près de Franklin St
Ⓜ 1 Franklin St • 212-334 4445
myriadrestaurantgroup.com
dim-jeu 17h45-23h, ven-sam
17h45-minuit

15. TRIBECA GRILL

AMÉRICAIN

Ce restaurant américain, également propriété de Robert de Niro, est logé dans le bâtiment qui accueille chaque année le Tribeca Film Festival fondé par l'acteur. Au mur, les œuvres peintes par son père attestent de l'aspect très personnel de ce projet. Bill Murray, Mikhail Baryshnikov et Sean Penn comptent parmi les associés. Plus cher que le Locanda Verde.

Menu très complet le midi et brunch le dimanche (11h-15h) pour 24 $.

375 Greenwich St, à hauteur de Franklin St • Ⓜ 1 Franklin St • 212-941 3900
http://myriadrestaurantgroup.com • lun-jeu 11h30-17h et 17h30-23h, ven 11h30-17h et 17h30-23h30, sam 17h30-23h30, dim 11h-15h et 17h30-22h

16. CENTURY 21 VERY CHEAP

STOCK MODE

Ce magasin, situé juste en face de Ground Zero, est le temple des bonnes affaires. Contraint de fermer ses portes pour travaux après les attentats, il a rouvert quelques mois plus tard et continue de proposer vêtements et accessoires pour hommes, femmes et enfants, ainsi que des articles de décoration et des produits de beauté à prix cassés. Ne manquez pas le rayon chaussures. Il possède une autre adresse à Brooklyn, impressionnante mais très excentrée (coordonnées sur le site Internet) et devrait bientôt ouvrir un nouveau magasin dans l'Upper West side.

22 Cortlandt St, près de Church St • Ⓜ R Cortlandt St • 212-227 9092 • www.c21stores.com
lun-mer 7h45-20h, jeu 7h45-22h, ven 7h45-20h30, sam 10h-20h, dim 11h-19h

17. PHILIP WILLIAMS POSTERS

AFFICHES VINTAGE

Ce magasin d'affiches occupe un gigantesque loft de Tribeca (4 000 m²) et propose un catalogue tout aussi impressionnant de 100 000 affiches, de 1870 à nos jours, classées par époque et par thème (cuisine, politique, transport, cinéma...). Vend également des livres et quelques œuvres d'art. Catalogue consultable en ligne.

122 Chambers St,
près de West Broadway
Ⓜ 1, 2, 3 Chambers St ; A, C
Chambers St • 212-513 0313
http://postermuseum.com
lun-sam 11h-19h

18. THE MYSTERIOUS BOOKSHOP

LIBRAIRIE

Les inconditionnels de Sherlock Holmes et autres héros de la littérature policière ne manqueront pas de passer au peigne fin cette librairie de Tribeca. Outre les nouveautés, on peut aussi dénicher des premières éditions et des livres signés par leurs auteurs. Présentations et lectures régulières (consulter le site Internet).

58 Warren St,
près de West Broadway
Ⓜ A, C Chambers St ; 1, 2, 3
Chambers St • 212-587 1011
www.mysteriousbookshop.com
tlj 11h-19h

19. J&R MUSIC AND COMPUTER WORLD

VERY CHEAP

ÉLECTRONIQUE

20. J CREW MEN'S SHOP AT THE LIQUOR STORE

VERY CHIC

VÊTEMENTS ET ACCESSOIRES POUR HOMMES

La chaîne de vêtements J. Crew dispose de nombreuses enseignes pour hommes, femmes et enfants dans la ville. Elle est connue pour ses T-shirts, ses vestes et ses manteaux de qualité, et également pour être la marque préférée de Michele Obama et ses filles. Cette adresse, logée dans un ancien magasin de vins et spiritueux de Tribeca, propose une ligne BCBG pour hommes : boutons de manchette, valises, ceintures, chaussures, montres et cravates aux accents rétro-chic et décontractés.

235 West Broadway à hauteur de White St
Ⓜ 1 Franklin St ; A, C, E Canal St
212-226 5476 • www.jcrew.com
lun-ven 11h-20h, sam 11h-19h, dim 12h-18h

21. LET THERE BE NEON

NÉONS

Ce magasin vend toutes sortes d'enseignes lumineuses au néon ! Il vous sera difficile d'en rapporter une dans vos valises, mais le lieu à lui seul mérite une visite. Il s'agit de la galerie d'un atelier fabriquant des enseignes lumineuses pour les commerces, les musées et les entreprises. Le MoMA et Coca-Cola comptent parmi ses clients. Des expositions artistiques sont régulièrement proposées. L'une des dernières, *Neon Elvis,* a été organisée conjointement avec le Museum of Neon Art.

38 White St, 1er étage, près de Church St • Ⓜ A, C, E Canal St ; 1 Canal St • 212-226 4883
www.lettherebeneon.com
lun-ven 9h-17h

Soho, Noho, Nolita

SHOPPING ET BRANCHITUDE

Dans la seconde moitié du siècle dernier, la zone industrielle de Manhattan est devenue résidentielle. Les bas loyers ont attiré les artistes qui ont investi les lofts du quartier. Face à la hausse des loyers, ils ont peu à peu cédé la place aux *yuppies* de Wall Street. Temple de la branchitude, Soho, Noho et NoLiTa rassemblent aujourd'hui boutiques, restaurants et bars. Il est plus facile d'y consommer que d'y vivre, d'y trouver un sac Chanel qu'une baguette de pain ! Les rues de Soho sont envahies par les enseignes des grandes marques et, en fin de semaine, par des expo-ventes de bijoux et d'art. NoLiTa et Noho sont les fiefs des créateurs indépendants.

ESSENTIELS

RESTAURANT BALTHAZAR/5 : visite obligée à la minuscule boulangerie rattachée au restaurant (détails p. 54).
BOUTIQUE PRADA/47 : dessinée par l'architecte Rem Koolhaas (575 Broadway Ave).
SUPERMARCHÉ DEAN AND DELUCA/35 : une référence pour les gourmets (détails p. 64).

KIOSK/36 : une boutique de curiosités du monde entier à découvrir dans un immeuble de Soho (détails p. 64).
MUSEUM OF COMIC AND CARTOON ART/2 : une petite merveille qui rassemble les œuvres d'illustrateurs de renom (détails p. 53).
LA ESQUINA/13 : un resto très cool caché à l'arrière d'une cantine mexicaine (détails p. 57).
MADAM GENEVA/N52 : un temple du genièvre auquel un restaurant sert d'alibi (détails p. 244).
VIN ET FLEURS/28 : un bar français de proximité, très romantique et réservé exclusivement aux initités (détails p. 61).

HOUSTON ST
N14
King St
Charlton St
Vandam St
Spring St
N37
SPRING ST
N35
Renwick St
Hudson St
Varick St
Canal St
Watts St
6th Ave
(Avenue of the Americas)
MacDougal St
Sullivan St
Thompson St
W Broadway
Wooster St
Greene St
Mercer St
Broadway
W Houston St
Prince St
Spring St
Broome St
Grand St
Canal St
CANAL ST
N64
Mercer St
Broadway
1A
Lafayette St
BLEECKER ST
Bleecker St
N52
Bowery
BROADWAY - LAFAYETTE ST
N10
PRINCE ST
Crosby St
SPRING ST
Lafayette St
Cleveland Pl
Mulberry St
Mott St
Elizabeth St
Kenmare St
Centre St
Lafayette St
Crosby St
BOWERY
100 m
Visiter
À table
Autour d'un verre
Un peu de shopping
Sortir (voir chapitre spécifique p. 229)

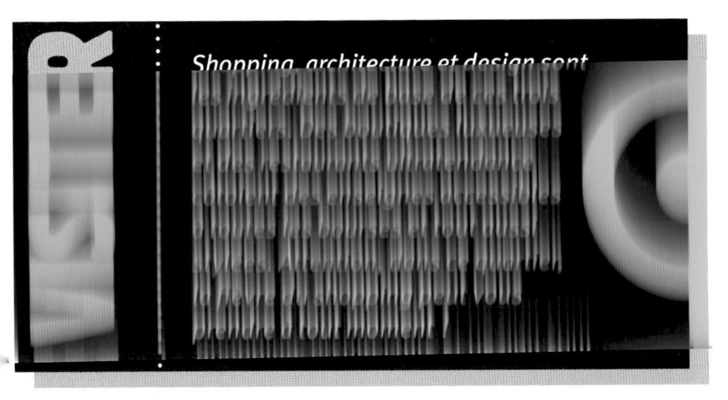

1. CAST-IRON BUILDINGS

Les *cast-iron buildings* les plus représentatifs de Soho se trouvent à Greene St : le Bayard Condict Building, à Noho (65 Bleecker St ; carte : 1A) est la seule réalisation à New York de l'architecte Louis Sullivan, membre de l'école de Chicago et mentor de Frank Lloyd Wright. Ne manquez pas dans cette balade le Singer Building (561 Broadway Ave ; carte : 1B), de style Beaux-Arts.

2. MUSEUM OF COMIC AND CARTOON ART

VERY CHEAP

Une adresse confidentielle à Soho, assez difficile à trouver. Bien sûr, ce n'est pas le Louvre, mais un musée qui possède une collection prestigieuse et diversifiée d'œuvres graphiques.

Exposition de planches des grands classiques de la bande dessinée : Charles Schultz, Robert Crumb, Daniel Clowes, Ralph Bakshi, Charles Addams, Gary Baseman, etc.

594 Broadway Ave • Ⓜ N, R Prince St ; 6, B, D, F, M Bleecker St-Lafayette St ; C, E Spring St-6th Ave • 212-254 3511
www.moccany.org • mar-dim 12h-17h
don suggéré 5 $

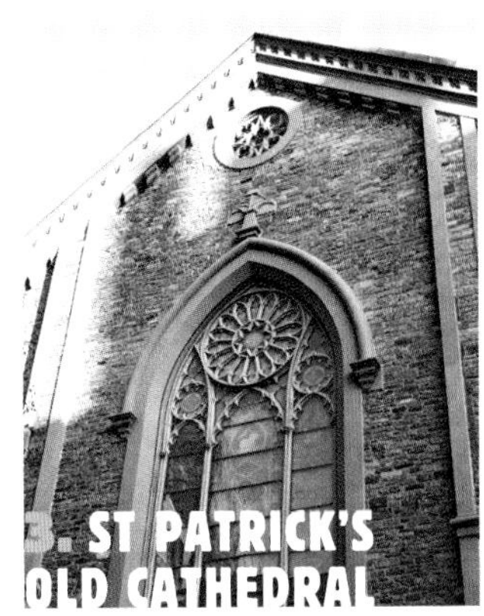

3. ST PATRICK'S OLD CATHEDRAL

Ancien siège de l'archidiocèse de New York, l'ancienne cathédrale Saint-Patrick (la nouvelle, ouverte en 1879, se trouve sur Fifth Ave) a été récemment rénovée. Son vieux cimetière est un petit havre de paix dans l'agitation urbaine. L'église, très fréquentée par les communautés hispanique et chinoise, donne des messes en anglais, en espagnol et en mandarin le dimanche.

263 Mulberry St-Prince St
Ⓜ 6, B, D, F, M Bleecker St-Lafayette St ; N, R Prince St ; J, Z Bowery • 212-226 8075
www.oldcathedral.org presbytère
lun-ven 8h-17h

À TABLE !

4. ANTIQUE GARAGE

MÉDITERRANÉEN

Comme le nom et la porte d'entrée l'indiquent, c'est un ancien garage. La déco a été refaite avec d'anciens meubles en bois, des tableaux victoriens et des murs de brique. Bonne cuisine méditerranéenne (italienne, française, turque et grecque) dans une ambiance décontractée et accueillante, avec musique live.

→ ***Idéal pour un dîner en tête-à-tête. Spécialités de la maison : l'houmous (8 $) et les boulettes de bœuf (20 $).***

41 Mercer St, à hauteur de Grand St • Ⓜ 6, J, N, Q, R, Z Canal St • 212-219 1019
www.antiquegaragesoho.com • dim-jeu 11h-23h, ven 12h-minuit, sam 11 h-minuit

5. BALTHAZAR

VERY CHIC

FRANÇAIS ET AMÉRICAIN

L'adresse est très réputée. C'est donc toujours plein et l'espace est optimisé. Le décor de type brasserie rappelle les bistrots parisiens, mais la carte mêle aussi bien les spécialités françaises et américaines. La tarte au chèvre et oignons caramélisés (11 $) est un excellent choix.

→ ***La minuscule pâtisserie du restaurant vend les meilleurs croissants du quartier.***

80 Spring St, à hauteur de Crosby St
Ⓜ N, R Prince St ; 6 Spring St ; B, D, F, M Broadway-Lafayette St • 212-965 1414 • www.balthazarny.com
lun-jeu 7h30-minuit, ven 7h30-1h, sam 8h-16h et 17h45-1h, dim 8h-16h et 17h30-minuit

6. BREAD

SANDWICHERIE MÉDITERRANÉNNE

Parfait pour un déjeuner sur le pouce. Comme le nom l'indique, on rend ici hommage au pain. Le chef nous prouve ici que *fast-food* ne rime pas forcément avec *junk food* en préparant de délicieux sandwichs chauds ultra-sains avec les produits du marché. Recettes très méditerranéennes à base d'huile d'olive, de tomate, de sardine, de thon et de très bons fromages.

20 Spring St, près de Mott St
Ⓜ 6 Spring St ; J, Z Bowery
212-334 1015
dim-mer 9h-minuit, jeu-sam 9h30-0h30

Depuis une dizaine d'années, les habitants les plus branchés du quartier se retrouvent dans ce snack à l'aspect bohème qui a servi de décor à pas mal de films. Ses quatre tables sur la rue font un peu figure de *showroom* pour mannequins. Un choix sûr pour déjeuner sain et pas cher. Le top de la carte : les assiettes composées d'inspiration arabe, les salades et les sandwichs croustillants.

242 Mott St, à hauteur de Prince St
Ⓜ B, D, F, M Broadway-Lafayette St ;
6 Spring St ; N, R Prince St
212-334 9552 • dim-jeu 9h-minuit,
ven-sam 9h-0h30

8. CAFÉ HABANA

[illegible]

connus et des personnages les plus marginaux de New York.

17 Prince St à hauteur d'Elizabeth St
Ⓜ B, D, F, M Broadway-Lafayette St ;
6 Spring St ; J, Z Bowery ; F Lower
East Side-2nd Ave • 212-625 2001
www.cafehabana.com • tlj 9h-minuit

9. L'ÉCOLE AT THE INTERNATIONAL CULINARY CENTER

VERY CHIC

ÉCOLE DE CHEFS

La prestigieuse école de cuisine de Soho, de tradition française et désormais aussi italienne, est le décor parfait pour un dîner romantique. Les plats sont préparés et servis par les élèves les plus talentueux. Un impressionnant menu-dégustation (midi 28 $, soir 42 $). Rappelez-vous que le vin fait doubler le prix.

→ *Il faut réserver plusieurs semaines à l'avance. Si l'on vous propose la liste d'attente pour le 2e service, ce n'est pas une blague (premier service à 18h). Demandez si possible une table près de la fenêtre.*

462 Broadway Ave, à hauteur de Grand St • Ⓜ 6, J, N, Q, R, Z Canal St ; 6 Spring St
212-219 3300 • www.frenchculinary.com • lun-ven 12h30-14h et 17h30-21h,
sam-dim 11h30-14h30 et 17h30-21h

10. DELICATESSEN

DINER CHIC

Le restaurant appartient aux mêmes propriétaires que le Cafeteria (p. 120). Son concept est aussi de conserver l'ambiance et la carte des *diners* dans un cadre infiniment plus chic. *Pastrami,* hamburgers au fromage, *blitzes* (crêpes juives) à la viande, salades maison... en plein cœur de NoLiTa. On y vient plus pour l'ambiance que pour la cuisine. La file d'attente pour le brunch du week-end est gigantesque.

Parfait pour le petit-déjeuner ou pour un déjeuner en semaine.

54 Prince St, à hauteur de Lafayette St
Ⓜ B, D, F, M Broadway-Lafayette St ;
N, R Prince St ; 6 Spring St • 212 226 0211
lun-ven 7h30-1h, sam 10h30-2h,
dim 10h30-minuit

11. ELIZABETH

AMÉRICAIN

Ce restaurant élégant et peu fréquenté par les touristes est idéal pour un déjeuner en semaine ou pour le brunch dominical (excellents œufs *rancheros*). Parfait aussi pour les groupes ou pour une fête : il est possible de réserver la grande salle du fond. Pour dîner, venez de préférence le lundi : le menu est à 25 $.

Le dimanche, le vin est à moitié prix.

265 Elizabeth St, près de Houston St
Ⓜ B, D, F, M Broadway-Lafayette St
212-334 2426 • www.elizabethny.com
lun-ven 17h30-2h, sam-dim
10h-16h et 17h30-2h

12. EPISTROPHY

VERY CHEAP

ITALIEN

Une cafétéria pleine de charme décorée façon salon de lecture de maison de campagne. Ce petit bijou discret à l'ambiance décontractée est devenu le repaire des gens du quartier. La carte du soir est plus sophistiquée et on dîne aux chandelles. Nos plats favoris : les *pappardelle* au jus de viande (12 $) et les *orecchiette* à la chicorée et à la *pancetta* (11 $).

Le dîner idéal : un plat de pâtes et un verre de vin dégustés en bonne compagnie.

200 Mott St, près de Spring St • Ⓜ J, Z Bowery ; 6 Spring St • 212-966 0904
www.epistrophycafe.com • dim-jeu 11h30-minuit, ven-sam 11h30-1h

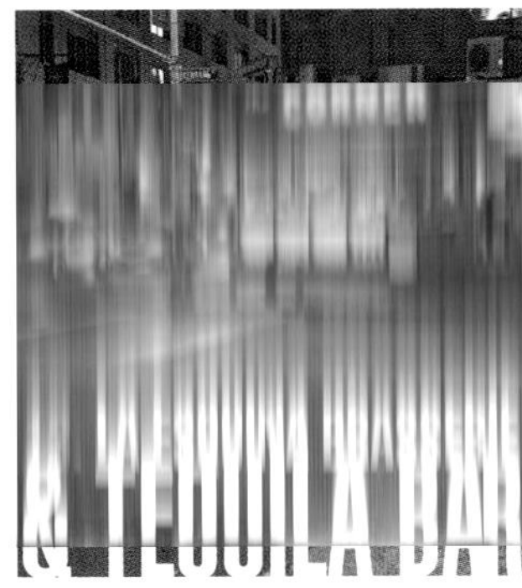

MEXICAIN

Pas de doute, il faut explorer ce trio de curieux restaurants regroupés sous un seul et même nom. À première vue, La Esquina a l'air d'un minuscule comptoir de station-service, mais quand on pénètre dans la salle, on découvre la porte d'entrée d'un restaurant mexicain à la déco soignée (réservation indispensable) qui sert de très bons cocktails. La Esquina Taquería and Café est la troisième option : un restaurant-cafétéria plus accessible et plutôt ouvert en journée.

114 Kenmare St, à hauteur de Lafayette St
Ⓜ 6 Spring St ; J, Z Bowery
646-613 7100 • www.esquinanyc.com
tlj 18h-2h

14. HAMPTON

NoLiTa, rien de tel que de faire le plein d'énergie avec un *dosa* épinards sauce coriandre ou poulet-chutney de mangue.

➜ *Le lieu n'est pas très chic, voire plutôt baba-cool, mais la nourriture y est délicieuse, saine et vraiment originale.*

68 Prince St, à hauteur de Lafayette St
Ⓜ B, D, F, M Broadway-Lafayette St ;
N, R Prince St ; 6 Spring St • 212-226 9996
www.hamptonchutney.com
tlj 11h-21h

15. KITTICHAI

THAÏ

Un délicieux restaurant thaï se cache à l'intérieur du superbe hôtel Thompson, dont tout le voisinage jalouse la terrasse. Le chef Ian Chalermkittichai prépare une cuisine délicieuse, qui s'éloigne des canons traditionnels. Malgré son élégance raffinée, Kittichai n'est pas hors de prix : le menu du midi est à 20 $, celui du soir à 35 $, et le brunch du week-end coûte 25 $.

60 Thompson St, près de Broome St • Ⓜ C, E Spring St • 212-219 2000
www.kittichairestaurant.com • dim-mer 8h-15h et 17h30-23h,
jeu-sam 8h-15h et 17h30-minuit

16. KELLEY & PING

VERY CHEAP

ASIATIQUE

Un classique de Soho plein de caractère, qui a vécu des moments difficiles pendant la crise, mais qui a survécu. Le jour, c'est une cafétéria classique, qui sert des assiettes composées, mais le soir la carte change et offre un choix très large. Les deux formules sont savoureuses et imaginatives. Spécialités de la maison : les *vegetable dumplings* (croquettes de légumes, 7 $) et le traditionnel *pad thai* (nouilles sautées aux crevettes, au veau, au poulet ou végétariennes, 10 $), à déguster avec une bière.

127 Greene St, près de Prince St
Ⓜ B, D, F, M Broadway-Lafayette St ; N, R Prince St ; 6 Bleecker St ; C, E Spring St • 212-228 1212 • http://kelleyandping.com • tlj 11h30-23h

17. PICCOLA CUCINA

ITALIEN

Un restaurant italien qui porte bien son nom : une petite cuisine à la décoration sans prétention, mais élégante et accueillante (menu midi 20 $, en principe sans réservation). La plupart des spécialités sont siciliennes, comme le chef. Le carpaccio et les *tagliolini* au crabe sont excellents. Le choix de pâtes est curieusement limité à trois ou quatre recettes.

184 Prince St, près de Sullivan St
Ⓜ C, E Spring St • 212-625 3200
www.piccolacucinanyc.com
tlj 11h30-15h30 et 18h-23h30

18. PUBLIC

VERY CHIC

CUISINE DE CHEF

Le chef de ce restaurant une étoile au Michelin puise son inspiration dans des racines australiennes, néo-zélandaises et asiatiques. Le menu du dimanche est une formule très intéressante, à ne pas manquer : il comprend deux entrées, deux plats et un dessert pour 50 $. En semaine, cela revient beaucoup plus cher. Le lundi, le menu dégustation offre une grande variété de plats à 6 $. Excellent brunch.

Réservez sur Internet.

210 Elizabeth St, près de Prince St • Ⓜ 6 Spring St ; N, R Prince St • 212-343 7011
http://public-nyc.com • lun-jeu 18h-23h30, ven 18h-0h30, sam 11h-15h30 et 18 h-minuit, dim 11h-15h30 et 18h-22h30

19. QUARTINO

courgettes et asperges (16 $). La carte des vins est excellente et va de pair avec une bonne sélection de fromages et du pain fait maison.

11 Bleecker St, près de Elizabeth St
Ⓜ 6 Bleecker St ; B, D, F, M Broadway-Lafayette St ; F Lower East Side-2nd Ave
212-529 5133 • lun-mer 12h-23h, jeu-sam 12h-23h30, dim 11h-22h

21. THE MERCER KITCHEN

CUISINE DE CHEF

C'est l'un des meilleurs restaurants de Soho. Service impeccable, ambiance agréable et cuisine placée sous la responsabilité d'un chef prestigieux : Jean-Georges Vongerichten. Nous recommandons le menu midi à 26 $, servi du lundi au vendredi.

99 Prince St, à hauteur de Mercer St
Ⓜ N, R Prince St • 212-966 5454
http://jean-georges.com
lun-sam 7h-1h, dim 7h-minuit

20. TACOMBI

VERY CHEAP

volkswagen garé dans une sorte de garage décoré de plantes tropicales, au milieu duquel on s'attable comme à la plage ! Les *tacos* sont délicieux et préparés à la commande.

⇢ ***Le bon plan : commander un assortiment d'antojitos, mini-tacos et tamales à la viande, au poisson ou aux légumes (4 $ pièce).***

267 Elizabeth St, près de Houston St
Ⓜ B, D, F, M Broadway-Lafayette St ; 6 Spring St • 917-727 0179
www.tacombi.com • dim-mer 8h-minuit, jeu-sam 8h-1h

22. SALT

CUISINE DE MARCHÉ

Ambiance "rustique sophistiquée". Une cuisine de marché très fraîche à base de produits bios est servie aux grandes tables de chêne dans la salle au beau parquet de bois. La carte des vins est très honorable et les confitures maison sont excellentes. Nous vous recommandons la formule du soir ainsi que le brunch.

⇢ ***On peut manger des huîtres au comptoir l'après-midi (1 $ pièce).***

58 MacDougal St, près de King St
Ⓜ A, B, C, D, E, F, M 4 St-Washington Sq ; 1 Houston St • 212-674 4968
www.saltnyc.com • lun-ven 7h-15h et 16h-22h, sam 11h-23h30, dim 11h-22h

AUTOUR D'UN VERRE...

25. 26.

23. BAR 89

COCKTAILS

Ne vous laissez pas impressionner par ce bar-restaurant ultrachic en plein cœur de Soho. Boire un verre dans ce temple de verre moderne est une expérience agréable et finalement pas si dangereuse pour votre porte-monnaie. C'est l'endroit parfait pour commencer la nuit.

89 Mercer St-Spring St • Ⓜ N, R Prince St ; 6 Spring St ; C, E Spring St • 212-274 0989 www.bar89.com • tlj 12h-1h

24. MERCBAR

COCKTAILS

L'entrée rouge vif évoquant une porte de garage est tentante. À l'intérieur, on se détend sur des canapés dans une ambiance cosy et sophistiquée. Laissez-vous tenter par l'excellente sélection de tequilas ou par un cocktail au nom évocateur, comme le Sexy Sadie ou le Mr. Moonlight.

Les habitués demandent le plus souvent un martini ou une coupe de champagne.

151 Mercer St, à hauteur de Prince St Ⓜ B, D, F, M Broadway-Lafayette St ; 6 Bleecker St ; N, R Prince St • 212-966 2727 www.mercbar.com • lun-jeu 16h-2h, ven 16h-4h, sam 15h-4h, dim 15h-2h

25. PEGU CLUB

VERY CHIC

COCKTAILS

Le lieu doit son nom à un club d'officiers britaniques créé en Birmanie au XIXe siècle. La déco de style colonial et la carte des boissons contribuent à maintenir cette ambiance. Les *barmaids* qui officient derrière le comptoir ont été formées au Bermelmans Bar de l'hôtel Carlyle, ce sont les plus douées de New York. Excellents cocktails à base de fruits frais.

Nos drinks préférés : le earl Grey "Marteani" et le champagne Apricato.

77 W Houston St, près de West Broadway, 2e étage • Ⓜ B, D, F, M Broadway-Lafayette St ; 6 Bleecker St ; N, R Prince St 212-473 7348 • http://peguclub.com/flash • dim-jeu 17h-2h, ven-sam 17h-4h

26. PRAVDA

COCKTAILS

Vérifiez bien l'adresse avant de vous y rendre : un minuscule escalier, éclairé par une lampe rectangulaire, dans le plus pur style "moscovite chic", conduit dans ce bar en sous-sol, à mi-chemin entre un bistrot français et un bar de l'ère soviétique. La clientèle est plutôt mûre.

281 Lafayette St,
près de Prince St
Ⓜ 6 Spring St ; B, D, F, M
Broadway-Lafayette St ;
N, R Prince St • 212-226 4944
http://pravdany.com
lun-mer 17h-1h, jeu 17h-2h, ven-sam 17h-3h

27. THE ROOM

BAR

Les murs de brique, les boiseries sombres, les canapés de velours et les tables éclairées à la bougie donnent un air rustico-gothique à ce bar de quartier, où l'on aime venir prendre un verrre en fin de journée. Parfait pour un tête-à-tête ou une soirée entre amis pour siroter l'une des 70 bières – dont un bon choix de belges et d'allemandes.

144 Sullivan St,
à hauteur de Prince St
Ⓜ C, E Spring St ;
1 Houston St ; N, R Prince St
212-477 2102 • http://theroomsbeerandwine.com • tlj 17h-4h

28. VIN ET FLEURS

VERY CHIC

BAR-RESTAURANT

Le petit Français, dernier-né du quartier, a été adopté d'emblée par les voisins. Dans une ambiance tranquille et décontractée, on vient y boire, en couple ou entre amis, un verre de vin français accompagné de délicieux amuse-gueule préparés par le chef, qui officie dans la cuisine ouverte au fond de la salle.

69 Thompson St, entre
Broome St et Spring St
Ⓜ C, E Spring St ;
A, C, E Canal St-Church St ;
1 Canal St • 212-966 5417
www.vinetfleurs.com
tlj 11h-2h

29. ADIDAS, LES ORIGINALES

VÊTEMENTS ET ARTICLES DE SPORT VINTAGE

Cette boutique aux allures d'entrepôt distribue les produits vintage de la marque : baskets, survêtements et sacs rétros historiques des années 1960 à 1980. On trouve aussi des montres, des chemises et d'autres accessoires.

À ne pas confondre avec le magasin principal, à quelques rues de là, qui vend les collections actuelles (voir p. 66).

136 Wooster St, à hauteur de Prince St • Ⓜ N, R Prince St ; B, D, F, M Broadway-Lafayette St ; C, E Spring St • 212-673 0398 • www.shopadidas.com
lun-sam 11h-19h, dim 11h-18h

30. ARTH

CHAPEAUX

Une minuscule chapellerie pour hommes et femmes. Il y a ici moins de choix qu'à City Hats (63 Bleecker St) et les prix sont un peu plus élevés, mais le design et la qualité sont bien supérieurs. Plus d'une centaine de modèles sont présentés, assez pour que chacun trouve chapeau à sa tête. Certains viennent du Japon – comme la boutique –, d'autres d'Australie, du Royaume-Uni, du Panama et de la côte ouest des États-Unis.

75 W Houston St,
près de West Broadway
Ⓜ N, R Prince St • 212-539 1431
www.arthhat.com
lun-sam 11h-20h,
dim 11h-18h

31. BABELAND

ACCESSOIRES ÉROTIQUES

La boutique de pointe en matière d'objets érotiques ! Vibromasseurs de dernière génération (avec télécommande), crèmes, livres et pleins d'autres accessoires coquins emplissent cette boutique située en plein cœur de Soho. Les vendeurs sont très professionnels et répondent sans tabou à toutes vos interrogations. Ils organisent des ateliers et des conférences gratuites avec des sexologues et des thérapeutes. Plusieurs succursales dans Lower East Side et à Brooklyn.

43 Mercer St,
à hauteur de Grand St
Ⓜ 6, J, N, Q, R, Z Canal St
212-966 2120 • www.babeland.com
lun-sam 11h-22h,
dim 12h-19h

32. COCO DE MER

ACCESSOIRES ÉROTIQUES

33. CB2

DÉCORATION

La ligne jeune, moderne et très urbaine de la chaîne de magasins de design Crate and Barrel, le “Ikea de Chicago”. Le design des verres, des tasses, des assiettes, des luminaires, des rideaux de douche ou de tous les articles pour la maison que commercialise CB2 est toujours plein d'humour et les prix restent très accessibles. Parfait pour un cadeau ou pour s'équiper sans se ruiner, sans pour autant renoncer à l'esthétique.

451 Broadway Ave, à hauteur de Grand St
Ⓜ N, R Prince St • 212-219 1454
www.cb2.com • lun-sam 10h-21h, dim 12h-19h

34. CALYPSO

MODE ET ACCESSOIRES POUR FEMMES

Calypso a longtemps été la reine des boutiques de NoLiTa, mais beaucoup de ses clientes ont commencé à bouder ses prix très élevés pendant la crise. Ses vêtements, sacs et bijoux ont un look bohème très classe. Le top des collections : les robes de coton et soie, les cachemires et les sacs en cuir. Tout est assez cher, mais l'une des boutiques propose des soldes permanents.

Le secret : l'eau de toilette au mimosa (très spéciale, 60 $ environ).

280 Mott St, près de Houston St
Ⓜ B, D, F, M Broadway-Lafayette St
212-965 0990 • www.calypso-celle.com
lun-sam 11h-19h, dim 12h-19h

35. DEAN AND DELUCA

SUPERMARCHÉ GOURMET

Ce supermarché original inauguré en 1977 par Joel Dean et Giorgio DeLuca est très vite devenu une institution. C'est aujourd'hui une chaîne appartenant à des investisseurs japonais, avec des succursales dans tout le pays. Le magasin de Soho, l'original, vaut une visite pour ses merveilleux produits, ses plats cuisinés, ses pâtisseries et ses confiseries.

560 Broadway Ave, à hauteur de Prince St • Ⓜ 6 Bleecker St ; B, D, F, M Broadway-Lafayette St ; N, R Prince St • 212-226 6800 • www.deandeluca.com
lun-sam 9h-20h, dim 10h-19h

37.

36. KIOSK

OBJETS INSOLITES

Ne ratez cette boutique insolite signalée par le panneau "Kiosk", qui invite à monter les marches. Au premier étage, une flèche indique la boutique sur la droite, dans un loft. On trouve là une sélection d'objets étonnants que la propriétaire globe-trotter a rapporté de tous les coins de la planète. Livrets, peignes, agendas, plumes, masques, savonnettes, oiseaux en plastique, sardines... les articles changent au gré du pays visité.

95 Spring St,
près de Broadway St
Ⓜ 6 Spring St • 212-226 8601
http://kioskkiosk.com
mar-sam 13h-19h

37. KITEYA

ARTISANAT JAPONAIS

Les propriétaires de la boutique (mère et fille) ont sélectionné avec goût des vêtements et des objets artisanaux qu'elles ont su mettre particulièrement en valeur. On peut trouver des pièces artisanales de Kyoto à partir de 5 $ et des vêtements pour adultes et pour nourrissons, des bijoux, des coussins, des produits pour les cheveux, des mouchoirs et des tas d'autres choses. Les sacs et les porte-monnaie en tissu de kimono de Kiteya sont très prisés des connaisseurs.

464 Broome St, à hauteur
de Greene St • Ⓜ N, R Prince St ;
6 Spring St • 212-219 7505
www.kiteya.com
mar-dim 11h-19h

38. LUNESSA

BIJOUX

38.

39. MCNALLY JACKSON

LIBRAIRIE

Comme St Mark's Bookshop ou Book Culture, cette librairie indépendante sélectionne avec soin chacun des livres qu'elle vend. Elle distribue un excellent catalogue de fiction, d'essais, de livres de photo et d'architecture, de revues d'art et de littérature. De plus, les libraires s'intéressent à la littérature étrangère et il y a une magnifique section de littérature jeunesse. Cerise sur le gâteau, la librairie organise des rencontres littéraires et possède, chose rare, un bar-cafétéria.

52 Prince St,
à hauteur de Mulberry St
Ⓜ 6 Spring St ; B, D, F, M Broadway-Lafayette St • 212-274 1160
www.mcnallyjackson.com
lun-sam 10h-22h, dim 10h-21h

40. NEW AND ALMOST NEW

VERY CHIC

VÊTEMENTS ET ACCESSOIRES POUR FEMME

Maggie Chan, la propriétaire enthousiaste de ce magasin de vêtements et d'accessoires pour femmes, sélectionne avec beaucoup de professionalisme quelques articles de grandes marques et des vêtements d'occasion en très bon état griffés Chanel, Prada, Miu Miu, Marni, Dior ou Armani, entre autres. Un bon investissement pour les *fashion addicts* : beaucoup de pièces sont des classiques indémodables.

Sauf exception, il n'y a pas d'article au-dessus de 200 $. Une fois par mois, le stock est bradé à 50 %.

166 Elizabeth St, près de Kenmare St
Ⓜ 6 Spring St ; J, Z Bowery • 212-226 6677
http://newandalmostnew.com
dim-lun 13h-17h, mar-sam 12h-18h30

41. PEARL RIVER MART

BAZAR CHINOIS

Ce bazar a quitté Canal St il y a quelques années pour s'installer dans un local plus spacieux sur la grande artère commerciale de Soho, à deux pas de la boutique japonaise Muji, mais il n'a pas augmenté les prix de ses objets importés d'Asie : lampes, théières, tasses, baguettes, robes, sacs, savons, poudre de riz, thé, montres...

L'embarras du choix pour qui cherche un cadeau.

477 Broadway Ave, entre Grand St et Broome St • Ⓜ 6 Spring St ; N, R Prince St
212-431 4770 • www.pearlriver.com • tlj 10h-19h20

41.

43.

42. STELLA MCCARTNEY POUR ADIDAS SPORT PERFORMANCE STORE

VÊTEMENTS DE SPORT COUTURE

Le magasin Adidas occupe un immeuble entier, consacré aux vêtements de sport pour homme et femme et aux accessoires de la marque. La conception de l'une de ses lignes de vêtements a été confiée à Stella McCartney : bien que nettement meilleur marché, elle est proche de celle qui fait le succès de la créatrice de mode dans Meatpacking District.

Avis aux sédentaires : inutile de pratiquer un sport pour s'offir un gilet Adidas by Stella McCartney !

610 Broadway Ave-Houston St • Ⓜ B, D, F, M
Broadway-Lafayette St ; 6 Bleecker St
lun-sam 10h-20h, dim 11h-19h

43. SUNRISE MART

SUPERMARCHÉ JAPONAIS

Un supermarché japonais dont tous les produits viennent directement d'Asie : l'épicerie classique, le lait, le savon, les biscuits, l'aspirine, les glaces.... C'est le bistrot du quartier (il n'y en a pas d'autre à proximité) et beaucoup d'étudiants japonais de la New York University viennent y manger des sushis, un plat de pâtes ou une assiette garnie. Les pâtisseries sont fines et délicieuses.

On trouve des produits de beauté de marque, Shiseido par exemple, à des prix défiant toute concurrence.

494 Broome St,
près de West Broadway
Ⓜ C, E Spring St ; 6 Spring St
212-219 0033 • tlj 10h-22h

44. THE HAT SHOP

CHAPEAUX

45. THE MARKET NYC

MODE – CRÉATEURS

Tous les samedis et dimanches, cette église accueille un marché de jeunes créateurs qui exposent leurs chapeaux, bijoux, vêtements et sacs et viennent présenter eux-mêmes leurs collections. En hiver, on peut trouver des bonnets de laine très stylés et, toute l'année, c'est une mine pour trouver un sac à main branché, le bijou en or ou en argent original au meilleur prix.

Le célèbre sac du MAD (Museum of American Design) confectionné à partir de reproductions plastifiées des pages du **New York Times** *vient de ce marché.*

268 Mulberry St-Houston St
Ⓜ B, D, F, M Broadway-Lafayette St
212-580 8995 • www.themarketnyc.com • sam-dim 11h-19h

46. UNIQLO

BASIQUES

La marque japonaise spécialisée en basiques (homme et femme) a fait un carton à New York. En été, on y trouve des T-shirts et des jeans de toutes les coupes et de toutes les couleurs. En hiver, les pulls en cachemire s'arrachent à 70 $ pièce. L'immense boutique de Soho, sur plusieurs étages, expose jusqu'au plafond des basiques de toutes les nuances possibles.

Les retouches (en 24 heures) sont gratuites.

546 Broadway Ave,
près de Spring St • Ⓜ B, D, F, M Broadway-Lafayette St ;
N, R Prince St ; 6 Spring St
917-237 8800 • www.uniqlo.com
lun-sam 10h-21h,
dim 11h-20h

Chinatown et Little Italy

QUAND LA CHINE SE FOND DANS L'ITALIE

À Manhattan, la Chine jouxte l'Italie et empiète chaque jour un peu plus sur sa voisine. Aujourd'hui, la plupart des Italiens vivent à Brooklyn et ne reviennent dans le quartier que pour le festival de San Gennaro, en septembre. Quelques bonnes épiceries subsistent, mais les restaurants sont souvent médiocres. Chinatown, en revanche, n'a rien perdu de sa vivacité, et compte quantité d'habitations, commerces, poissonneries, marchands de légumes et restaurants.

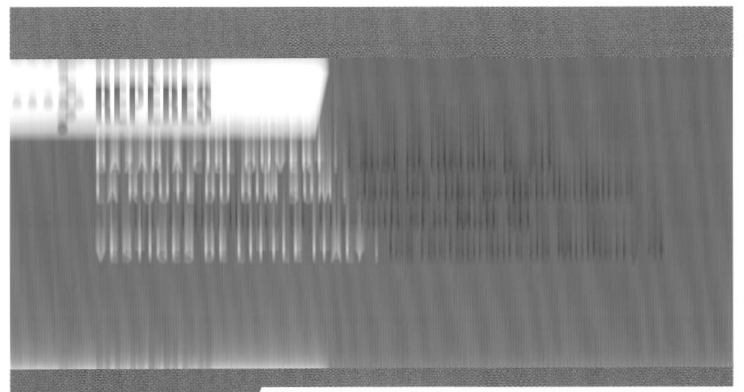

COLUMBUS PARK/⊙2 : le rendez-vous des habitants du quartier qui s'y retrouvent pour jouer aux cartes (détails p. 72).
GOLDEN UNICORN/🍴8 : un restaurant aux dimensions spectaculaires (détails p. 74).
GRAND STREET/🛍27 : abrite deux épiceries familiales italiennes historiques, Alleva Dairy et Di Palo Dairy (détails p. 76).

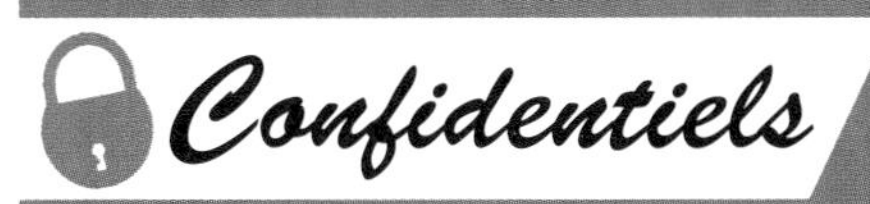

EDWARD MOONEY HOUSE/⊙4 : la plus ancienne maison de New York (détails p. 73).
BAR APOTHÉKE/☾N53 : caché dans une ancienne fumerie d'opium (détails p. 244).
YUNHONG CHOPSTICKS/🛍25 : une minuscule boutique de baguettes chinoises (détails p. 79).

Vers 13
Grand St
Crosby St
Howard St
Centre Market Pl
Broome St
Mulberry St
Mott St
Centre St
Lafayette St
Canal St
Grand St
Baxter St
Elizabeth St
Hester St
Canal St
Bowery
Chrystie St
Bayard St
Columbus Park
Manhattan Bridge
Manhattan Bridge Bikepath
Pell St
Mosco St
Doyers St
Worth St
Division St
E Broadway
Catherine St
Oliver St
Henry St
100 m
Visiter
À table
Autour d'un verre
Un peu de shopping
Sortir (voir chapitre spécifique p. 229)

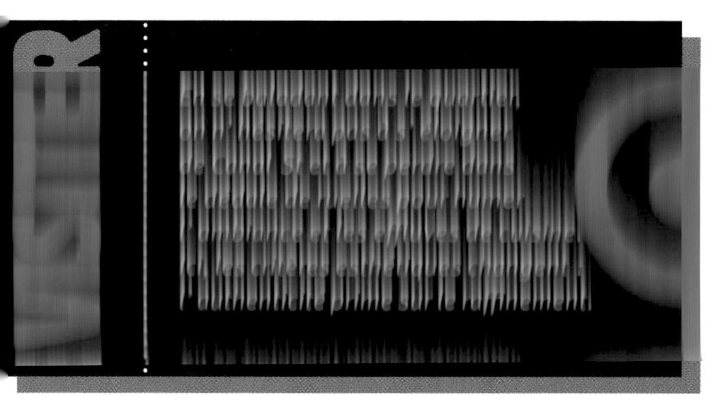

1. CANAL STREET

Entre 1808 et 1821, la rue longeait un canal, d'où son nom. Aujourd'hui, cette rue bouillonante attire une foule dense de curieux qui se pressent entre les étals de denrées exotiques, le bric-à-brac de produits plus ou moins bien contrefaits et les vendeurs à la sauvette.

De East Broadway à West St • Ⓜ 6, J, N, Q, R, Z Canal St ; 1 Canal St ; A, C, E Canal St ; F East Broadway

2. COLUMBUS PARK

C'est un passage obligé pour comprendre l'essence même du quartier. Les riverains, pour la plupart des retraités, se donnent rendez-vous dans ce parc pour jouer aux cartes, manger, chanter ou simplement passer le temps.

Programmez une visite le dimanche midi, quand l'ambiance bat son plein.

67 Mulberry St, à hauteur de Bayard St • Ⓜ 6, J, N, Q, R, Z Canal St
www.nycgovparks.org • tlj 8h-21h

3. EASTERN STATES BUDDHIST TEMPLE ETMAHAYANABUDDHIST TEMPLE

Ces deux temples bouddhistes de Chinatown reçoivent la visite de fidèles mais aussi de centaines de touristes en route pour Canal St. On peut acheter un bâtonnet d'encens à 1 $ au temple de Mahayana et le donner en offrande au plus grand bouddha de la ville.

Incroyable mais vrai : dans les années 1990, le temple était un cinéma pour adultes !

Eastern States Buddhist Temple :
64 Mott St • Ⓜ 6, J, N, Q, R, Z Canal St ; B, D Grand St ; 4, 5, 6, J, Z Chambers St-Brooklyn Bridge-City Hall • 212-966 6229
tlj 8h-18h

Mahayana Buddhist Temple :
133 Canal St, à hauteur de Manhattan Bridge Pl • Ⓜ B, D Grand St
212-925-8787 • tlj 8h-18h

4. EDWARD MOONEY [illegible]

[illegible] elle a été rénovée en 1971 et abrite désormais une banque.

18 Bowery, à hauteur de Pell St
Ⓜ 6, J, N, Q, R, Z Canal St
lun-ven 9h-18h, sam 9h-15h

5. CHURCH OF THE [illegible]

[illegible] pour les émigrants.

29 Mott St • Ⓜ 6, J, N, Q, R, Z Canal St • 212-962-5157
www.transfigurationnyc.org
mar-dim 12h-18h

6. QUARTIER DES DIAMANTAIRES DE CHINATOWN

Même si, officiellement, le quartier des diamantaires a été transféré dans le centre de Manhattan en 1920 et est aujourd'hui aux mains de la communauté juive, Chinatown abrite quelques bijouteries très prisées des habitants sur Elizabeth St (en dessous de Canal St).

Canal St • Ⓜ 6, J, N, Q, R, Z Canal St

À TABLE !

7. DIM SUM GO GO

VERY CHEAP

CHINOIS

Très bon marché, ce restaurant à la décoration minimaliste et moderne sert des dim sum à toute heure, y compris pour le dîner. La cuisson des bouchées est parfaite. Le plaisir des papilles sera peut-être un peu gâché par le brouhaha ambiant, car l'endroit est idéal pour les groupes. À la carte, on pourra choisir une soupe de bambou (5,95 $) ou une soupe de canard aux champignons (5,95 $).

Assortiment de dim sum (environ 15 $/personne) : bouchées de bambou, bouchées de sésame, bouchées de canard et de champignons farcis.

5 E Broadway, à hauteur de Chatham Sq
Ⓜ 4, 5, 6 Brooklyn Bridge-City Hall
212-732 0797 • tlj 10h-23h

8. GOLDEN UNICORN

VERY CHEAP

CHINOIS

Ce restaurant kitsch ravira ceux qui ont envie de savourer des dim sum dans un cadre très grandiloquent. L'entrée en marbre et l'ascenseur mènent à un restaurant aux dimensions extravagantes qui propose un large éventail de plats cantonais bien cuisinés, servis sur des chariots circulant entre les tables.

Nous recommandons chaudement les dim sum à la vapeur (3 bouchées de crevette, 3 bouchées de porc et 3 bouchées de poireau ; 9,95 $).

18 E Broadway à hauteur de Catherine St • Ⓜ 6, J, N, Q, R, Z Canal St ; F East Broadway ; B, D Grand St • 212-941 0911
goldenunicornrestaurant.com
tlj 10h-23h

9. ORIENTAL GARDEN

VERY CHEAP

CHINOIS

S'il n'a pas les dimensions ni la décoration incroyablement kitsch de certains des restaurants de dim sum du quartier, cet établissement n'en demeure pas moins l'un des meilleurs de Chinatown, grâce notamment à la grande fraîcheur de ses poissons et fruits de mer. Mieux vaut commencer par les bouchées à la vapeur et garder la friture pour la fin. Chaque portion de dim sum coûte 3,99 $.

Un des restaurants préférés des chefs de Manhattan.

14 Elizabeth St, à hauteur de Bayard St • Ⓜ 6, J, N, Q, R, Z Canal St • 212-619 0085
lun-ven 10h-22h30, sam-dim 9h-20h30

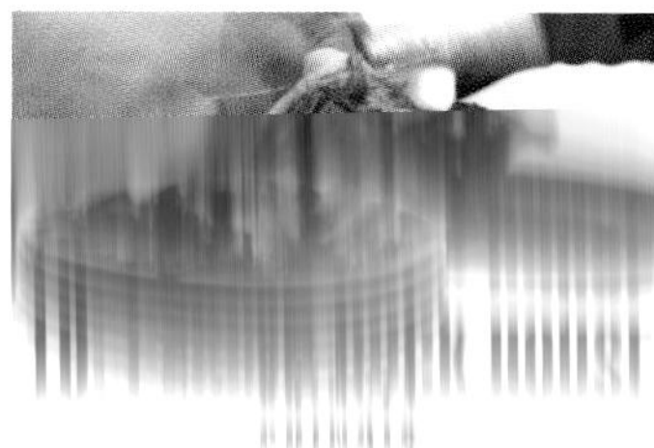

de canard et de crêpes au canard (servis avec la peau croustillante et une délicieuse sauce), entrées et bière comprises (27 $/personne).

··· ***Autre adresse dans Midtown East (236 E 53rd St).***

28 Mott St, à hauteur de Mosco St
Ⓜ 6, J, N, Q, R, Z Canal St • 212-227 1810
www.pekingduckhousenyc.com
dim-jeu 11h30-22h30, ven-sam 11h45-23h

12. SHANGHAI CUISINE

VERY CHEAP

CHINOIS

Ici, tous les ingrédients sont achetés le matin même au marché et tout est délicieux (hormis les desserts), avec une mention spéciale pour les bouchées de porc ou crevette (6 pièces 5,25 $), le canard (6,95 $), les nouilles au porc et légumes (4,75 $), le crabe au poivre (10 $) et le poulet aux de crevettes, sauce aux marrons (11,95 $). Très bonne adresse pour un déjeuner en groupe.

··· ***Sert des plats traditionnels de Shanghai selon des recettes de 1930 : crevettes aux rognons (9,95 $), palourdes et sauce aux petits oignons (12,95 $) ou intestins de porc et soupe de vermicelles (9,95 $).***

89 Bayard St, à hauteur de Mulberry St
Ⓜ 6, J, N, Q, R, Z Canal St • 212-732 8988
mer-lun 11h30-22h30

bizarrement, d'un grand nombre de New-Yorkais, alors qu'il est supérieur au Joe's Shanghai ou au Joe's Ginger. Les cassolettes, les soupes et les fruits de mer sont excellents.

··· ***Spécialités : bouchées de porc et poireau (8 pièces 4,95 $), boulettes au sésame en soupe (3 $), nouilles au poulet, sauce au sésame (5,50 $) et canard croustillant (12,95 $ le demi-canard).***

21 Mott St, entre Chatham Sq et Worth St • Ⓜ 6, J, N, Q, R, Z Canal St ; 4, 5, 6, J, Z Chambers St-Brooklyn Bridge-City Hall ; B, D Grand St
212-766 6311 • lun-ven 11h-21h30, sam-dim 11h-22h

13. TORRISI

ITALIEN

Un restaurant italien excellent et sans prétention. Mieux vaut éviter les samedis : la salle, charmante mais minuscule, est bondée.

··· ***Le soir, le menu de six plats (45 $) est tout simplement inoubliable.***

250 Mulberry St à hauteur de Prince St • Ⓜ 6 Spring St ; B, D, F, M Broadway-Lafayette St
212-965-0955 • www.piginahat.com
dim et mar-mer 11h-16h et 18h-22h, 11h-16h et jeu-sam 18h-23h

14. AJI ICHIBAN

ÉPICERIE-CONFISERIE

Cette chaîne hongkongaise est le paradis des gourmands et des curieux : poisson caramélisé, porc et viande de bœuf séchés caramélisés, coquilles saint-jacques séchées au wasabi, noix de macadamia épicées et nuages de noix de coco, sans oublier de délicieux biscuits aux algues.

Plusieurs magasins dans Chinatown.

37 Mott St, à hauteur de Pell St • Ⓜ 6, J, N, Q, R, Z Canal St
212-233 7650 • tlj 10h-20h

15. ALLEVA DAIRY

ÉPICERIE

Cette épicerie familiale centenaire où flottent des parfums alléchants serait la plus ancienne fromagerie des États-Unis. Comme le bon vin, elle se bonifie avec le temps.

Les savoureuses boulettes de jambon et ricotta sont parfaites en cas de petit creux.

188 Grand St
Ⓜ 6, J, N, Q, R, Z Canal St ;
B, D Grand St ; 6 Bleecker St ;
B, D, F, M Lafayette St • 212-226 7990
www.allevadairy.com • lun-sam
8h30-18h, dim 9h-16h

16. DI PALO DAIRY

ÉPICERIE

Épicerie italienne réputée pour son excellent choix de fromages et produits "gourmets" (sa mozzarella di bufala est célèbre). On peut y acheter les yeux fermés du café, des pâtes, du fromage, des sauces ou de l'huile d'olive.

200 Grand St,
à hauteur de Mott St
Ⓜ 6, J, N, Q, R, Z Canal St
877 253 1779 • www.dipaloselects.com • lun-sam 9h-18h30,
dim 9h-16h

17. FAY DA BAKERY

VERY CHEAP

PÂTISSERIE

[illegible]

18. FERRARA BAKERY AND CAFÉ

SALON DE THÉ-PÂTISSERIE

Cette pâtisserie-salon de thé est une institution à Little Italy depuis 1892. Même si l'endroit est devenu très touristique, nombreux sont les New-Yorkais qui viennent y acheter pâtisseries, gâteaux et glaces et y déguster un cappuccino ou un expresso.

···› ***Le millefeuille à la ricotta et à la cannelle est un délice.***

195 Grand St,
à hauteur de Mulberry St
Ⓜ 6, J, N, Q, R, Z Canal St ;
B, D Grand St • 212-226 6150
www.ferraracafe.com • dim-ven
8h-minuit, sam 8h-13h

19. GOOD FORTUNE GIFTS

JOUETS

En plein cœur de Chinatown, ce magasin s'adresse aux adolescents et aux adultes nostalgiques de *La Guerre des étoiles* et des jouets des années 1980 et 1990. Les jouets pour collectionneurs côtoient des objets fabriqués en Chine plus douteux.

32 Mott St
Ⓜ 6, J, N, Q, R, Z Canal St ;
4, 5, 6, J, Z Chambers St-Brooklyn
Bridge-City Hall ; B, D Grand St
tlj 11h-19h

20. LIN SISTER HERBS

PLANTES MÉDICINALES

Cette herboristerie, l'une des plus anciennes de la ville, propose un large éventail de plantes médicinales et toutes sortes de remèdes étonnants. Les cabines d'acupuncture se trouvent au 1er étage. L'endroit mérite une visite même si on n'achète rien.

4 Bowery, entre Chatham Sq et Division St • Ⓜ 6, J, N, Q, R, Z Canal St ; 4, 5, 6, J, Z Chambers St-Brooklyn Bridge-City Hall ; B, D Grand St
212-962 5417 • www.linsister.com • tlj 10h-18h30

21. KAMWO HERBAL PHARMACY

PLANTES MÉDICINALES

Une herboristerie à mi-chemin entre la pharmacie et le musée de plantes médicinales où l'on prépare sous vos yeux toutes sortes de remèdes à base d'herbes. C'est une adresse incontournable pour quiconque s'intéresse aux vertus de la médecine orientale, mais elle ravira aussi les passionnés de botanique et les curieux.

211 Grand St, entre Mott St et Elizabeth St • Ⓜ B, D Grand St ; J, Z Bowery ; 6, J, N, Q, R, Z Canal St
212-966 6370 • www.kamwo.com
tlj 10h-19h

22. PARIS SANDWICH BAKERY CAFE

VERY CHEAP

PÂTISSERIE

Contrairement à ce que son nom pourrait laisser entendre, cette délicieuse pâtisserie de quartier n'est pas française mais typiquement chinoise. Elle fait aussi salon de thé et sa clientèle d'habitués, attirée par l'odeur des gâteaux et les prix bas, lui confère une agréable authenticité.

113 Mott St, entre Hester St et Canal St • Ⓜ B, D Grand St ; J, Z Bowery ; 6, J, N, Q, R, Z Canal St • 212-226 3828
www.parissandwiches.com
tlj 8h-20h

23. TEN REN TEA AND GINSENG CO.

THÉ

24. THE ORIGINAL CHINATOWN ICE CREAM FACTORY

GLACES

Cette entreprise familiale élabore des glaces au thé et des sorbets au litchi depuis 1978, ce qui lui vaut d'être considérée par certains comme partie intégrante du patrimoine historique de la ville. Les sorbets à la pastèque, à la mangue et à la *piña colada*, ou encore les glaces à la noix de coco et aux haricots rouges sont à ne pas manquer.

65 Bayard St, à hauteur de Mott St • Ⓜ 6, J, N, Q, R, Z Canal St 212-608-4170 • www.chinatownicecreamfactory.com
lun-jeu 11h-22h30,
ven-dim 11h-23h

25. YUNHONG CHOPSTICKS

BAGUETTES CHINOISES

Offrir un jeu de baguettes a une vraie signification en Chine, et c'est un cadeau très fréquent pour les naissances, les mariages ou les anniversaires. Cette minuscule boutique, dont la maison mère est à Pékin et qui a dessiné les baguettes officielles des Jeux olympiques de 2008, vend des baguettes entre 2 et 1 000 $, selon les matériaux et la qualité.

50 Mott St,
à hauteur de Bayard St
Ⓜ 6, J, N, Q, R, Z Canal St
212-566 8828
www.happychopsticks.com
tlj 10h30-20h30

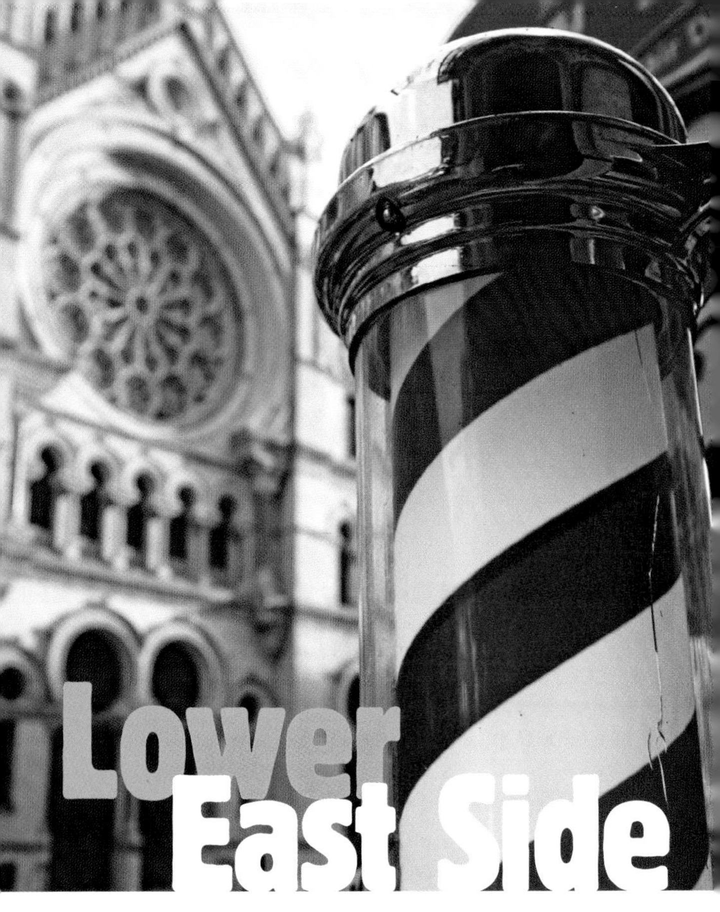

Lower East Side

PLACE AUX JEUNES

Ce quartier d'immigrés de la classe ouvrière a bien changé. Aujourd'hui, les synagogues historiques sont adossées à des bars et des restaurants branchés, et les associations d'aide aux populations défavorisées voisinent avec le New Museum et la nouvelle galerie d'art imaginée par l'architecte britannique sir Norman Foster. Le secteur a connu une métamorphose aussi complète que subite. L'ambiance bohème d'autrefois a cédé le pas à une population jeune et aisée. Quelques trésors ont tout de même survécu, comme les *delis* Russ and Daughters et Katz's, et la confiserie Economy Candy.

REPÈRES

LE QUARTIER HISTORIQUE : Eldridge St
ART ALTERNATIF : les galeries autour de Broome St
PERLES D'ARCHITECTURE : le Bowery abrite deux édifices conçus par des lauréats du prix Pritzker, le New Museum (Sejima + Nishizawa, p. 83) et la Sperone Westwater Gallery (Norman Foster, p. 83).
GASTRONOMIE JUIVE : Houston St
BOIRE DANS LE COUP : Rivington St

ESSENTIELS

KATZ'S/10 : pour manger des sandwichs au *pastrami*, comme dans *Quand Harry rencontre Sally* (détails p. 87).
RUSS AND DAUGHTER'S/25 : la meilleure adresse pour déguster un *bagel* à l'esturgeon fumé (détails p. 91).
BARS DE CHARME/18 & 19 : le Schiller's Liquor Bar (détails p. 89) et le Spitzer's Corner (détails p. 89).

Confidentiels

ALIFE RIVINGTON CLUB/20 : un magasin de baskets pour collectionneurs (détails p. 90).
FREEMAN'S/9 : un excellent restaurant caché dans une ruelle (détails p. 86).
EAST RIVER PARK/5 : une vue panoramique sur trois ponts emblématiques de la ville (détails p. 85).

LOWER EAST SIDE-
2ND AVE
E HOUSTON ST
Elizabeth St
Bowery
Forsyth St
Allen St
Orchard St
Essex St
Suffolk St
Attorney St
Pitt St
Hamilton
Fish Park
Vers
5
Stanton St
Prince St
Chrystie St
Eldridge St
Ludlow St
Norfolk St
Clinton St
Ridge St
Columbia St
Rivington St
Sarah
Roosevelt Park
Delancey St
Essex St
Williamsburg Bridge
Broome St
Grand St
Vers
4
Visiter
À table
Autour d'un verre
Un peu de shopping
Sortir (voir chapitre
spécifique p. 229)
100 m

VISITER

La synagogue d'Eldridge Street et une poignée de delis rappellent le passé juif du quartier. Le Lower East Side est aux juifs américains ce qu'Astoria, dans le Queens, est pour les Grecs ou Little Italy pour les Italiens.

VERY CHIC

1. NEW MUSEUM

Fondé en 1977 par Marcia Tucker, le New Museum s'est installé définitivement dans le Bowery avec pour devise : "Nouvel art, nouvelles idées". Il se présente comme un espace dédié à l'art contemporain, avec des œuvres d'artistes des quatre coins du monde, confirmés ou en devenir. Le nouveau bâtiment, un édifice en sept blocs imaginé par les architectes japonais Sejima + Nishizawa (prix Pritzker – "prix Nobel" de l'architecture) et l'agence new-yorkaise Gensler, est une œuvre d'art en soi (plus intéressante que les travaux présentés à l'intérieur, diront certains) qui a réussi à se fondre parfaitement dans le paysage.

→ *Le New Museum compte désormais un nouveau voisin et allié : la Sperone Westwater Gallery (257 Bowery), projet de l'architecte Norman Foster.*

235 Bowery, près de Prince St • Ⓜ J, Z Bowery • 212-219-1222 • www.newmuseum.org
mer et sam-dim 12h-18h, jeu-ven 12h-21h • **adulte/étudiant/senior 12/6/8 $, -18 ans gratuit**

2. GALERIES D'ART

Plus dispersées et moins impressionnantes que celles de Chelsea, les galeries d'art contemporain du LES peuvent s'offrir le luxe de miser sur des projets risqués et parfois polémiques. Parmi elles, citons : Participant Inc (253 East Houston St ; carte : 2A), Gallery Onetwentyeight (128 Rivington St ; carte : 2B), Simon Preston (301 Broome St ; carte : 2C), Small A Projects (261 Broome St ; carte : 2D), White Box (329 Broome St ; carte : 2E) et Woodward Gallery (133 Eldridge St ; carte : 2F).

Participant Inc : 212-254-4334
www.participantinc.org • mer-dim 12h-19h
Gallery Onetwentyeight : 212 674 0244
www.galleryonetwentyeight.org • mar-sam 13h-21h
Simon Preston : 212-431 1105
www.simonprestongallery.com • mer-dim 11h-18h
Small A Projects : 212-274 0761
http://laurelgitlen.com • mer-dim 11h-18h
White Box : 212-714-2347 • www.whiteboxny.org
mer-ven 11h-18h, sam-dim 12h-18h
Woodward Gallery : 212-966 3411
www.woodwardgallery.net • mar-sam 11h-18h, dim 12h-17h

3. ÁNGEL ORENSANZ FOUNDATION

En 1986, quand le Lower East Side était encore un quartier délabré et abordable, Ángel Orensanz, sculpteur espagnol originaire d'Aragon, acheta une synagogue de 1849 et y installa sa fondation. Des expositions et des activités culturelles sont proposées de temps à autre, mais dernièrement, l'endroit était plus souvent loué pour des mariages ou des soirées privées. Comme elle n'a subi pratiquement aucuns travaux de rénovation, le charme de la synagogue est resté intact.

La plupart du temps, la porte est ouverte. N'hésitez pas à entrer pour demander à visiter l'intérieur.

172 Norfolk St,
près de Houston St • Ⓜ J, M, Z
Essex St • 212-529 7194
www.orensanz.org • tlj 9h-19h
entrée libre sur permission

4. ELDRIDGE STREET SYNAGOGUE

Construite en 1887, cette impressionnante synagogue a été restaurée en 2007 et a retrouvé sa splendeur d'autrefois. Classée au patrimoine national, elle permet au visiteur d'en savoir plus sur l'histoire, les traditions et la culture des immigrants juifs qui se sont installés dans le quartier.

a hauteur de Division St
Ⓜ B, D Grand St ; F East Broadway
212-219 0302 • www.eldridgestreet.org
dim et mar-jeu 10h-16h
entrée libre • visite guidée adulte/étudiant et senior 10/8 $

5. EAST RIVER PARK

L'accès aux parcs et aux promenades donnant sur l'East River n'est pas évident et nécessite notamment de traverser plusieurs routes, mais vos efforts seront vite récompensés. L'East River Park offre un magnifique panorama sur les ponts de Williamsburg, de Manhattan et de Brooklyn. En été, l'ambiance bat son plein dans l'amphithéâtre, sur les terrains de football et de baseball et les courts de tennis.

FDR Drive, à hauteur de Montgomery St
Ⓜ F East Broadway

6. ESSEX STREET MARKET

Ce marché historique doit son existence au maire Fiorello H. LaGuardia. Lassé d'entendre les policiers et les pompiers se plaindre de ne pas pouvoir circuler dans les rues à cause des marchands ambulants, LaGuardia décida de créer une place publique de vente. Les étals sont à l'image de l'évolution du quartier et associent spécialités juives et hispaniques et produits gourmets. Fermé le dimanche.

120 Essex St, près de Rivington St
Ⓜ F Delancey St ; J, M, Z
Essex St • 212-312-3603
essexstreetmarket.com
lun-sam 8h-19h

À TABLE !

7. FALAI

ITALIEN

Un Italien parfait pour un dîner en amoureux. L'intérieur blanc immaculé rivalise avec un agréable jardin en été. Les *garganelli* à l'encre de seiche et à la langouste ou les *papardelle* à la noix de coco, sauce à la viande de biche comptent parmi les spécialités de la maison. Les desserts sont tout aussi savoureux. Pâtes et pain faits maison.

Du dimanche au jeudi, un menu dégustation de 4 plats est proposé (65 $, boissons non comprises).

68 Clinton St, à hauteur de Rivington St
Ⓜ F Delancey St ; J, M, Z Essex St • 212-253 1960
www.falainyc.com • lun-jeu 18h-22h30,
ven-sam 18h-23h, dim 17h30-22h30

9. FREEMAN'S

AMÉRICAIN

Dans ce restaurant spacieux mais toujours bondé, on se croirait dans le pavillon de chasse d'un vieux lord anglais passionné de taxidermie. Dans les assiettes, les plats sont très travaillés et consistants. Pour réserver, il faut être au moins 6 personnes et appeler une dizaine de jours à l'avance.

Moins cher mais aussi très bon, le brunch (15 $ environ) permet de déguster de succulents pancakes aux fruits accompagnés d'un café au lait.

Rivington St, entre Bowery et Chrystie,
dans la petite rue Freeman • Ⓜ F Lower East
Side-2nd Ave ; 6 Spring St • 212-420 0012
www.freemansrestaurant.com • lun-ven 11h-16h
et 18h-23h30, sam-dim 10h-16h et 18h-23h30

8. FRANKIES SPUNTINO

ITALIEN

Ce restaurant italien fondé par deux Frank (Falcinelli et Castronovo) propose une cuisine délicieuse, à base de produits frais, dans un cadre convivial et rustique. Les pâtes et les plats de légumes bios à l'huile d'olive sont la spécialité de la maison. Bonne carte des vins et prix étonnamment bas : soupe du jour (7 $), *gnocchi* maison et ricotta fraîche (14 $), *papardelle* maison et ragoût d'agneau (19 $).

les deux chefs ont ouverts une autre adresse à Brooklyn, du côté de Carrol Gardens (457 Court St, 718-403-0033), avec une carte identique mais plus d'espace et un jardin.

17 Clinton St à hauteur
de Stanton St • Ⓜ F Delancey St ;
J, M, Z Essex St • 212-253 2303
www.frankiesspuntino.com
dim-jeu 11h-minuit, ven-sam 11h-1h

10. KATZ'S DELICATESSEN

CASHER

Ce *deli* est une institution pour tous les New-Yorkais qui, de temps à autre, ont une furieuse envie de *pastrami*. L'endroit a été rendu célèbre par l'une de ses clientes, l'écrivain et scénariste Nora Ephron, qui a décidé de situer ici la fameuse scène où Meg Ryan simule un orgasme dans *Quand Harry rencontre Sally*. En fin de soirée, c'est le rendez-vous des noctambules.

205 E Houston St, à hauteur de Ludlow • Ⓜ F Lower East Side-2nd Ave • 212-254 2246
www.katzdeli.com • lun-mar 8h-21h30, mer-jeu et dim 8h-22h30, ven-sam 8h-2h30

11. PULINO'S BAR PIZZERIA

PIZZERIA

Par la même direction que le Balthazar (p. 54), le Pastis (p. 120), l'Odeon et le Schiller's (p. 89), et avec une décoration qui rappelle les autres restaurants du groupe. Ici, Keith McNally n'a pas recréé l'atmosphère d'une vieille brasserie parisienne mais opté pour la cuisine italienne. Le chef de San Francisco concocte des pizzas qui ne sont pas les meilleures du quartier et n'ont pas grand-chose à voir avec celles qu'on peut trouver en Italie, mais l'endroit, qui ne désemplit jamais, et l'ambiance, en font une adresse sympathique.

282 Bowery, à hauteur de East Houston
Ⓜ B, D, F, M Broadway-Lafayette St ; F Lower East Side-2nd Ave • 212-226 1966 • www.pulinosny.com
lun-ven 8h30-2h, sam 10h-2h, dim 10h-minuit

12. RAYUELA

FUSION LATINE

Ce restaurant propose une cuisine "fusion" qui consiste en une libre interprétation de recettes traditionnelles de différents pays d'Amérique latine, en passant par les tapas espagnoles. La décoration est très soignée, avec un olivier dont les branches grimpent jusqu'à la salle du 1er étage. L'endroit est idéal pour dîner en amoureux ou entre amis. Les plats de poisson sont particulièrement réussis.

→ ***Quelques suggestions : le ceviche de langouste, coquilles saint-jacques, crevettes, crabe, poulpe et moules, sauce à la tomate verte (16 $) ou le ceviche de crabe chinois et crevettes marinés dans une sauce au citron, poire et jalapeño (17 $). Réservation conseillée.***

165 Allen St, à hauteur de Stanton St • Ⓜ F Delancey St ; J, M, Z Essex St • 212-253 8840
www.rayuelanyc.com
lun-jeu 17h30-23h, ven-sam 17h30-minuit, dim 17h-22h

AUTOUR D'UN VERRE...

14.

15.

13. ARLENE'S GROCERY

CAFÉ-CONCERTS

Cette ancienne épicerie de quartier convertie en bar il y a une quinzaine d'années s'est imposée dans les années 1990 comme un haut lieu du hard rock. L'endroit a accueilli des groupes devenus mondialement célèbres par la suite, comme The Strokes. Les clients les plus fidèles sont les habitants du coin, sensibles à la politique tarifaire des lieux (les concerts n'excèdent jamais les 10 $).

95 Stanton St, près de Ludlow St
Ⓜ F Lower East Side-2nd Ave ;
J, M, Z Essex • 212-995 1652
http://arlenesgrocery.net • tlj 17h-4h

14. BARRAMUNDI

BAR AUSTRALIEN

Un bar australien (le *barramundi* est un grand poisson d'eau douce) spécialisé dans la bière et la vodka. L'ambiance est à mi-chemin entre un club anglais, un pub irlandais et un *diner* new-yorkais.

Pendant l'happy hour (18h-21h), c'est deux boissons pour le prix d'une.

67 Clinton St,
près de Rivington St
Ⓜ F Delancey St ;
J, M, Z Essex St • 212-529 6999
www.barramundiny.com
tlj 18h-4h

15. CASA MEZCAL

BAR MEXICAIN

Le mezcal est un alcool originaire d'Oaxaca, au Mexique, et comme son nom l'indique, Casa Mezcal en propose toute une sélection, en fonction du type d'agave utilisé, de la méthode de distillation et des fruits, des herbes ou des arômes qui ont été ajoutés.

Préférez les classiques, sans adjonction : le mezcal "blanco" (incolore, vieilli pendant moins de 2 mois), "reposado" (entre 2 mois et 1 an) ou "añejo" (1 an minimum).

86 Orchard St, près de Broome St • Ⓜ J, M, Z Essex St • 212-777 2600
lun-mer 17h-1h, jeu-sam 17h-4h

19.

16. MACONDO

COCKTAILS

Les propriétaires du restaurant Rayuela possèdent aussi ce bar très agréable, idéal pour les groupes d'amis. La carte des cocktails est aussi longue qu'originale. En été, on peut prendre place sur les tabourets dans la rue, dos à Houston St.

L'endroit ne s'anime pas avant 23h.

157 E. Houston St, près de Allen St
Ⓜ F Lower East Side-2nd Ave
212-473 9900 • www.macondonyc.com
lun-jeu 11h-minuit, ven-sam 11h-4h, dim 11h-minuit

18. SCHILLER'S LIQUOR BAR

BAR-RESTAURANT

Temple de la branchitude version Lower East Side, le Shiller est un restaurant (brunch, déjeuner et dîner) doublé d'un bar de nuit.

Un incontournable pour découvrir la vie nocturne de ce quartier très en vogue.

131 Rivington St, à hauteur de Norfolk St
Ⓜ J, M, Z Essex St ; F Delancey St
212-260 4555 • www.schillersny.com
lun-mer 11h-1h, jeu 11h-2h, ven-sam 10h-3h, dim 10h-1h

17. NURSE BETTIE

BAR "BURLESQUE"

Ambiance agréable et décontractée dans ce bar aux murs de brique agrémenté de cadres et d'objets des années 1950. La sympathique infirmière Bettie propose un happy hour tous les jours, entre 18h et 22h30, avec des verres à 4 $.

Spectacles burlesques gratuits le jeudi à partir de 22h.

106 Norfolk St, à hauteur de Delancey St
Ⓜ J, M, Z Essex St ; F Delancey St • 917-434 9072
www.nursebettieles.com • tlj 18h-4h

19. SPITZER'S CORNER

BAR-RESTAURANT

Q.G. de la jeunesse branchée du quartier, le Spitzer se définit comme un *gastropub* ouvert à toute heure, proposant à manger et un large choix de boissons. L'intérieur mixe longues tables en bois et suspensions en métal.

Idéal pour s'imprégner de l'ambiance du quartier tout en sirotant une bière (choisie parmi les 40 proposées).

101 Rivington St, à hauteur de Ludlow St
Ⓜ J, M, Z Essex St • 212-228 0027
www.spitzerscorner.com • lun-mar 12h-3h, mer-ven 12h-4h, sam 10h-4h, dim 10h-3h

20. ALIFE RIVINGTON CLUB

BASKETS DE COLLECTION

Une adresse assez sélect, destinée aux collectionneurs de baskets de créateurs et d'éditions limitées. On peut passer devant la boutique sans la voir et la porte est parfois fermée ; ne pas hésiter à sonner. Les chaussures sont exposées comme des œuvres d'art. Juste en face, une 2e boutique a ouvert, avec des vêtements et du matériel de sport (Comme des Garçons, Patagonia, Lacoste) et des montres Sunto.

157 Rivington St, à hauteur de Clinton St • Ⓜ J, M, Z Essex St • 212-375 8128
www.rivingtonclub.com • lun-sam 11h-19h, dim 12h-18h

21. DESSERT TRUCK WORKS

PÂTISSERIE

Les maîtres pâtissiers qui officient ici se sont rencontrés dans les cuisines du restaurant Le Cirque avant d'acheter une camionnette pour vendre des gâteaux aussi beaux que bons. Aujourd'hui, ils disposent enfin de leur propre local dans le quartier, minuscule mais charmant. Leur philosophie : apporter un peu de douceur à la vie de leurs clients avec des pâtisseries raffinées, que l'on peut accompagner d'une tasse de café, de thé ou de chocolat chaud. La plupart de leurs créations revisitent des recettes traditionnelles allemandes, françaises ou italiennes. Mention spéciale pour le pudding au chocolat chaud (6 $) et les pommes au four caramélisées à la cannelle (6 $).

6 Clinton St, près de East Houston
Ⓜ J, M, Z Essex St • www.desserttruck.com
tlj 11h-23h

22. ECONOMY CANDY

CONFISERIE

Entreprise familiale qui fait le bonheur des gourmands depuis 1937. Ici, on remonte le temps et on peut dénicher des madeleines de son enfance. Sélection de bonbons, chocolats et fruits secs vraiment impressionnante.

Ne manquez pas de goûter le halva, une confiserie à la consistance proche du nougat, très populaire en Inde, au Pakistan et en Iran.

108 Rivington St,
près de Essex St
Ⓜ F Delancey St • 212-254 1531
www.economycandy.com
dim-ven 9h-18h,
sam 10h-17h

23. STILL LIFE

CHAPEAUX

Chapellerie artisanale, preuve vivante que le classique est indémodable. Frenel Morris, le propriétaire et directeur de la boutique, confectionne des chapeaux sur mesure et selon le goût du client, tout en accordant un soin particulier au détail et à la qualité. Les chapeaux pour hommes sont très réussis.

Les chapeaux ne sont pas qu'une affaire d'hommes. Les femmes peuvent opter pour des modèles avec une touche de couleur.

77 Orchard St, près de Broome St • Ⓜ F Delancey St ; J, M, Z Essex St ; B, D Grand St • 212-575 9704 • www.stilllifenyc.com • mar-dim 11h-19h

24. SZEKI

VERY CHIC

MODE – CRÉATEURS

Les parents de la propriétaire de cette formidable boutique de vêtements de jeunes créateurs asiatiques possèdent une usine textile. Ils sélectionnent des pièces uniques et de grande qualité et toutes les deux semaines, ils envoient les plus belles pièces à New York. Les prix sont similaires à ceux pratiqués dans les grandes chaînes de prêt-à-porter. Seul inconvénient : les vêtements, aux coupes et aux matières parfaites, sont des prototypes et n'existent qu'en petites tailles.

Vend aussi des bijoux très originaux et des sacs en cuir qui vieillissent très bien.

157 Rivington St
à hauteur de Clinton St
Ⓜ J, M, Z Essex St • 646-243 1789
www.szekinyc.com
tlj 11h-19h

25. RUSS AND DAUGHTERS

ÉPICERIE FINE

La meilleure adresse de la ville pour acheter du caviar ou du poisson fumé (l'esturgeon, le sabre et le saumon sont ses produits phare). Joel Russ, un immigré d'Europe de l'Est, s'est installé dans le Lower East Side et a ouvert son commerce de *delicatessen* en 1914. Aujourd'hui, ses descendants font perdurer la tradition et restent fidèles aux recettes les plus classiques de la gastronomie juive.

Optez pour un bagel frais (non grillé), avec du fromage à tartiner et de l'esturgeon fumé.

179 East Houston St,
près de Orchard St • Ⓜ F Lower East Side-2nd Ave ; J, M, Z Essex St
212-475 4880 • www.russanddaughters.com • lun-ven 8h-20h, sam 9h-19h, dim 8h-17h30

East Village

VIE DE QUARTIER

Dans les années 1960, des artistes comme Andy Warhol, des étudiants et des musiciens ont débarqué à East Village et en ont fait un quartier bohème. Aujourd'hui, il y règne une ambiance très communautaire : les restaurants, bars et théâtres alternatifs côtoient les jardins et potagers partagés entre voisins. C'est aussi le quartier des fripes. East Village est idéal pour se perdre au fil des rues, acheter des vêtements vintage, faire un tour au Tompkins Sq Park, s'offrir un menu dégustation dans l'un des nouveaux restaurants du quartier et aller boire un verre en soirée. C'est à Alphabet City que la vie nocturne est la plus animée.

AGITATION NOCTURNE : Alphabet City
AMBIANCE COMMUNAUTAIRE : Tompkins Square Park (détails p. 95)
SHOPPING VINTAGE : de 6th St a 11th St, entre 2nd Ave et Ave A

BAINS RUSSES ET TURCS/⊙4 : une institution vieille d'un siècle (détails p. 97).
TOMPKINS SQUARE PARK/⊙1 : cœur new-yorkais de la contestation, le parc s'est assagi depuis (détails p. 95).

ALPHABET CITY/⊙3 : délimitée à l'est par l'East River, Alphabet City doit son nom aux quatre avenues qui la traversent (A, B, C, D).

JOE'S PUB/☾N25 : un pub populaire au sein du Joseph Papp Public Theater (425 Lafayette St), organisateur du festival Shakespeare in the Park (p. 37), chaque été à Central Park (détails p. 37).

ANGEL'S SHARE/🍷12 : un bar à cocktails à l'arrière d'un restaurant japonais (détails p. 100).
DEATH AND CO/☾N44 : l'un des meilleurs bars à cocktails clandestin (détails p. 242).
DECIBEL/🍷15 : un bar secret dédié au saké (détails p. 101).
NUBLU/☾N55 : un autre lieu secret avec un merveilleux jardin (détails p. 244).
PDT/🍷16 : un bar clandestin rendant hommage au temps de la Prohibition (détails p. 101).
THE CABIN DOWN BELOW/🍷14 : un autre bar clandestin, dissimulé à l'arrière d'une pizzeria (détails p. 100).

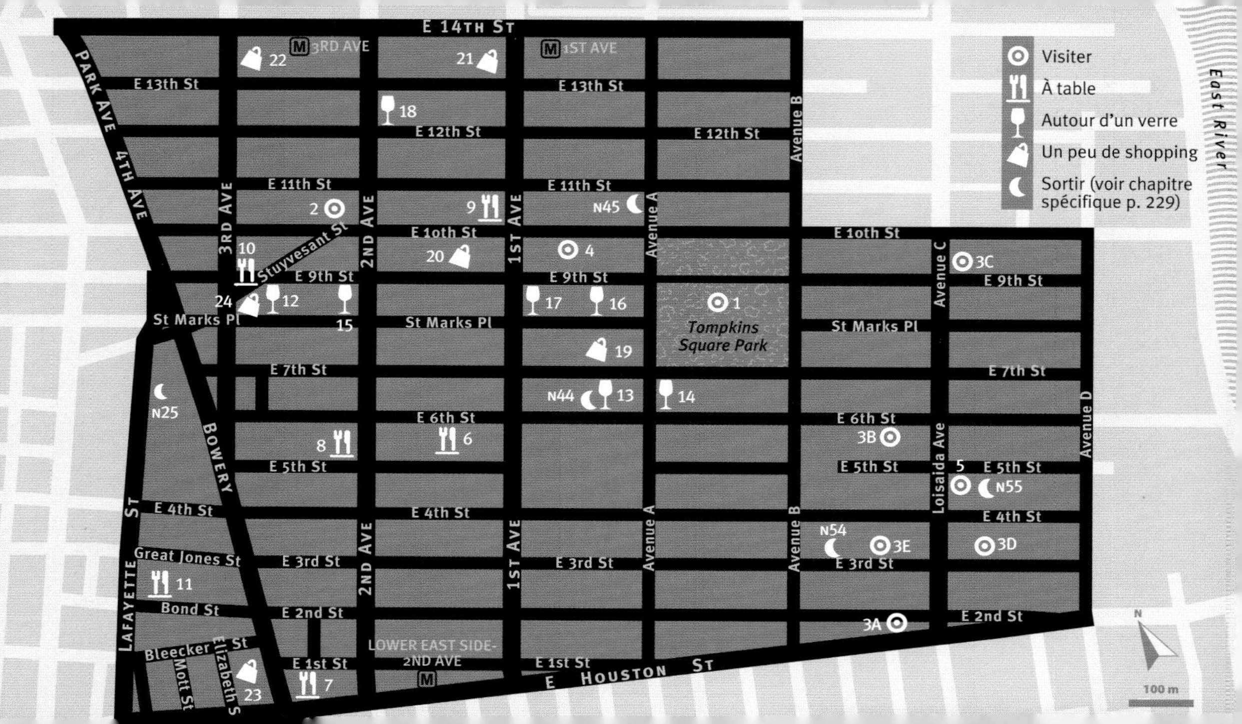

Visiter
À table
Autour d'un verre
Un peu de shopping
Sortir (voir chapitre spécifique p. 229)
East River
E 14th St
E 13th St
E 12th St
E 11th St
E 10th St
E 9th St
St Marks Pl
E 7th St
E 6th St
E 5th St
E 4th St
E 3rd St
E 2nd St
E 1st St
E Houston St
Park Ave
4th Ave
3rd Ave
2nd Ave
1st Ave
Avenue A
Avenue B
Avenue C
Avenue D
Loisaida Ave
Stuyvesant St
Bowery
Lafayette St
Great Jones St
Bond St
Bleecker St
Mott St
Elizabeth S
Tompkins Square Park
3RD AVE
1ST AVE
LOWER EAST SIDE-2ND AVE
100 m
N

VISITER

Épicentre protestataire jusque dans les années 1980, le Tompkins Square Park reste le symbole de ce quartier rebelle. Aujourd' hui, le militantisme d' East Village a laissé place à une vie nocturne animée – Alphabet City possède le plus grand nombre de bars au mètre carré de toute la ville – mais l' esprit communautaire subsiste.

1. TOMPKINS SQUARE PARK

Émeutes ouvrières contre la misère en 1874, manifestaitons contre la guerre du Vietnam, expulsions médiatisées des squatteurs en 1990... Ce parc d'Alphabet City symbolise à lui seul l'esprit protestataire du quartier. Au début des années 1990, le quartier s'est embourgeoisé. Les clochards et les drogués ont été chassés et le parc a fait peau neuve. Aujourd'hui on y trouve des aires de jeux pour enfants, des terrains de basket et toutes sortes d'équipements sportifs. C'est le lieu idéal pour s'imprégner de l'atmosphère du quartier.

→ *C'est ici que se déroule le Charlie Parker Jazz Festival au mois d'août (www.summerstage.org).*

Entrée par 7th St-Ave A • Ⓜ F Lower East Side-2nd Ave • www.nycgovparks.org • tlj 6h-minuit

2. ST MARK'S IN THE BOWERY

L'église épiscopale bâtie en 1799 à l'emplacement de la plantation (*bouwerie*) du gouverneur hollandais Peter Stuyvesant possède une crypte en sous-sol.

Des spectacles de danse et de poésie sont organisés dans le temple. Consultez le programme sur le site Internet.

131 East 10th St-2nd Ave • Ⓜ N, R 8th St-NYU ; 6 Astor Pl ; F Lower East Side-2nd Ave
212-674 6377 • http://stmarksbowery.org • lun-ven 10h-18h

3. JARDINS COMMUNAUTAIRES D'ALPHABET CITY

Ces dix dernières années, les New-yorkais se sont battus pour conserver les espaces publics dans les quartiers résidentiels. Les jardins partagés sont un exemple réussi de l'exploitation commune d'une parcelle de terrain, qui contribue à l'amélioration et au dynamisme de l'ensemble d'un quartier. On trouve à East Village et dans le Lower East Side un grand nombre de jardins partagés, plus ou moins grands selon les cas. Les habitants se chargent de leur entretien : ils y plantent des fleurs, cultivent des potagers... En contrepartie de ce travail, chacun peut profiter des fruits et des légumes récoltés, ou de l'espace pour organiser des fêtes.

Le mouvement en faveur des jardins communautaires d'East Village a été très important dans les années 1980. C'est à cette époque qu'ont été créées les Green Guerillas, des groupes écologistes de quartier mobilisés pour réclamer à la municipalité la réquisition des parcelles inoccupées qui constituaient une source de conflits et de bagarres incessantes, attiraient les drogués et devenaient des dépotoirs. L'installation dans ce quartier de communautés d'immigrants provenant de pays à forte tradition agraire a favorisé le succès de l'initiative. Certaines de ces parcelles sont de petits jardins botaniques, d'autres des potagers au bon rendement, et d'autres encore, d'agréables jardins aménagés avec des tables et des bancs qui permettent aux habitants de se délasser dans un calme difficile à trouver ailleurs.

Quelques jardins partagés : **Le Petit Versailles** (246 East Houston St ; www.alliedproductions.org) • **6&B Garden** (6th St-Ave B ; www.6bgarden.org) **9th St Garden** (East 9th St-Ave C) • **All People's Garden** (3rd St, entre Ave C et Ave D) **Brisas del Caribe** (237 East 3rd St) • Ⓜ F Lower East Side-2nd Ave

4. BAINS RUSSES ET TURCS

Ce n'est pas un spa chic, mais un établissement historique vieux d'un siècle. L'entrée pour la journée inclut les saunas et la piscine. On peut aussi s'offir un massage au sel de la mer Morte et des traitements à l'argile noire. Les bains sont mixtes, excepté le mercredi de 9h à 14h (femmes) et le samedi de 7h30 a 14h (hommes).

Avis aux amateurs : le groupe gypsie-punk Gogol Bordelo a consacré une chanson à ces bains : "Avenue B".

Russian and turkish baths • 268 East 10th St, entre 1st Ave et Ave A • Ⓜ L 1st Ave
212-674 9250 • www.russianturkishbaths.com • lun-mar et jeu-ven 12h-22h, mer 10h-22h, sam 9h-22h, dim 8h-22h • **30 $ la journée**

5. 5C CAFE AND CULTURAL CENTER

Un lieu authentique ! Ce centre culturel a vu le jour dans les années 1980 et à survécu aux années difficiles d'Alphabet City. Son secret le mieux gardé : on peut assister tous les jours à des concerts, principalement jazz, pour un prix qui dépasse rarement les 10 $. Ces concerts sont si prestigieux que tous les musiciens de jazz de New York s'y pressent. Consultez le programme sur le site.

68 Ave C-5th St • Ⓜ F Lower East Side-2nd Ave • 212-477 5993 • www.5ccc.com
dim et mer-jeu 17h-minuit, ven-sam 17h-2h • **0-15 $**

À TABLE !

6. CHIYONO

JAPONAIS

C'est l'un des joyaux bien gardés du quartier et l'une des meilleures tables japonaises de New York. On se croirait dans la salle à manger d'un appartement. Chiyono, la maîtresse de maison, prépare des plats traditionnels – sans l'ombre d'un sushi –, que l'on se partage autour d'une grande table. Figurent le plus souvent au menu : soupes, tempuras ou autres fritures (les huîtres frites et les beignets de sardine sont délicieux) et poisson du jour servi avec des légumes. Chiyono n'ouvre que le soir et il faut réserver.

Pour ceux que cela ne dérange pas de dîner tôt, le menu est à 20 $ à 19h30.

328 East 6th St-Ave B,
près de 1st Ave • Ⓜ 6 Astor Pl
212-673 3984 • www.chiyono.com
mar-sam 18h-23h

7. DBGB KITCHEN & BAR

AMÉRICAIN

Le restaurant du chef Daniel Boulud, à mi-chemin entre une brasserie et une taverne de la côte est, est le lieu le plus sophistiqué pour déguster 14 variétés différentes de saucisses (la Toscane à 11 $ et la Parisienne à 12 $ sont excellentes) et tous les morceaux de bœuf (cités sur la carte dans la section "de la tête aux pieds"). Bien que la bière soit plus recommandable, on trouve aussi un large choix de vins.

299 Bowery, près de Houston St
Ⓜ 6 Bleecker St ; F Lower East Side-2nd Ave
212-933 5300 • http://danielnyc.com
lun 12h-15h et 17h30-23h, mar-jeu 12h-1h
et 17h30-minuit, ven 12h-15h et 17h30-1h,
sam 11h-15h et 17h30-1h, dim 11h-15h
et 17h-23h

8. DEGUSTATION WINE AND TASTING

FUSION

Essayer le menu dégustation à 50 $ (5 plats) de ce restaurant à la fois intime et moderne, est une expérience mémorable. Le prix est très intéressant en comparaison de ceux du Jewel Bako, l'établissement mitoyen tenu par le même propriétaire. Comme au Momofuku Noodle Bar (voir ci-contre), on est assis au comptoir et on assiste à l'élaboration des plats, inspirés de recettes françaises et espagnoles.

239 East 5th St, près de 2nd Ave • Ⓜ F Lower East Side-2nd Ave ; 6 Astor Pl ;
N, R 8th St-NYU • 212-979 1012 • lun-jeu 18h-22h30, ven-sam 18h-23h

9. MOMOFUKU NOODLE BAR

CUISINE DE CHEF

Ici, la cuisine est élaborée et novatrice, le service impeccable et les prix abordables (menu midi/soir 4 plats 30/40 $). Malgré son nom japonais, le Momofuku sert une cuisine tout américaine. C'est l'une des adresses préférées du chef avant-gardiste espagnol Ferran Adrià.

*****Le restaurant ne prend pas de réservation – mieux vaut éviter le samedi et le dimanche.*****

171 1st Ave, près de 11th St • Ⓜ L 1st Ave ; 6 Astor Pl
212-777 7773 • www.momofuku.com/noodle-bar
lun-jeu 12h-16h30 et 17h30-23h, ven 12h-16h30 et 17h30-2h, sam 12h-16h et 17h30-2h, dim 12h-16h et 17h30-23h

10. SOBA-YA

JAPONAIS

Ce restaurant japonais est spécialisé dans les nouilles *soba*, des pâtes de farine de sarrasin très nutritives, plus fines que les nouilles *udon*. Elles sont servies froides avec une délicieuse sauce, ou chaudes, en soupe. Les prix sont compris entre 10 et 18 $.

*****Le même propriétaire gère le Robataya (231 East 9th St), également très bon et spécialisé dans la cuisine japonaise au barbecue, et le Curry-Ya (214 East 10th St).*****

229 East 9th St, près de 2nd Ave
Ⓜ 6 Astor Pl • 212-533 6966
www.sobaya-nyc.com
dim-jeu 12h-15h30 et 17h30-22h30, ven-sam 12h-15h30 et 17h30-23h

11. THE SMILE

VERY CHIC

CAFÉTÉRIA

Cette cafétéria chic et confidentielle est installée dans le sous-sol d'un bâtiment datant de 1830 et ne se voit pas de la rue. On y sert des petits-déjeuners et des déjeuners très sains – élaborés à partir de produits bios –, dont raffolent les habitués branchés du quartier. C'est le meilleur choix pour manger léger quand on est pressé. Les amateurs de café seront aux anges : il est excellent. La limonade aussi.

26 Bond St, près de Lafayette St
Ⓜ 6 Bleecker St ; B, D, F, M Broadway-Lafayette St • 646-329 5836
http://thesmilenyc.com • tlj 8h-22h

AUTOUR D'UN VERRE...

12. ANGEL'S SHARE

COCKTAILS

Un élégant bar à cocktails clandestin spécialiste du saké qui se cache dans un restaurant japonais, Villade Yokocho (la porte d'entrée se trouve en haut des marches situées dans la salle). L'ambiance est assez décontractée, idéale pour un rendez-vous romantique ou pour prendre un verre et déguster de délicieuses mises-en-bouches japonaises en rêvassant devant l'immense baie vitrée.

Les groupes de plus de 4 personnes ne sont pas admis.

Village Yokocho, 8 Stuyvesant St-9th St, 2e étage
Ⓜ 6 Astor Pl ; L 3rd Ave ; N, R 8th St-NYU
212-777 5415 • dim-mer 1h-1h30, jeu 18h-2h, ven-sam 18h-2h30

13. BOURGEOIS PIG

BAR

Merveilleusement excentrique avec ses canapés de velours, ses chaises et ses miroirs dorés, ses murs rouges et ses faïences colorées au sol et au plafond, ce petit Versailles *grunge* ignore la couleur blanche. Les lundi et mardi, les bouteilles de vin sont à moitié prix ; le mercredi, on peut commander un plat de moules à 6 $.

111 East 7th St, près de 1st Ave • Ⓜ L 1st Ave ; 6 Astor Pl • 212-475 2246
www.bourgeoispigny.com
lun-jeu 18h-2h, ven 18h-3h, sam 17h-3h, dim 17h-2h

14. THE CABIN DOWN BELOW

BAR

Un bar clandestin peut-être un rien trop cool, qui se cache dans le sous-sol de la pizzeria Pizza Shop. L'entrée est difficile le samedi et les soirs de fêtes privées. Les chanceux qui seront admis pouront boire de la téquila et écouter de la bonne musique dans un local qui rappelle les caves d'un manoir de millionnaire anglais.

Le logo des boîtes de pizza a été conçu par le graphiste du logo des Ramones.

110 Ave A, près de 7th St • Ⓜ F Lower East Side-2nd Ave
212-614 9798 • mar-sam 22h-4h

15. DECIBEL

BAR À SAKÉ

Un autre joyau caché que ce *speakeasy* japonais, repérable à son discret panneau lumineux (ouvrez bien les yeux !). Un escalier conduit au sous-sol, où se cache un petit bar *made in Japan* proposant une trentaine de sakés différents à tous les prix. La nourriture est également délicieuse. L'endroit est souvent plein.

240 East 9th S-2nd Ave • Ⓜ 6 Astor Pl ; N, R 8th St-NYU • 212-979 2733
http://sakebardecibel.com
lun-sam 18h-2h50, dim 18h-0h50

16. PDT

COCKTAILS

Dans le snack à hot-dogs se trouve une ancienne cabine téléphonique qui mène au bar. On peut y commander un délicieux cocktail, un verre de vin ou une bière, que l'on peut accompagner d'un hot-dog acheté dans le snack au-dessus. Mais chut, "*PDT*" (*Please dont tell*, "ne le dites à personne") !

→ *Essayez les cocktails : le barman, Jim Meehan, est une célébrité.*

113 St Marks Pl, snack à hot-dogs CrifDogs
Ⓜ 6 Astor Pl ; N, R 8th St-NYU • 212-614 0386
dim-jeu 18h-2h, ven-sam 18h-4h

17. SIMONE MARTINI BAR

BAR

Dans ce bar, qui propose une large sélection de martinis, le rouge prédomine. la décoration allie dans un savant mélange lampes baroques, canapés de cuir, miroirs dorés : kitshissime !

→ *Du lundi au jeudi, les martinis sont à 6 $.*

134 1st Ave-St Marks Pl • Ⓜ F Lower East Side-2nd Ave ; L 1st Ave ; 6 Astor Pl
212-982 6665 • www.simonemartinibar.com
lun-mer 11h-2h, jeu-ven 11h-4h, sam 10h-4h, dim 10h-2h

18. BLUE OWL

COCKTAILS

Bien qu'il se présente comme un *speakeasy*, ce bar en sous-sol est moins clandestin que les autres et plus facile à trouver. Les cocktails sont préparés par un maître en la matière : Charles Hardwick, qui a longtemps exercé au Pravda, à l'Odeon et au Mercer Kitchen

→ *Tous les cocktails sont à base de fruits frais, pressés à la demande.*

196 2nd Ave-12nd St • Ⓜ L 3rd Ave
212-505 258 • www.blueowlnyc.com
dim-jeu 17h-2h, ven-sam 17h-4h

19. BUTTER LANE CLASSES

CUPCAKES ET COURS DE PÂTISSERIE

En plus de vendre de délicieux *cupcakes*, cette charmante boutique enseigne l'art de la pâtisserie et dévoile les secrets de fabrication d'un *cupcake* parfait. On peut s'inscrire à un cours collectif de 3h (groupes d'une dizaine de personnes) ou demander des sessions de groupe privées (50 $ par personne). Réservations sur hello@butterlane.com

123 East 7th St, près de Ave A • Ⓜ L 1st Ave • 212-677 2880
www.butterlane.com/classes • mar-jeu 11h-23h, ven-sam 11h-minuit, dim 12h-22h

20. FABULOUS FANNY´S

LUNETTES VINTAGE

"If you have to wear them, make it fun..." (quitte à en porter, autant s'amuser) affiche le slogan de cette boutique spécialisée dans les montures de lunettes vintage : lunettes d'aviateur des Première et Seconde Guerres mondiales, montures des années 1960, 1970 et 1980 côtoient des pièces plus étonnantes comme ces montures à pièces d'or 1800 (140 $). Les prix oscillent entre 40 et 140 $.

335 East 9th St, près de 1st Ave
Ⓜ 6 Astor Pl ; L 1st Ave • 212-533 0637
www.fabulousfannys.com
tlj 12h-20h

21. GABAY'S OUTLET

STOCK MODE

La boutique n'est pas très attrayante – pour ne pas dire moche ! – et passe plutôt inaperçue, mais celles qui auront le courage de farfouiller parmi les centaines de boîtes à chaussures seront récompensées : de merveilleux modèles Chanel, Jimmy Choo, Manolo Blahnik ou Marc Jacobs à des prix compris entre 100 et 300 $ attendent les plus patientes. Il faut aussi faire preuve de patience pour trouver la pièce rare dans les vêtements.

La plupart des vêtements, des chaussures et des accessoires proviennent des luxueux grands magasins Bergdorf.

225 1st Ave, entre 13th St et 14th St
Ⓜ L 1st Ave • 212-254 3180
www.gabaysoutlet.com
lun-sam 10h-18h, dim 11h-18h

22. KIEHL'S

PARFUMERIE

L'authentique pharmacie Kiehl's, qui a créé les cosmétiques vendus dans le monde entier. Fondée en 1851 par John Kiehl, elle fait aujourd'hui partie du groupe L'Oréal, qui a conservé l'esthétique minimaliste des produits, conditionnés comme des médicaments. Cette parfumerie magique vend tous les produits de la marque, y compris des produits et des savons pour les chiens et... pour les chevaux ! Les plus gourmands iront se restaurer à la cafétéria-salon de thé.

109 3rd Ave, près de 13th St • Ⓜ 4, 5, 6, L, N, Q, R 14th St-Union Sq ; L 3rd Ave
212-677 3171 • www.kiehls.com • lun-sam 10h-20h, dim 11h-18h

20.

24.

23. PATRICIA FIELD

MODE ET ACCESSOIRES

La styliste de *Sex in the City* possède une boutique très sympa sur le Bowery (punk et années 1980), où les fans de la série retrouveront les ceintures ou les collants favoris de Sarah Jessica Parker, mais aussi une vaste collection d'objets décalés. On trouve par exemple des sacs de soirée en forme de canette de soda (35 $), des boucles d'oreille en plastique lumineuses et des robes qui passent inaperçues à New York mais qui créeront le buzz chez vous.

302 Bowery, près de 1st St
Ⓜ F Lower East Side-2nd Ave ;
6 Bleecker St • 212-966 4066
www.patriciafield.com
lun-ven 11h-20h, sam 11h-21h,
dim 11h-19h

24. ST MARKS BOOKSHOP

LIBRAIRIE

La librairie de tous ceux qui prennent au sérieux la littérature et les arts. Bien que l'espace soit réduit, le catalogue de fiction et de livres d'art est spectaculaire, de même que la sélection de revues et de publications spécialisées. Comme dans beaucoup de librairies de New York, des dizaines de lecteurs feuillettent les bouquins dans les allées et engagent des conversaitons animées avec le personnel (qui connaît bien le fonds).

31 3rd Ave, près de 9th St
Ⓜ L 3rd Ave ; 6 Astor Pl • 212-260 7853
www.stmarksbookshop.com
lun-sam 10h-minuit,
dim 11h-minuit

Greenwich Village et West Village

LA BOHÈME RÉINVENTÉE

Le Village englobe trois quartiers : East Village, Greenwich Village et West Village. Même si chacun a sa personnalité propre, ils respirent tous la bohème. Greenwich Village a joué un rôle très important dans l'essor de la musique folk dans les années 1960, et s'est imposé comme porte-drapeau de l'opposition à la guerre du Vietnam et de la lutte pour les droits des homosexuels. Aujourd'hui, la New York University (NYU) occupe de nombreux bâtiments et la transformation du quartier est évidente. La majorité des célébrités new-yorkaises ont élu domicile dans West Village, mais l'endroit n'a rien perdu de son charme et de son histoire.

LÈCHE-VITRINE : Bleecker St
VIE ÉTUDIANTE : Washington Square Park (détails p. 109)
JOUEURS D'ÉCHECS : à l'angle de Thompson St et de Third St

C. O. BIGELOW/16 : une pharmacie implantée depuis 150 ans (détails p. 113).
MINETTA TAVERN/9 : un restaurant qui a vu passer écrivains et poètes (détails p. 110).
STRAND BOOKSTORE/15 : librairie familiale et véritable institution (détails p. 113).

LEFT BANK BOOKS/13 : caverne d'Ali Baba renfermant premières éditions et livres d'occasion (détails p. 112).
LITTLE BRANCH/ N56 : un bar caché derrière une porte grise (détails p. 245).
JEFFERSON MARKET LIBRARY/1 : ancien centre de détention pour délinquants converti en une bibliothèque foisonnante (détails p. 107).
66 PERRY STREET/17 : la façade de l'appartement de Sarah Jessica Parker dans *Sex and the City.*

8TH AVE
14TH ST
6TH AVE
E 14TH ST
14TH ST-UNION SQ
W 13th St
E 13th St
Little w 12th St
W 12th St
E 12th St
W 11th St
E 11th St
W 10th St
E 10th St
W 9th St
E 9th St
W 8th St
E 8th St
8TH ST - NYU
ASTOR PL
10TH AVE
7TH AVE
5TH AVE
PARK AVE
4TH AVE
BROADWAY
University Pl
Gansevoort St
Greenwich St
Horatio St
Jane St
W 14th St
W 12th St
Waverly Pl
Bank St
W 11th St
W 10th St
Christopher St
Bleecker St
Perry St
Charles St
HUDSON ST
SHERIDAN SQUARE
CHRISTOPHER ST-SHERIDAN SQ
4TH ST-WASCHINGTON SQ
Washington Square Arch
Greene St
Mercer St
Washington Pl
MacDougal St
W 4th St
W 3rd St
LAFAYETTE ST
Grove St
Barrow St
Bedford St
Leroy St
Carmine St
Sullivan St
Thompson St
Laguardia Pl
BLEECKER ST
BROADWAY-LAFAYETTE ST
W HOUSTON ST
Morton St
St Lukes Pl
Washington St
WEST ST
Hudson
Vers
Visiter
À table
Un peu de shopping
Sortir (voir chapitre spécifique p. 229)
100 m

VISITER

Il fait bon flâner dans les ruelles du Village et s'imprégner de l'ambiance historique et bohème du quartier. En plein cœur, le Washington Square Park est devenu le rendez-vous des étudiants de la New York University, énorme campus de 50 000 étudiants dont le drapeau lilas orne plus d'une centaine de batiments.

GRA-TUIT

1. JEFFERSON MARKET LIBRARY

Il y a encore 50 ans, cette bibliothèque de quartier était un centre de détention. Les délinquants y étaient jugés dans la salle même où les enfants lisent aujourd'hui. Des voisins réussirent à l'époque à sauver le bâtiment de la démolition. Ils confièrent les travaux de rénovation à Giorgio Cavaglieri, un architecte italien d'origine juive, exilé à New York après l'avènement du fascisme dans son pays.

→ *Après la visite, on peut aller s'aérer les méninges dans le parc contigu, tout petit mais idyllique.*

425 Ave of the Americas, à hauteur de 10th St • Ⓜ A, B, C, D, E, F, M 4th St-Washington Sq 212-243 4334 • www.nypl.org/locations/jefferson-market • lun-mer et sam 10h-20h, mar-jeu 11h-18h, ven 10h-17h

2. KAYAK SUR L'HUDSON

La New York City Downtown Boathouse est une association à but non lucratif visant à encourager les loisirs sur l'Hudson. Entre la mi-juin et la fin du mois d'août, des kayaks (1 ou 2 places) sont mis à disposition de tous ceux qui ont envie de naviguer sur le fleuve. Prévoir simplement un maillot de bain, un T-shirt et un cadenas, car il y a tout ce qu'il faut sur place (vestiaires, douches et casiers). Des kayaks sont également disponibles à l'embarcadère situé au 56th St, sur le quai 96.

···› ***Propose des cours gratuits. Une façon unique de découvrir la ville.***

Pier 40, West Side Hwy, à hauteur de Houston St
Ⓜ 1 Houston St • www.downtownboathouse.org
sam-dim 9h-18h

3. LEICA GALLERY

Logée dans un bâtiment historique de Greenwich Village, cette galerie propose des expositions de photographes confirmés et en devenir. Leica possède d'autres galeries à travers le monde (Solms, Tokyo, Frankfort, Istanbul, Vienne et Salzbourg). Toutes les photos exposées ont été prises avec des appareils de la marque ou par des lauréats de prix ou de bourses du prestigieux fabricant.

670 Broadway, suite 500 • Ⓜ 6, B, D, F, M Bleecker St-Broadway-Lafayette St ; N, R Prince St
212-777 3051 • http ://en.leica-camera.com/culture/galleries/gallery_new_york
mar-sam 12h-18h

4. CHRISTOPHER ST PIER – HUDSON RIVER PARK

Sur la promenade longeant l'Hudson, à hauteur de Christopher St, cet embarcadère en ciment recouvert de pelouse a des allures de parc flottant. En été, les New-Yorkais y accourent pour prendre le soleil, se reposer, lire ou faire du yoga.

···› ***La promenade offre une vue imprenable sur le New Jersey et la statue de la Liberté.***

angle Christopher St et West Side Hwy • Ⓜ 1 Christopher St-Sheridan Sq

WASHINGTON SQUARE PARK

C'est le fief de la New York University (NYU). Les petites maisons à son extrémité nord sont en majorité habitées par les plus prestigieux professeurs de l'université. Autour de la place se dressent plusieurs facultés, la bibliothèque et le bâtiment de l'assemblée de l'université. Le parc est toujours très animé. Des musiciens jouent près de la fontaine ou sous la Washington Square Arch, ce qui n'a pas l'air de perturber les nombreux joueurs d'échecs.

Il y a moins d'un siècle, cette place était le site d'exécutions publiques et une fosse commune ; sous les fontaines, entre 10 000 et 20 000 personnes sont enterrées.

5th Ave, à hauteur de Waverly Pl • Ⓜ A, B, C, D, E, F, M 4th St-Washington Sq

6. WEATHERMAN HOUSE

Si cette maison en brique paraît plus délabrée que le reste de la rue, c'est parce qu'elle a été endommagée dans une explosion le 6 mars 1970. Trois étudiants, membres de l'organisation radicale The Weathermen, sont morts en manipulant la bombe. Le voisin, un jeune acteur du nom de Dustin Hoffman, s'en est sorti de justesse. La maison a toujours été intimement liée à l'histoire du pays. Charles Merrill (1885-1956), un des fondateurs de la banque Merrill Lynch, y a vécu, ainsi que son fils, le poète James Merrill.

18 W 11th St
Ⓜ A, B, C, D, E, F, M 4th St-Washington Sq

À TABLE !

7. BAR PITTI

ITALIEN

La Toscane est à l'honneur dans ce restaurant très fréquenté, à l'ambiance conviviale et animée, où il n'est pas rare de croiser quelque visage connu. Quand le temps le permet, la terrasse est très agréable. Le chef inscrit les 15 plats du jour sur une ardoise. Compter 11 $ environ pour les plats de pâtes et 6 $ pour les desserts.

Les spaghettis à l'huile de truffe et parmesan sont un régal.

268 6th Ave, près de Bleecker St
Ⓜ A, B, C, D, E, F, M 4th St-Washington Sq ; 1 Houston St • 212-982 3300
tlj 12h-minuit

FRANCO-MAROCAIN

Récemment rénové, le Jane Hotel et ses minuscules chambres semblables à des wagons de train du siècle dernier ou des cabines de bateau, possède un restaurant, le Cafe Gitane, dont la décoration d'époque et pleine d'humour s'inscrit dans le même esprit que le reste de l'hôtel. La carte, similaire à celle de son autre établissement à Nolita (voir p. 55), propose des plats simples d'inspiration franco-marocaine. Vue sur l'Hudson.

Cet hôtel a accueilli les survivants du Titanic.

113 Jane St, à hauteur de West St
Ⓜ A, C, E 14th St • 212-255 4113
lun-ven 7h-minuit, sam-dim 7h-1h

9. MINETTA TAVERN

AMÉRICAIN

Ce restaurant emblématique du Village a vu passer Ernest Hemingway, Ezra Pound, Eugene O'Neill, E. E. Cummings, Dylan Thomas et Joe Gould. Aujourd'hui, il appartient aux mêmes propriétaires que le Balthazar (p. 54) et le Pastis (p. 120), mais l'esprit des lieux a été conservé : un mélange entre un bistrot parisien et un café new-yorkais. La cuisine est savoureuse et la carte des cocktails, avec ses noms délicieusement désuets, est une valeur sûre.

Le hamburger aux oignons caramélisés et au cheddar est un très bon choix (16 $).

113 MacDougal St à hauteur de Bleecker St • Ⓜ A, B, C, D, E, F, M 4th St-Washington Sq
212-475 385 • www.minettatavernny.com • lun-ven 17h30-2h, sam-dim 11h-15h et 17h30-2h

10. PEANUT BUTTER & CO.

SNACK

Ce snack propose l'une des plus grandes spécialités des États-Unis : le fameux sandwich au beurre de cacahuète. Il y règne une ambiance agréablement juvénile, qui rappelle les cantines de notre enfance. On peut faire son choix parmi 30 sortes de sandwichs. Ils ont tous pour point commun ce beurre collant qui régale les Américains mais peut laisser perplexe les palais étrangers.

*****Le sandwich phare de la maison, au beurre de cacahuète, banane, miel et bacon, est le bien nommé "Elvis" (8,50 $).*****

240 Sullivan St, près de 3rd St
Ⓜ A, B, C, D, E, F, M 4th St-Washington Sq
212-677 3995 • www.ilovepeanutbutter.com
dim-jeu 11h-21h, ven-sam 11h-22h

11. TOMOE SUSHI

JAPONAIS

Minuscule (six tables seulement) et très réputé, ce restaurant voit tous les jours se former une longue file d'attente devant ses portes. Les clients japonais disent avoir l'impression de se retrouver à Tokyo (surtout si on s'installe dos à la vitrine, qui donne sur une rue typique du Village).

*****Quelques suggestions : le tempura de nouilles udon (13,50 $), le tofu et sa sauce tempura (7,50 $) et les sashimis (16 pièces, 36 $).*****

172 Thompson St, près de Houston St • Ⓜ A, B, C, D, E, F, M 4th St-Washington Sq ; B, D, F, M Broadway-Lafayette St • 212-777 9346
dim-lun 17h-23h, mar-sam 13h-15h et 17h-23h

12. MARC JACOBS

MODE – CRÉATEUR

Les boutiques du styliste new-yorkais Marc Jacobs occupent les trois quarts de la rue. Celle-ci propose des vêtements et de curieux objets *made in China* à prix très doux : parapluies, sandales, rouges à lèvres originaux, T-shirts, porte-monnaie... Non loin de là, on trouvera les magasins de vêtements pour femmes (403-405 Bleecker St), pour hommes (382 Bleecker St) et pour enfants (298 W 4th St), ainsi que des vêtements plus habillés pour hommes et femmes au 301 W 4th St.

385 Bleecker St, à hauteur de Perry St • Ⓜ 1 Christopher St-Sheridan Sq ; A, B, C, D, E, F, M 4th St-Washington Sq • 212-924-6126 • www.marcjacobs.com • tlj 12h-22h

13. LEFT BANK BOOKS

LIBRAIRIE

Véritable caverne d'Ali Baba, spécialisée dans les premières éditions, les livres d'occasion et autres exemplaires signés de leurs illustres auteurs (Truman Capote, J. D. Salinger, F. Scott Fitzgerald, Arthur Miller, Margaret Mitchell). On y trouve de tout : des livres d'occasion très abordables aux authentiques trésors coûtant une fortune, telle une première édition d'*Autant en emporte le vent* signée ou une édition de luxe de la trilogie *Le Seigneur des anneaux*.

On peut y dénicher de vieilles éditions des années 1970, notamment des classiques de la littérature latino-américaine.

17 8th Ave, à hauteur de 12th St • Ⓜ 1, 2, 3 14th St ; A, C, E 14th St
212-924 5638 • http ://leftbankbooksny.com
tlj 11h-20h

14. TIME PIECES

HORLOGERIE

Cette petite boutique doublée d'un atelier d'horlogerie est la propriété de deux sœurs. Elles y vendent, réparent et restaurent toutes sortes de pièces anciennes : montres-bracelets, montres gousset, horloges de table, de salon et murales. La vitrine, un méli-mélo de vieilles montres et horloges, mérite le coup d'œil.

L'adresse idéale pour qui n'a jamais réussi à faire réparer la montre de son grand-père.

115 Greenwich Ave • Ⓜ A, C, E, L 14th St-8th Ave ; 1, 2, 3, L 14th St-7th Ave
212-929 8011 • www.timepiecesrepair.com • mar-ven 10h-18h, sam 11h-17h

15. STRAND BOOKSTORE

LIBRAIRIE

Cette librairie indépendante appartient à la même famille depuis 1927, et même si elle a été rénovée il y a deux ans, elle n'a rien perdu de son charme. Son catalogue compte plus de deux millions de références, à des prix imbattables. On y trouve les dernières sorties, mais aussi des livres d'occasion, des essais universitaires et des pièces de collection (premières éditions ou exemplaires signés). Le rayon art et photographie est très complet. Intéressant programme d'activités littéraires.

828 Broadway, à hauteur de 12th St
Ⓜ 4, 5, 6, L, N, Q, R 14th St-Union Sq
212-473 1452 • www.strandbooks.com
lun-sam 9h30-22h30,
dim 11h-22h30

16. C. O. BIGELOW

PARAPHARMACIE

Fondée en 1838 à Greenwich Village, voici la deuxième plus ancienne pharmacie des États-Unis. Depuis quelques années, ses produits se vendent aux quatre coins du pays grâce à un accord avec la chaîne Bath and Body Works. Thomas Edison, Eleanor Roosevelt ou Mark Twain y avaient leurs habitudes. Aujourd'hui, on y trouve les brosses et peignes classiques des Britanniques Mason Pearson et Kent, le dentifrice italien Marvis, ainsi que les produits phare de la marque C. O. Bigelow (sticks à lèvres, crème pour les mains à l'essence de citron...).

414 Ave of the Americas
Ⓜ A, B, C, D, E, F, M 4th St-Washington Sq
212-533 2700 • www.cobigelow.com
lun-ven 7h30-21h, sam 8h30-19h,
dim 8h30-17h30

Chelsea et Meatpacking District

LA PLUS GRANDE GALERIE D'ART DU MONDE

Chelsea est l'un des quartiers les plus agréables à vivre de New York. Résidentiel et élégant, il possède des bâtiments classés et d'anciens entrepôts hérités de l'ère industrielle transformés en boutiques, en restaurants et en discothèques. On y trouve de très bons commerces, le meilleur marché de la ville et un nombre impressionnant de galeries d'art contemporain. La nuit, ses bars et ses restaurants attirent la communauté gay et une clientèle à la recherche d'originalité et de diversité pour les yeux et les papilles.

REPÈRES

FLOWER DISTRICT : West 28th St, entre Ave of the Americas et 7th Ave (détails p. 119)
GALERIES D'ART : West 19th- West 23rd St (entre 8th Ave et 10th Ave)
GRANDS COUTURIERS: Meatpacking District

ESSENTIELS

CHELSEA MARKET/25 : dans l'ancienne usine de biscuits Nabisco (détails p. 121).
HIGH LINE/⊙5 : une ancienne voie de chemin de fer transformée en espace vert (détails p. 119).
LE PASTIS/10 : pour un brunch parfait (détails p. 120).
CHELSEA HOTEL/⊙4 : pour prendre un verre dans un lieu mythique (détails p. 118).

Confidentiels

PIPPIN VINTAGE JEWELRY/29 : une boutique installée dans une petite maison avec jardin au bout d'un couloir (détails p. 127).
THE FRYING PAN/20 : un bar installé dans un bateau-phare rouge amarré au port (détails p. 124).
GENERAL THEOLOGICAL SEMINARY/⊙7 : derrière les murs se cachent un vaste ensemble architectural et un agréable jardin où prendre un bon bol d'air (détails p. 119).

Visiter
À table
Autour d'un verre
Un peu de shopping
Sortir (voir chapitre spécifique p. 229)
12TH AVE (WEST SIDE HWY)
11TH AVE (WATERSIDE HWY)
11th Ave
10TH AVE
9TH AVE
8TH AVE
7TH AVE
6TH AVE
5TH AVE
Broadway
W 29th St
W 28th St
W 27th St
W 26th St
W 25th St
W 24th St
W 23rd St
W 22nd St
W 21st St
W 20th St
W 19th St
W 18th St
W 17th St
W 16th St
W 15th St
W 14th St
W 13th St
Little w 12th St
Gansevoort St
Horatio St
Jane St
Washington St
Chelsea Park
28TH ST
23RD ST
18TH ST
14TH ST
8TH AVE
Hudson
200 m
N

VISITER

Pratiquement toutes les galeries d' art contemporain de New York se concentrent dans cinq rues du quartier, près de l' Hudson. Le jeudi soir, les artistes, les agents et les collectionneurs s' y retrouvent pour le vernissage des expositions. Chealsea côté nature, c' est aussi la High Line, le marché, le Flower district.

1. CHELSEA ART MUSEUM

Ce musée s'est associé à d'autres institutions culturelles aux États-Unis et à l'étranger afin de faire connaître les créateurs contemporains de renom qui n'ont pas encore rencontré leur public aux États-Unis. Symboliquement, les bâtiments sont installés faces aux berges de l'Hudson, où accostèrent jadis les embarcations et les courants culturels du monde entier. C'est aussi le siège de la Jean Miotte Foundation (Jean Miotte est un artiste abstrait français).

West 22nd St-11th Ave • Ⓜ C, E 23rd St • 212-255 0719
www.chelseaartmuseum.org • mar-mer et ven-sam 12h-18h, jeu 12h-20h
adulte/étudiant, senior, 16-18 ans 8/4 $, -16 ans gratuit

2. RUBIN MUSEUM OF ART

Consacré à la promotion de l'art de l'Himalaya, ce musée a été fondé par le philantrope et collectionneur Donald Rubin. La collection compte plus de 1 000 pièces : peintures, sculptures, tissages et objets rituels. Rubin a acheté en 1998 les bâtiments qui abritaient les magasins Barneys. Le cabinet d'architecture Beyer Blinder Belle a remodelé l'espace et le prestigieux graphiste Milton Glaser (auteur du célèbre logo "I love New York") est responsable de l'image de l'institution.

L'entrée est gratuite le vendredi après-midi et le bar est alors très animé.

150 West 17th St, près de 7th Ave • Ⓜ A, C, E 14th St ; 1 18th St • 212-620 5000
www.rmanyc.org • lun-jeu 11h-17h, mer 11h-19h, ven 11h-22h, sam-dim 11h-18h
adulte/senior, étudiant, artiste 10/7 $, - 12 ans gratuit

3. APERTURE FOUNDATION

GRATUIT

En 2005, afin de promouvoir la photographie comme expression artistique, cette fondation a exposé l'œuvre de grands noms de la photographie contemporaine. Elle a également publié plus d'une centaine de monographies d'artistes comme Robert Adams, Diane Arbus, Robert Capa, Chuck Close, Bruce Davidson, Joan Fontcuberta, Nan Goldin ou Sebastião Salgado. Elle édite également une revue trimestrielle très cotée dans le milieu.

547 West 27th St-11th Ave, 4ᵉ étage
Ⓜ C, E 23rd St • 212-505 5555
www.aperture.org • lun-sam 10h-18h
entrée libre

4. CHELSEA HOTEL

Si les murs de cet hôtel pouvaient parler, ils révéleraient sûrement de grands secrets et conteraient quelques pages de l'histoire de la culture américaine. Mark Twain, Thomas Wolfe, Stanley Kubrick, Leonard Cohen, Jack Kerouac, Patty Smith, Arthur Miller, ou encore Édith Piaf et le couple Sartre-de Beauvoir, ont dormi ici. Dylan Thomas séjournait à l'hôtel lorsqu'il sombra dans son coma éthi-lique fatal en 1953, et Sid Vicious, des Sex Pistols, tua sa fiancée Nancy dans l'une des chambres en 1978.

Le bar de l'hôtel est un bon endroit pour boire un verre.

222 West 23rd St • Ⓜ 1 23rd St ; C, E 23rd St
212-243 3700 • www.hotelchelsea.com

5. HIGH LINE

Ce parc construit sur une ancienne voie de chemin de fer surélevée couvre aujourd'hui 2,5 km². Habitants du quartier et touristes viennent s'y promener. Actuellement, la portion de voie ferrée comprise entre Gansevoort St (Meatpacking) et 20th St, impeccablement restaurée, est ouverte au public. La restauration du reste de la voie avance peu à peu : elle doit atteindre 34th St. Plusieurs accès sont possibles, mais nous vous recommandons l'entrée à l'angle de Gansevoort St et de 10th Ave.

Ce projet original, qui rapelle la Coulée verte de Paris, offre des points de vue magnifiques, en particulier sur l'Empire State Building.

Ⓜ L, A, C, E 14th St-8th Ave ; C, E 23rd St-8th Ave ; 1, 2, 3 14th St-7th Ave ; 1 18th St-7th Ave ; 1 23rd St-7th Ave • www.thehighline.org • tlj 7h-20h

6. FLOWER DISTRICT

Le quartier des fleurs de Chelsea a eu ses années de gloire, mais les prix élevés des loyers ont fait disparaître beaucoup de commerces. Cet oasis de verdure est très apprécié des New-Yorkais qui emplissent leurs maisons de fleurs à l'occasion de fêtes particulières. À partir de 5h du matin, dans les rues, le ballet des livraisons de fleurs provenant des campagnes alentour ou de lieux exotiques comme Hawaii ou la Hollande est un vrai spectacle – des sens. Jusqu'à 10h, l'activité est intense : les fleurs sont vendues aux décorateurs, aux hôtels et aux restaurants.

Entre 6th et 7th Ave et entre 26th et 28th St • Ⓜ 1 23rd St ; C, E 23rd St

7. GENERAL THEOLOGICAL SEMINARY

Voici un secret bien gardé du quartier. Ce séminaire épiscopal, l'un des plus importants du pays, occupe tout un pâté de maison. L'unique porte d'entrée est située sur 9th Ave et il faut produire une pièce d'identité pour y entrer. On peut y admirer les bâtiments de style néogothique qui évoquent les campus des universités de la côte est, mais aussi profiter des bancs de bois du jardin pour faire une pause loin de l'agitation.

175 9th Ave (entre 20th et 21st St)
Ⓜ C, E 23rd St ; A, C, E, L 14th St-8th Ave ; 1 18th St-7th Ave
212-243 5150 • www.gts.edu

À TABLE !

8. BUDDAKAN

VERY CHIC

ASIATIQUE

Tous les pays d'Asie sont à la carte de ce restaurant au décor extravagant, dans lequel l'héroïne de *Sex and the City* fête son enterrement de vie de jeune fille avec ses amies. Beignets d'*edamame,* rouleaux de printemps de tartare de thon, salade de canard à la pékinoise, coquilles saint-jacques aigres-douces, nems de langouste... Le mieux est de commander plusieurs entrées à se partager (environ 12 $). Côté desserts, le *cheese-cake* au jasmin et le moelleux au chocolat sont en bonne place dans notre cœur.

75 9th Ave, près de 16th St • Ⓜ A, C, E 14th St
212-989 6699 • www.buddakannyc.com
dim-lun 17h30-23h, mar-mer 17h30-minuit, jeu-sam 17h30-1h

9. CAFETERIA

DINER

Un *diner* chic et moderne ouvert 24h/24, qui sert des petits-déjeuners complets délicieux aux plus matinaux, des déjeuners informels aux plus paresseux, des brunchs le week-end aux petits veinards qui arrivent à entrer et des dîners à ceux qui savent que quelle que soit l'heure, la cuisine reste ouverte (un seul problème : la liste d'attente est longue aux heures de pointe).

Le meilleur : les hamburgers et le tartare de thon.

119 7th Ave-7th St
Ⓜ 1 18th St • 212-414 1717
www.cafeteriagroup.com
24h/24

10. PASTIS

FRANCO-AMÉRICAIN

Depuis qu'elle a ouvert ses portes en 1999, cette réplique de brasserie parisienne est la reine du Meatpacking. Le menu mêle recettes traditionnelles de Provence et classiques de bistrot : huîtres, moules, soupe à l'oignon et entrecôte-frites sont des valeurs sûres (ce sont les meilleures frites de la ville).

Mieux vaut éviter le samedi soir et le dimanche midi.

9th Ave-Little West 12th St
Ⓜ A, C, E, L 14th St-8th Ave
212-929 4844 • www.pastisny.com
lun-mer 8h-1h, jeu 8h-2h, ven 8h-2h30, sam 10h-2h30, dim 10h-1h

11. LOBSTER PLACE

VERY CHEAP

POISSONNERIE-TRAITEUR

Cette poissonnerie, l'une des meilleures de la ville, vend aussi des plats cuisinés (sushis, sashimis, salade de poulpes ou tataki de thon) et de délicieuses soupes du jour (3 ou 4 recettes au choix) vraiment bon marché et préparées avec des poissons et des coquillages de toute première qualité. On peut manger aux petites tables installées à la sortie. Quelques-unes des spécialités de la maison : la soupe de crabe aux pommes de terre, la soupe de langouste et la soupe de saint-jacques au bacon.

Chelsea Market, 75 9th Ave-15th St • Ⓜ A, C, E 14th St • www.chelseamarket.com
lun-sam 7h-22h, dim 8h-20h

12. O MAI

VIETNAMIEN

La nourriture de ce restaurant vietnamien est délicieuse et l'ambiance très décontractée. En hiver, on y mange une très réconfortante soupe de potiron au lait de coco, et, tout au long de l'année, de délicieux beignets de fruits de mer et des rouleaux de printemps. Le cake à la banane est carrément addictif, de même que les sorbets au litchi et à la mandarine. Les prix peu élevés en font un très bon plan pour un déjeuner ou un dîner sans chichi.

158 9th Ave-19th St • Ⓜ A, C, E, L 14th St-8th Ave ; 1 18th St • 212-633 0550
www.omainyc.com • lun-sam 12h-14h30 et 17h30-22h, dim 17h30-21h

13. SPICE MARKET

CUISINE DE CHEF

De la même manière qu'au Buddakan, on pourrait penser que dans un décor aussi théâtral (d'inspiration orientale ici), la cuisine serait la dernière roue du carosse, il n'en est rien ici, car : Jean-Georges Vongerichten est aux fourneaux. La décoration d'intérieur confiée à Jacques Garcia (Hôtel Costes) fait voyager dans une sorte de marché aux épices ou dans un sompteux palais. Quelques suggestions : ailes de poulet citron vert, gambas au poivre noir, langouste vapeur à l'ail. Réservation obligatoire.

Le menu midi, Lunch Bento Box (12h-16h), revient à 24 $ et deux menus dégustation sont proposés le soir (5/6 plats 48/62 $).

403 West 13th St-9th Ave • Ⓜ A, C, E, L 14th St-8th Ave • 212-675 2322
www.spicemarketnewyork.com • dim-mer 12h-minuit, jeu-sam 12h-1h

14. 5 NINTH

CUISINE DE CHEF

Installé dans une demeure historique du XIXe siècle, le 5/9th propose une cuisine américaine aux accents modernes. Au rez-de-chaussée le bar donne sur un agréable jardin – très beau au printemps et au début de l'automne. La salle à manger se trouve au premier étage, le second étant réservé aux réceptions privées. Le vaste choix de soupes asiatiques compte certains des meilleurs plats de la carte, mais le confit de canard, les foies de volaille et le poulet bio grillé ne sont pas en reste. La tarte à la rhubarbe est le meilleur dessert de la maison.

5 9th Ave, près de Gansevoort St • Ⓜ A, C, E, L 14th St-8th Ave
212-929 9460 • www.5ninth.com • dim-mer 17h30-23h, jeu-sam 17h30-0h30,
brunch sam-dim 11h-16h

15. TRESTLE ON TENTH

SUISSE

Un restaurant sobre et une cuisine d'inspiration suisse traditionnelle bien préparée. Le chef, Ralf Kuettel, a grandi à Zurich et maîtrise à la perfection l'art de mêler les saveurs et les textures. La crépinette de porc (11 $) et la tarte aux noix (6 $) sont les plats phares de la carte. La majorité des plats sont accompagnés de sauces succulentes et suivis d'un vaste choix de fromages suisses. Belle carte des vins également. Réservation indispensable.

Le dimanche, c'est la "nuit de la fondue".

242 10th Ave-24th St • Ⓜ C, E 23rd St ; 1 23rd St
212-645 5659 • www.trestleontenth.com • dim-lun 8h30-22h, mar-jeu 8h30-22h30, ven-sam 8h30-23h

16. 202

VERY CHIC

RESTAURANT-CAFÉTÉRIA

Une boutique de vêtements de créateurs britanniques et un restaurant-cafétéria se partagent la salle lumineuse avec parquet de ce lieu hybride installé au sein du Chelsea Market. Dans la partie salle à manger, avec sa grande table commune en bois (la légende dit qu'elle provient d'une prison française) et ses petites tables de bistrot en marbre, on y mange sain et pas cher dans une ambiance authentique. Parfait à toute heure : petit-déjeuner, déjeuner, brunch ou dîner. Quelques suggestions : coquilles saint-jacques à la *pancetta* (16 $), pomme au four et glace vanille (8,50 $), *pancakes* à la confiture de mûres et à la crème fraîche (11 $, brunch uniquement), *cheese-cake* à la vanille et compote de fruits (8,50 $).

75 9th Ave, près de 16th St • Ⓜ A, C, E, L 14th St-8th Ave • 646-638 1173
www.nicolefarhi.com • lun-ven 8h30-23h, sam 9h-23h, dim 10h-16h

AUTOUR D'UN VERRE...

17. BAR VELOCE

BAR

L'établissement de Chelsea est plus vaste et moins étouffant que l'original à East Village. On y propose du vin italien ainsi qu'une belle sélection de grapa et d'amareti, accompagné d'entrées, italiennes aussi, dans un cadre lumineux et minimaliste.

176 17th Ave, près de 20th St
Ⓜ 1 23rd St ; 1 18th St • 212-629 5300
www.barveloce.com • tlj 17h-3h

19. THE HALF KING

PUB

Un pub irlandais à l'ambiance très décontractée tenu par un trio de journalistes reconnus (Sebastian Junger, auteur du best-seller *En pleine tempête*, la documentariste Nanette Burtstein, et Scott Anderson, rédacteur en chef). L'été, on peut s'installer au jardin.

Des rencontres littéraires sont organisées le lundi après-midi.

505 West 23rd St-10th Ave • Ⓜ C, E 23rd St
212-462 4300 • www.thehalfking.com
lun-ven 10h-4h, sam-dim 9h-4h

18. CABANA AT THE MARITIME HOTEL

BAR EN TERRASSE

La spacieuse terrasse de l'hôtel Mari-time est réputée pour son ambiance décontractée et animée. On y accède directement par l'entrée du 9th Ave. Cocktails, bière, vin et grand choix de boissons non alcoolisées.

Maritime Hotel, 88 9th Ave-16th St
Ⓜ A, C, E, L 14th St-8th Ave • 212-243 8400
www.themaritimehotel.com • oct-mai ven-sam 21h-4h, dim 19h-2h ; juin-sept mar-jeu 18h-2h, ven-sam 21h-4h, dim 19h-2h

20. THE FRYING PAN

VERY CHEAP

BAR

Ce bar, aménagé sur un bateau-phare de 1929, est le meilleur moyen de profiter de la vue sur l'Hudson tout en sirotant une bière (que l'on peut accompagner d'un hamburger). Pour trouver le quai 66, il faut suivre 26th St jusqu'à l'extrémité ouest de l'île et traverser la voie rapide (West Side Highway).

Le bar est ouvert jusqu'à minuit.

Pier 66, 26th St-West Side Highway
Ⓜ C, E 23rd St • 212-362 4453
www.fryingpan.com • tlj 12h-minuit

20.

21. THE STANDARD BIERGARTEN

BRASSERIE ALLEMANDE

Sous la High Line, à l'intérieur du Standard Hotel, se cache une brasserie spacieuse et chic. Bien que la commande la plus appropriée soit une bière allemande (8 $) accompagnée d'une saucisse et de bretzels, les plus distingués pourront aussi commander des huîtres. Une bonne option après une balade sur la High Line et dans les galeries de Chelsea.

848 Washington St,
près de Little West 12th St
Ⓜ A, C, E, L 14th St-8th Ave • 212-64 4646
www.standardhotels.com
lun-jeu 16h-minuit,
ven 16h-1h, sam 12h-1h,
dim 12h-minuit

22. AJNA BAR

BAR LOUNGE

Comme d'autres lieux du Meatpacking, ce bar se distingue par sa taille et sa mise en scène très théâtrale. Une file de bouddhas escorte le visiteur jusqu'à la spacieuse salle du restaurant. Le bar, où l'on peut boire un verre sur fond musical lounge, se trouve à gauche.

→ ***L'Ajna fait partie des bars fréquentés par Carrie et ses amies dans* Sex and the City. *Mais, Carrie ou pas, évitez à tout prix le restaurant.***

25 Little West 12th St,
près de 9th Ave
Ⓜ A, C, E, L 14th St-8th Ave
646-416 6002
www.ajnabar.com
tlj 17h30-4h

23. GRIFFIN

VERY CHIC

COCKTAILS

Ce lieu ressuscite le baroque des temps révolus avec ses canapés de velours capitonnés et une salle éclairée par un lustre de cristal spectaculaire. L'établissement s'enorgueuillit de posséder l'un des meilleurs *mixologues* (préparateur de cocktails) de la ville et aussi le meilleur DJ. Le bar se transforme en lounge musical à partir de 23h.

→ ***Attention : à partir de 23h, le prix des boissons grimpe en flèche !***

50 Gansevoort St,
près de 13th St
Ⓜ A, C, E, L 14th St-8th Ave
212-255-6676
www.thegriffinny.com
mar-sam 19h-4h,
dim 18h-4h

24. LOEHMANN'S

STOCK MODE

Un stock de vêtements et d'accessoires pour hommes et femmes, qui rassemble des chaussures, des sacs, des parfums, des vêtements de sport et des tenues d'intérieur. Mais les pièces les plus intéressantes sont dans la fameuse *Back Room*, la réserve où sont stockés les vêtements de grandes marques à prix cassés. Manteaux de cachemire, vestons, robes de soirée, châles et autres merveilles. La visite est moins épuisante qu'à Century 21 (p. 48).

101 7th Ave, près de 16th St • Ⓜ 1 18th St • 212-352 0856 • www.loehmanns.com
lun-sam 9h-21h, dim 11h-19h

25.

25. CHELSEA MARKET

MARCHÉ

Magnifiques étals de poissons, de viande et de fruits secs, épiceries, boulangeries, pâtisseries, boutiques de mode et de déco, cafétérias, restaurants, et une librairie, se partagent les allées de cet agréable marché couvert installé dans les entrailles de l'ancienne usine de biscuits Nabisco (biscuits Oreo).

Les tuyaux, horloges et autres éléments de l'ère industrielle ont été conservés et donnent un charme particulier au lieu.

75 9th Ave, près de 15th St
Ⓜ A, C, E 14th St
www.chelseamarket.com
lun-sam 7h-22h,
dim 8h-20h

26. MOVIE STAR NEWS

AFFICHES DE FILMS

Le plus grand choix de photos et d'affiches de films du monde, des archives impressionnantes comportant des milliers de titres ! Les cinéphiles y trouveront les images des films cultes, indépendants, commerciaux ou étrangers des quatre coins de la planète. Et tout est bon marché : les prix vont de 10 à 50 $.

134 West 18th St, près de 7th Ave
Ⓜ 1 18th St • 212-620 8160
www.moviestarnews.com
lun-ven 11h-19h, sam-dim 11h-15h ;
juin-juil lun-ven 11h-19h

27. N.Y. CAKE & BAKING DIST.

MATÉRIEL DE PÂTISSERIE

Cette boutique est le paradis des pâtissiers professionnels ou amateurs. On y trouve tous les ustensiles pour réussir la cuisson et la décoration de ses gâteaux et ses pâtisseries : moules de toutes tailles et formes, spatules, pinceaux, sucres spéciaux et colorés pour les glaçages, figurines de chocolat ou de sucre pour la décoration, perles de sucre, diverses qualité de farine et bien d'autres produits. Impossible de sortir de là les mains vides !

56 West 22nd St, près de Broadway • Ⓜ 6 23rd St ; N, R 23rd St • 212-675 2253
www.nycake.com • lun-sam 10h-18h

27.

29.

VERY CHEAP

28. OLDE GOOD THINGS

ANTIQUITÉS

Aucune démolition ne leur résiste : pavillons, manoirs, églises... Avant la démolition, ces chineurs professionnels récupèrent cheminées, statues, horloges, cadres, fenêtres, lampes, miroirs, portes, baignoires émaillées, pommeaux de porte, etc. Les décorateurs de Manhattan adorent ! Vous ne pourrez probablement pas revenir avec une baignoire dans vos bagages, mais peut-être que vous craquerez pour l'un des milliers de boutons de portes qui attendent au sous-sol.

124 West 24th St, près de 6th Ave
Ⓜ 1 23rd St ; F, M 23rd St ; N, R 23rd St
212-989 8401 • www.ogtstore.com
tlj 9h-19h

29. PIPPIN VINTAGE JEWELRY

BIJOUX D'OCCASION

Une boutique de bijoux anciens dont certaines pièces remontent aux années 1920. Bagues, colliers de perles, broches, boucles d'oreille, montres anciennes pour homme mais aussi quelques pierres précieuses et des chapeaux pour femme des années 1950 et 1960. Hormis les pièces les plus chères, exposées dans une vitrine, les plupart des articles sont extrêmement bon marché : leur prix varie entre 20 et 50 $.

→ Suivez le panneau "Home Vintage" jusqu'à une petite maison préfabriquée, où sont exposés du mobilier et des objets anciens.

112 West 17th St, près de 6th Ave
Ⓜ F, M 14th St ; 1 18th St • 212-505 5159
www.pippinvintage.com
lun-sam 11h-19h, dim 12h-18h

Union Square Flatiron District Gramercy Park

SALADES, HISTOIRE ET PLAQUE TOURNANTE

Ces trois quartiers limitrophes sont très différents les uns des autres. Union Square, qui a été au XIXe siècle un important centre financier et un lieu de réunions politiques et syndicales, déborde d'activités et de restaurants, de cafétérias, de supermarchés et de boutiques diverses. Le Flatiron District, plus clairsemé, est le quartier des antiquaires et d'anciens entrepôts reconvertis en lofts. Gramercy Park conserve, quant à lui, son charme victorien : c'est un lieu enchanteur, quoiqu'un peu mélancolique à la tombée de la nuit en hiver.

AMBIANCE HISTORIQUE : Gramercy Park (détails p. 132) et Irving Place
ESPACE NATUREL : Union Square (détails p. 131)
ARCHITECTURE, LOFTS ET ANTIQUITÉS : Flatiron District

FLATIRON BUILDING/⊙4 : l'un des immeubles les plus originaux de New York (détails p. 132).
GRAMERCY TAVERN/🍷14 : pour prendre un verre dans un cadre classique, très "*preppy*" (détails p. 136).
UNION SQUARE/⊙1 : son marché bio est l'un des plus couru de New York (détails p. 131).

COSMIC COMICS/🛍22 : une merveilleuse boutique de BD située au 2ᵉ étage d'un immeuble (détails p. 138).
TARALLUCI E VINO/🍷17 : pour certains, le meilleur expresso de la ville (détails p. 137).
IDLEWILD BOOKS/🛍26 : une librairie discrète mais magique (détails p. 140).

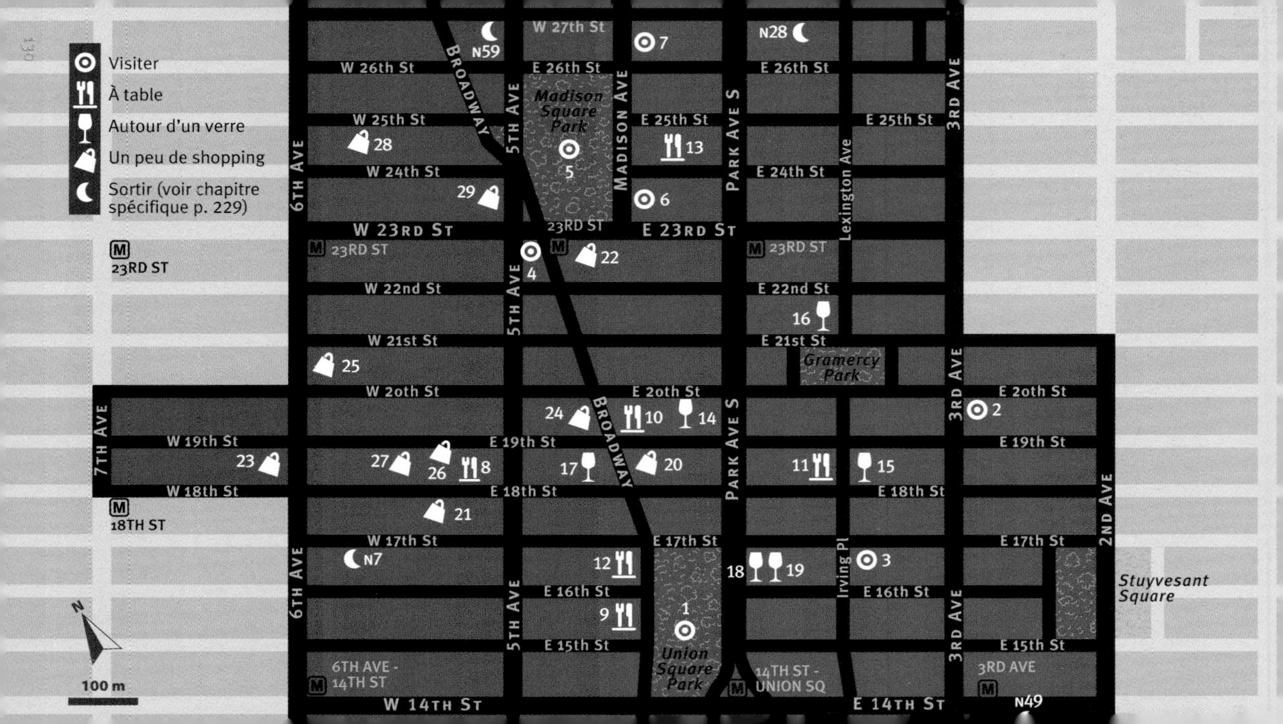
Visiter
À table
Autour d'un verre
Un peu de shopping
Sortir (voir chapitre spécifique p. 229)
23RD ST
18TH ST
100 m
N
7TH AVE
6TH AVE
5TH AVE
MADISON AVE
PARK AVE S
Lexington Ave
Irving Pl
3RD AVE
2ND AVE
BROADWAY
W 27th St
W 26th St
E 26th St
W 25th St
E 25th St
W 24th St
E 24th St
W 23RD ST
E 23RD ST
W 22nd St
E 22nd St
W 21st St
E 21st St
W 20th St
E 20th St
W 19th St
E 19th St
W 18th St
E 18th St
W 17th St
E 17th St
E 16th St
E 15th St
W 14TH ST
E 14TH ST
Madison Square Park
Gramercy Park
Union Square Park
Stuyvesant Square
6TH AVE - 14TH ST
14TH ST - UNION SQ
3RD AVE
N59
N28
N7
N49

VISITER

Une balade au marché bio de Union Square un samedi matin permet de comprendre la nature et le rôle essentiel de cette place qui marque une frontière psychologique pour beaucoup d' habitants du Village, et qui sert, chaque jour, de plaque tournante à des milliers d' usagers du métro.

1. UNION SQUARE

Animée et trépidante, la place d'Union Square est un point névralgique de Manhattan et l'un des nœuds de transports principaux de la ville – la majorité des lignes de métro s'y croisent. Dès les premiers temps de son histoire, Union Square a été le théâtre de nombreux rassemblements et manifestations, et reste encore au cœur des rassemblements populaires. Chaque semaine, son célèbre marché bio (Union Square Greenmarket), attire des milliers de personnes, venues s'approvisionner en produits ultra frais. De mi-novembre au 24 décembre, un marché de Noël rassemble plus de cent artisans qui viennent vendre leurs produits sur la partie sud de la place.

14th St, à hauteur de Broadway • Ⓜ 4, 5, 6, L, N, Q, R 14th St-Union Sq
212-460 1208 • http://unionsquarenyc.org • marché : lun, mer, ven et sam 8h-18h

2. GRAMERCY PARK

Ce parc entouré de belles demeures historiques serait un enchantement... si l'on pouvait y entrer ! Mais il est privé et réservé aux résidents qui s'acquitent d'une cotisation annuelle, ainsi qu'aux diverses institutions historiques et religieuses du quartier et au Gramercy Park Hotel (qui possède douze jeux de clés pour ses clients). L'écrivain E. B. White (1899-1985), auteur du fameux livre pour enfants *Stuart Little*, mettant en scène une petite souris, situe l'histoire dans ce parc.

Entre 20th St et 21st St,
Park Ave et Irving Pl
Ⓜ 6 23rd St

3. MAISON DE WASHINGTON IRVING

Le célèbre auteur de *La Légende de Sleepy Hollow* et des *Contes de l'Alhambra* habitait une petite maison de brique à l'angle de 17th St et de la portion de rue rebaptisée depuis Irving Place en son honneur. C'est une maison étrangement marquée du sceau de la littérature. À la fin du XIXe siècle, elle fut occupée par Elisabeth Marbury, l'agent littéraire d'Oscar Wilde et de George Bernard Shaw. Elle y tenait un salon littéraire avec sa compagne, l'actrice Elsie de Wolfe.

122 East 17th St • Ⓜ 4, 5, 6, L, N, Q, R
14th St-Union Sq

4. FLATIRON BUILDING

Construit en 1902 sur une parcelle de terrain triangulaire, le Flatiron, reconnaissable à sa forme en fer à repasser, a été l'un des premiers gratte-ciel de la ville. Actuellement, c'est l'idole de Manhattan. Le prestigieux architecte Daniel Burnham, membre de l'École de Chicago a récréé un palais Renaissance revu dans le style Beaux-Arts. L'immeuble abrite aujourd'hui des bureaux, mais un grand groupe d'investisseurs italien en a racheté la moitié, qu'il envisage de transformer en hôtel très bientôt.

→ ***Pour les fans des Marvel Comics : le Flatiron est le siège du journal* The Daily Bugle, *où travaille Peter Parker alias Spiderman.***

175 5th Ave, près de 22nd St
Ⓜ N, Q, R 5th Ave-59th St

5. MADISON SQUARE PARK

Jusqu'à l'explosion démographique qui s'est produite après la guerre de Sécession, ce parc marquait la frontière nord de Manhattan. Aujourd'hui, les employés du quartier viennent s'y détendre, les enfants y gambader et les écureuils y sautiller. Le populaire kiosque à hamburgers Shake Shack (voir p. 135) a contribué à le rendre fréquentable, bien qu'il devienne le point de rassemblement favori des sans-abri à partir d'une certaine heure de l'après-midi.

→ *Avis aux photographes : en face du parc, l'îlot piétonnier (23rd St, entre Broadway St et 5th Ave) est le meilleur point de vue sur le Flatiron Building.*

Madison Ave, à hauteur de 23rd St • Ⓜ N, R 23rd St ; 6 23rd St • 212-538 5058
http://madisonsquarepark.org • tlj 9h-23h

6. METROPOLITAN LIFE TOWER

Construite en 1909, cette tour Art déco évoque le Campanile de Saint-Marc à Venise : avec ses 213 m de hauteur, elle a battu le record mondial jusqu'en 1913, quand le Woolworth Building (241 m) l'a dépassée. Jusqu'en 2005, elle a abrité le siège de la compagnie d'assurances Met Life. Elle a été ensuite rachetée par des investisseurs israéliens, qui ont fait construire des appartements de standing et un hôtel. Comme celui de l'Empire State Building, l'éclairage de la tour change de couleur chaque jour.

1 Madison Ave, entre 23rd St et 24th St
Ⓜ N, R 23rd St ; 6 23rd St

7. NEW YORK LIFE INSURANCE BUILDING

Imaginé par le grand architecte Cass Gilbert, ce gratte-ciel occupe un pâté de maisons entier à lui tout seul : c'est un hommage à la cathédrale anglaise de Salisbury, où se mêlent les éléments néogothiques et modernistes. Ses 187 m de hauteur sont divisés en 40 étages et une flèche dorée pyramidale achève la construction au faîte de l'édifice. Inaugurée un an avant le crach boursier de 1929, la tour demeure le siège de la compagnie d'assurances New York Life.

51 Madison Ave, entre 26th St et 27th St
Ⓜ N, R 23rd St ; 6 23rd St

À TABLE !

8. THE CITY BAKERY

CAFÉTÉRIA

Une cafétéria spacieuse, pleine de caractère, où l'on se régale de délicieux produits sains et faits maison à l'heure du petit-déjeuner, à midi et le soir. Les biscuits sortent du four toutes les demi-heures, le buffet de salades, soupes, plats de pâtes et pizzas du midi est sensationnel et très complet. En hiver, c'est un refuge de choix, d'autant que les cafés, thés et le chocolat chaud – spécialité de la maison – redonnent un sacré coup de fouet.

3 West 18th St, entre 5th Ave et 6th Ave
Ⓜ 4, 5, 6, L, N, Q, R 14th St-Union Sq ;
F, M 14th St ; 1 18th St • 212-366 1414
www.thecitybakery.com • lun-ven 7h30-19h,
sam 8h-19h, dim 10h-18h

9. COFFEE SHOP

DINER-BAR

Ce *diner* est une institution à Union Square : les aspirants mannequins et quelques célébrités s'y retrouvent sur sa terrasse ; même les serveurs semblent attendre l'appel de leur agent pour monter sur les planches à Broadway ! Le week-end, ils sont relayés par les étudiants de la New York University. Le hamburger-frites (12,95 $) est un choix savoureux dans un menu où l'on trouve aussi quelques spécialités mexicaines et brésiliennes. Grande sélection de bières.

La cuisine reste ouverte jusqu'à tard dans la nuit (ouvert "23h/24" !).

29 Union Sq West, à hauteur
de 16th St • Ⓜ 4, 5, 6, L, N, Q, R
14th St-Union Sq • 212-243 7969
www.thecoffeeshopnyc.com
lun 7h-2h, mar 7h-4h, mer-ven
7h-5h30, sam 8h-5h30,
dim 8h-2h

10. CAFÉTÉRIA DE ABC HOME

VERY CHIC

CAFÉTÉRIA BIO

ABC Home abrite plusieurs restaurants et une cafétéria agréable pour faire une halte et reprendre des forces. On y sert des jus de fruits frais, des expressos et de très bonnes pâtisseries confectionnées avec soin. La cafétéria est l'antichambre de deux restaurants : Pipa, un restaurant espagnol dont le chef prépare des tapas en mêlant les saveurs de façon un peu spéciale et pas toujours très heureuse, et ABC Kitchen, le fantastique restaurant bio de Jean-Georges Vongerichten.

881 Broadway, à hauteur de 18th St • Ⓜ 4, 5, 6, L, N, Q, R 14th St-Union Sq
212-473 3000 • www.abchome.com • lun-jeu 12h-15h et 17h30-22h30, ven 12h-15h
et 17h30-23h, sam 11h-16h et 17h30-23h, dim 11h-16h et 17h30-22h

11. FRIEND OF A FARMER

VERY CHEAP

PRODUITS DE LA FERME

Situé dans une petite maison adorable de Gramercy, et décoré dans un style campagnard très "*Petite maison dans la prairie*", ce restaurant élabore ses plats avec les produits fermiers de la région. Pain maison, madeleines juste sorties du four, tartes aux pommes du Maine, omelettes aux œufs de la vallée de l'Hudson, tomates bio... Nous recommandons tout particulièrement les œufs florentine (13 $), les *pancakes* à la pomme et à la cannelle (11,95 $), ceux aux mûres (11,95 $) ou à la courge et aux noix (12,95 $).

C'est le restaurant préféré des habitants du quartier : mieux vaut éviter les samedi et dimanche à l'heure du brunch pour éviter les longues files d'attente.

77 Irving Pl, à hauteur de 19th St • Ⓜ 4, 5, 6, L, N, Q, R 14th St-Union Sq
212-477 2188 • www.friendofafarmernyc.com
dim-jeu 8h-22h, ven-sam 8h-23h

12. REPUBLIC

VIETNAMIEN

Le restaurant parfait pour un déjeuner ou un dîner simple, délicieux et pas cher. La spécialité de la maison est le *pad thai* (nouilles de riz sautées) de fruits de mer accompagné de thé glacé, mais on peut aussi opter pour le *pad thai* de viande, de poulet ou de légumes (13 $). En hiver, les soupes sont très réconfortantes. Ce lieu n'est pas la meilleure option pour un dîner en toute intimité : il faut partager sa table et parler fort pour couvrir la musique, surtout le soir.

37 Union Sq West,
à hauteur de 16th St
Ⓜ 4, 5, 6, L, N, Q, R 14th St-Union Sq • 212-627 7172
www.thinknoodles.com
dim-mer 11h30-22h30,
jeu-sam 11h30-23h30

VERY CHEAP

13. SHAKE SHACK

HAMBURGERS

Ce kiosque à hamburgers du Madison Square Park est devenu un véritable phénomène et en été les queues sont impressionnantes. Son secret... des hamburgers élaborés avec de la viande de première qualité à un prix imbattable : 5 $. Le succès a encouragé les associés de Shake Shack, aussi propriétaires de la Gramercy Tavern (voir p. 136), à créeer une franchise ; il y a, à présente, cinq autres marchands ambulants à New York et un à Miami.

Madison Square Park, South-East Madison Ave,
à hauteur de East 23rd St • Ⓜ N, R 23rd St ; 6 23rd St
212-889 6600 • www.shakeshacknyc.com
mars-oct tlj 11h-2h, nov-fév tlj 11h-19h

AUTOUR D'UN VERRE...

VERY CHIC

14. GRAMERCY TAVERN

BAR-RESTAURANT

Ce bar très BCBG est le QG des étudiants de classes prépa et d'écoles privées, qui viennent y dîner ou boire un verre – le bar possède l'une des meilleures cartes de vins de la ville. Les tables proches du bar, toujours prises d'assaut, sont idéales pour commander de délicieuses entrées à la carte. L'hiver, c'est encore mieux, avec la cheminée !

Le dress-code est à l'image du lieu : veste indispensable et baskets à éviter.

42 East 20th St,
près de Park Ave South
Ⓜ N, R 23rd St ;
6 23rd St • 212-477 0777
www.gramercytavern.com
dim-jeu 12h-23h, ven-sam
12h-minuit

15. PETE'S

BAR

C'est le plus vieux bar de New York : il sert des bières depuis 1864 et n'a même pas cessé ses activités pendant la Prohibition, époque pendant laquelle il se cachait sous l'enseigne d'un fleuriste. Il a aussi bien d'autres motifs d'orgueil. L'écrivain O. Henry (pseudonyme de William Sydney Porter) a écrit à l'une de de ses tables. Nous vous conseillons d'y passer avant ou après dîner pour y siroter une bière maison.

129 East 18th St,
à hauteur de Irving Pl
Ⓜ 4, 5, 6, L, N, Q, R
14th St-Union Sq
212-473 7676 • www.
petestavern.com
tlj 11h30-4h

16. ROSE BAR

VERY CHIC

BAR

Le peintre et réalisateur Julian Schnabel (*Avant la nuit*) a transformé ce bar en un lieu très chic aux airs de palace, avec des chaises de velours bleu, de spectaculaires œuvres d'art (Andy Warhol, Jean-Michel Basquiat, Keith Haring, Damien Hirst et Schnabel) et une cheminée de bois. Les boissons sont à la hauteur de la déco. Il faut absolument réserver pour être admis au bar à partir de 21h.

Réservez par mail un jour avant : Rosebar@gramercyparkhotel.com (s'il y a de la place, on vous répond dans les 24 heures).

Gramercy Park Hotel
2 Lexington Ave, à hauteur
de 21st St • Ⓜ 6 23rd St ;
N, R 23rd St • 212-920 3300
www.gramercyparkhotel.com
lun-sam 17h-4h

17. TARALLUCCI E VINO

CAFÉTÉRIA-BAR À VIN

Les *tarallucci* sont de délicieux biscuits salés que l'on sert avec le vin. Plusieurs revues de New York affirment que cette cafétéria/bar à vin sert le meilleur expresso de la ville. Ses croissants au beurre et ceux aux amandes sont succulents. Comme son rival français, Le Pain Quotidien – en version italienne et plus authentique –, une grande table commune préside dans la vaste salle.

Un second établissement se trouve à East Village (163 1st Ave).

15 East 18th St, près de Broadway St
Ⓜ N, R 23rd St ; 4, 5, 6, L, N, Q, R 14th St-Union Sq • 212-228 5400
www.taralluccievino.net • lun 8h-22h, mar-ven 8h-23h, sam 9h-23h, dim 9h-17h

18. THE LIVING ROOM AT THE W HOTEL

BAR LOUNGE

Le bar lounge du W Hotel est l'endroit idéal pour voir et être vu. Ses immenses fenêtres donnent sur l'extrémité nord de Union Square. On s'y installe dans de très confortables canapés pour siroter des cocktails qui changent au gré des saisons : Bellini en été, martini à la pomme en automne, Manhattan en hiver et au printemps. C'est l'architecte David Rockwell, à qui l'on doit la décoration des restaurants Nobu, qui a imaginé la décoration sobre et élégante du bar.

W Union Square • 201 Park Ave, à hauteur de 17th St • Ⓜ 4, 5, 6, L, N, Q, R 14th St-Union Sq • 212-253 9119
dim-mer 7h-1h, jeu-sam 7h-2h

19. UNDERBAR AT THE W HOTEL

BAR

Au sous-sol du W, ce bar est la version plus récente et plus sexy du Living Room. Salons de velours, divans, lumières tamisées et carte exhaustive des boissons... C'est la formule du succès du "génie des bars américains", Rande Gerber, le mari de l'ex-mannequin Cindy Crawford et ami de l'acteur George Clooney.

W Union Square • 201 Park Ave, à hauteur de 17th St • Ⓜ 4, 5, 6, L, N, Q, R 14th St-Union Sq
212-253 9119 • www.gerberbars.com • lun-mar 17h-1h, mer 17h-2h, jeu-ven 17h-3h, sam 18h-4h, dim 18h-1h

20. ABC HOME

GRAND MAGASIN DÉCO

Ce grand magasin dont la marchandise vient des quatre coins du monde est situé dans un très bel immeuble de quatre étages. On y trouve des meubles et des objets pour la maison, mais aussi des bijoux, des châles et des cosmétiques, le tout sélectionné par une équipe d'experts qui voyagent autour du monde pour choisir les meilleures pièces. La déco intérieure du magasin est extraordinaire. Deux restaurants et deux cafétérias sur place également.

881 Broadway, à hauteur de 19th St • Ⓜ 4, 5, 6, L, N, Q, R 14th St-Union Sq • 212-473 3000 www. abchome.com • lun-mer et ven 10h-19h, jeu 10h-20h, sam 11h-19h, dim 12h-18h

21. ACADEMY RECORDS

DISQUES

Spécialisé dans l'achat et la vente de vinyles et de CD de musique classique, jazz et rock, bien que la sélection d'opéras et de comédies musicales de Broadway soit aussi excellente. Tous les employés sont de véritables passionnés – on les croirait sortis du film *High Fidelity* de Stephen Frears – et il suffit de se laisser guider. Les prix commencent à 3 $.

12 West 18th St, entre 5th Ave et Ave of The Americas Ⓜ N, R 23rd ; 4, 5, 6, L, N, Q, R 14th St-Union Sq ; F, M 14th St ; L 6th Ave 212-242 3000 • www.academy-records.com • dim-mer 11h-19h, jeu-sam 11h-20h

22. COSMIC COMICS

BANDES DESSINÉES

Le paradis des amoureux de BD et de ceux qui aiment les lieux insolites. C'est un repaire clandestin de bande dessinée auquel on accède au terme d'un parcours assez labyrinthique (une cachette de Batman ?) : il faut pousser la porte sur la rue, puis sonner au n°1 pour ouvrir une deuxième porte et enfin monter les escaliers jusqu'au premier étage. On découvre alors un loft magnifique, baigné de lumière, qui conserve un demi-million de publications de 1940 à aujourd'hui.

Les nouveautés arrivent le mercredi matin. Pour 100 $ d'achat, le magasin offre un avoir de 20 $.

10 East 23rd St, près de 5th Ave Ⓜ F, M 23rd St ; N, R 23rd St • 212-460 5322 www.cosmiccomics.com • lun-ven 10h-20h, sam 11h-19h, dim 12h-19h

23. CONTAINER STORE

BOÎTES

Cette boutique a décidé de mettre de l'ordre dans la vie des New-Yorkais : elle vend des boîtes, des étagères, des casiers, des objets en plastique, des dossiers, des cintres et un tas d'accessoires pour que les placards de la chambre, de la cuisine et de la salle de bains restent impeccables. Les plus ordonnés vont adorer et les désordonnés vont pouvoir changer leurs habitudes.

629 6th Ave, à hauteur de 19th St • Ⓜ 1 18th St ; F, M 14th St • 212-366 4200
www.containerstore.com • lun-sam 9h-21h, dim 10h-20h

24. FISHS EDDY

VAISSELLE

Le visiteur peut penser que ce n'est qu'une boutique de plus. Pourtant, le New-Yorkais éprouve un faible pour ce magasin spécialisé dans la vaisselle de porcelaine illustrée dont les motifs traitent de l'architecture et des traditions américaine. Les tasses à l'effigie des principaux gratte-ciel sont devenues un classique et de nouvelles séries apparaissent à chaque saison. Les plus récentes sont celles d'*Alice au pays des merveilles* et d'incroyables plans d'appartements new-yorkais.

Une tasse peut faire un beau souvenir. Les modèles "Manhattan" et "Brooklyn" sont les plus vendus.

889 Broadway • Ⓜ N, R 23rd St-Broadway ; 6 23rd St ; 4, 5, 6, L, N, Q, R 14th St-Union Sq • 212-420 9020 • www.fishseddy.com • lun 10h-22ho, mar-sam 9h-22h, dim 10h-21h

25. LIMELIGHT MARKET PLACE

CENTRE COMMERCIAL

Cette église désacralisée a vécu de nombreuses vies. Discothèque trash dans les années 1990, elle rouvert ses portes en 2010 sous forme de centre commercial chic et sage. Les boutiques ne sont pas très originales, mais on peut y faire un tour pour apprécier la transformation de cet ancien lieu de culte en nouveau “temple” de la consommation.

656 Ave of he Americas, à hauteur de 20th St • Ⓜ F, V 23rd St-6th Ave ; R, W 23rd St-Broadway St • PATH 23rd St • 212-359 5600 • www.limelightmarketplace.com
lun-sam 10h-22h, dim 11h-19h

25.

26. IDLEWILD BOOKS

LIBRAIRIE DE VOYAGE

Un espace magique, qui porte l’ancien nom de l’aéroport international JFK, rebaptisé dans les annés 1960. Il ne s’agit pas d’une libraire de voyage conventionnelle car, en plus des guides et des cartes, elle propose des manuels scolaires, des livres de cuisine, des romans et des nouvelles... tout un choix pour que le visiteur se fasse l’idée la plus complète possible du pays qui l’intéresse, y compris grâce à des éditions en langue originale. L’après-midi, il y a d’ailleurs des cours de langues.

→ *Holly Golightly, l’héroïne de* Petit-déjeuner chez Tiffany, *demande au chauffeur de taxi de la conduire à Idlewild à la fin du roman... Peut-être est-elle encore ici...*

12 West 19th St, près de 5th Ave • Ⓜ F, V 23rd St ; N, R 23rd St
212-414 8888 • www.idlewildbooks.com • lun-ven 11h30-20h, sam-dim 12h-19h

27. PAPER PRESENTATION

PAPETERIE

Le temple du papier. Sur près de 2 000 m², des feuilles de toutes les couleurs, textures et qualités, des enveloppes, des cartons d'invitation, des rubans et des cartes de vœux pour tous les moments de la vie... Avec ses fournitures exclusives à prix raisonnables, ce magasin est, depuis plus de 20 ans, le paradis des esprits créatifs et imaginatifs.

23 West 18th St, à hauteur de 6th Ave • Ⓜ 1 18th St ; F, V 14th St • 212-463 7035
www.paperpresentation.com • lun-ven 9h-19h, sam-dim 11h-18h

27.

29.

28. SHOWPLACE ANTIQUE CENTER

ANTIQUITÉS

Cet espace rassemble sur quatre étages une centaine d'antiquaires, certains plus intéressants que d'autres. Waves (n°107), boutique de radios anciennes et de gramophones, se distingue. Citons aussi Marlene Wetherell (n°210), qui présente des robes et des accessoires des grands couturiers comme Chanel ou Dior. Il s'agit là de pièces originales, en parfait état de conservation – et pas spécialement bon marché. Bijoux, antiquités asiatiques, ménagères en argent et meubles se partagent les autres boutiques.

40 W 25th St, près de 6th Ave
Ⓜ F, V 23rd St ; N, R 23rd St
212-633 6063 • www.nyshowplace.com
lun-ven 10h-18h, sam-dim 8h30-17h30

29. EATALY

PRODUITS ITALIENS

Un espace spectaculaire (5 000 m²) dédié aux produits italiens ! Il comprend une cafétéria, un rayon de pâtes, un autre de fromages, un supermarché (avec un stand original de "découpe de légumes"), une pizzeria, une trattoria, une charcuterie, un restaurant de poisson, un restaurant dédié à la viande et un autre aux entrées (*antipasti*), une boutique d'objets Alessi et une librairie Rizzoli. Le très médiatique chef et businessman Mario Batali est, bien sûr, derrière tout cela.

200 5th Ave-23rd St • Ⓜ N, R 23rd St
212-229 2560 • http://eatalyny.com
tlj 11h-23h

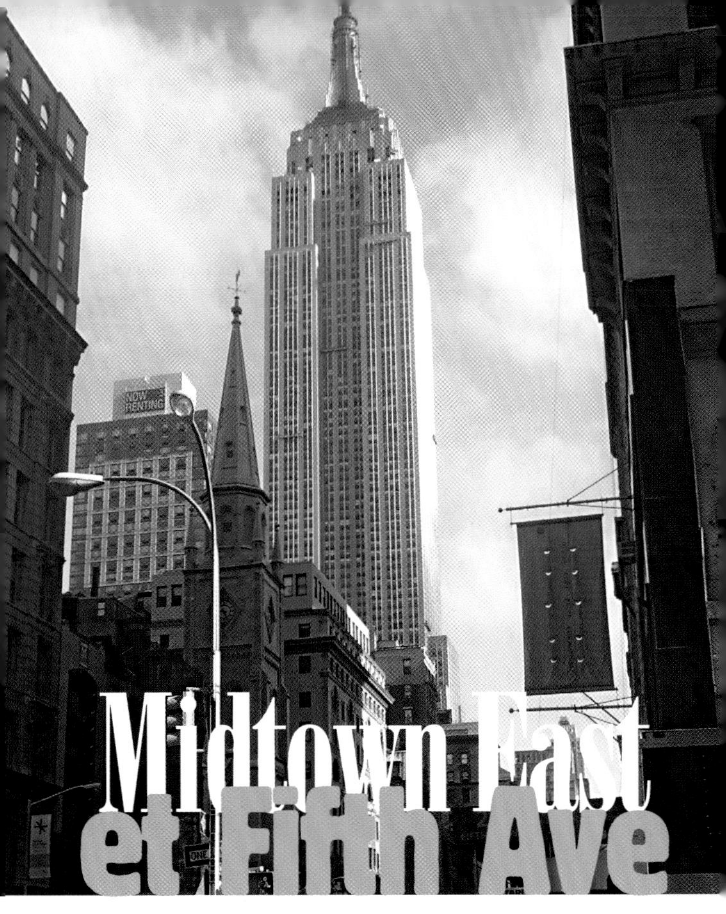

Midtown East et Fifth Ave

AU CŒUR DE LA GROSSE POMME

En perpétuelle ébullition, le centre de Manhattan réunit des monuments emblématiques (l'Empire State Building, le Chrysler Building, le Rockefeller Center, Grand Central Terminal, la New York Public Library) et des habitations d'une rare élégance. Le long de la Cinquième Avenue (Fifth Ave), entre le Rockefeller Center et le bas de Central Park, les principales chaînes de prêt-à-porter côtoient les boutiques de luxe. C'est également un quartier très international, qui abrite le siège des Nations unies et les missions diplomatiques de tous les pays, sans oublier les enclaves exotiques de Little Korea et Little India.

REPÈRES

LE QUARTIER DU SHOPPING : sur la Cinquième Avenue, entre 42nd St et le bas de Central Park.
LE QUARTIER INTERNATIONAL : les missions diplomatiques de tous les pays entourent le siège de l'ONU.
LITTLE KOREA : entre 31st et 36th St et Brodway et 5th Ave.
LITTLE INDIA : entre 28th et 30th Ave, près de Lexington Ave.

ESSENTIELS

SAINT PATRICK'S CATHEDRAL/⊙7 : une référence pour tous les catholiques du pays (détails p. 147).
EMPIRE STATE BUILDING/⊙2 : une icône dans l'imaginaire de tous les touristes (détails p. 145).
GRAND CENTRAL TERMINAL/⊙3 : une gare qui se visite comme un musée (détails p. 145).

Confidentiels

BAR À SAKÉ ET KARAOKÉ/🍴12 : caché au 2e étage du restaurant japonais Riki (détails p. 149).
CAMPBELL APARTMENT/🍷16 : un bar à cocktails dans les entrailles de Grand Central (détails p. 150).
SAKAGURA/🍷18 : un restaurant et bar à saké installé dans un immeuble de bureaux (détails p. 151).
HOLE IN ONE/🍷17 : un temple dédié au whisky écossais tenu par un Japonais (détails p. 151).

Visiter
À table
Autour d'un verre
Un peu de shopping
Sortir (voir chapitre spécifique p. 229)
Central Park
5TH AVE-59TH ST
LEXINGTON AVE-59TH ST
E 60th St
E 59th St
W 58th St
E 58th St
W 57th St
E 57th St
W 56th St
E 56th St
W55th St
E55th St
W54th St
E 54th St
5TH AVE-53RD ST
LEXINGTON AVE-53RD ST
W53rd St
E 53rd St
W52nd St
E 52nd St
51ST ST
W 51st St
E 51st St
W 50st St
E 50st St
W 49th St
E 49th St
W 48th St
E 48th St
W 47th St
E 47th St
W 46th St
E 46th St
W 45th St
E 45th St
w 44th St
E 44th St
W 43rd St
E 43rd St
GRAND CENTRAL-42ND ST
5TH AVE
W 42nd St
E 42nd St
Bryant Park Corporation
E 41st St
E 40th St
W 39th St
E 38th St
W 37th St
E 37th St
E 36th St
W 35th St
E 35th St
W 34th St
E 34th St
33RD ST
W 33rd St
E 33rd St
W 32nd St
E 32nd St
W 31st St
E 31st St
W 30th St
E 30th St
W 29th St
W 28th St
E 28th St
5TH AVE
Madison Ave
PARK AVE
Lexington Ave
3rd Ave
2nd Ave
1st Ave
East River Dr
East River
N29
N60
200 m

VISITER

Le Chrysler Building, Grand Central Terminal, le siège des Nations unies... Il faut de bonnes jambes pour écumer les sites emblématiques de Midtown East, qui s' étend de l' Empire State Building à la lisière sud de Central Park. Et au passage, succomber à la tentation sur la Cinquième Avenue, temple de la consommation new-yorkaise.

1. CHRYSLER BUILDING

Édifié entre 1928 et 1930, ce chef-d'œuvre de l'architecture Art déco, dessiné par William Van Alen, est resté le siège du géant automobile jusque dans les années 1950. L'ornementation de la façade reprend d'ailleurs des éléments des véhicules Chrysler de l'époque. Plus haut gratte-ciel de la ville (320 m) pendant quelques mois, il fut rapidement détrôné par l'Empire State Building. La construction de ces deux immeubles coïncida avec la Grande Dépression. Seul le hall est ouvert au public.

→ ***C'est de l'Empire State Building que l'on jouit de la plus belle vue sur le Chrysler Building.***

405 Lexington Ave, à hauteur de 42nd St
Ⓜ 4, 5, 6, 7, S Grand Central-42nd St • hall lun-ven 7h-18h

2. EMPIRE STATE BUILDING

Monument célébrissime et véritable symbole de Manhattan, l'Empire State Building fut inauguré en 1931. Il perdit son titre de plus haut gratte-ciel de New York en 1974, avant de le récupérer tragiquement, le 11 septembre 2001. Ce joyau de style Art déco se pare de mille feux à la nuit tombée, grâce à un système d'illumination qui le fait changer de couleur.

→ ***Mieux vaut acheter ses billets sur Internet pour éviter les files d'attente.***

350 5th Ave, près de 33rd St
Ⓜ 6 33rd St ; B, D, F, M, N, Q, R 34th St-Herald Sq • 212-736 3100 • www.esbnyc.com
tlj 8h-2h • adulte/senior/6-12 ans 21/19/15 $, -6 ans gratuit

3. GRAND CENTRAL TERMINAL

Construite en 1903, cette gare est l'un des édifices les plus prisés de la ville. Dans le hall principal, les guichets de vente de billets rappellent au visiteur qu'il se trouve dans une gare en fonctionnement. Le point information, lieu de rendez-vous pratique pour les New-Yorkais, est surmonté d'une curieuse horloge à quatre faces. Les salles des ventes Sotheby's et Christie's estiment sa valeur entre 10 et 20 millions de dollars.

Le plafond du hall principal représente les constellations du zodiaque à l'envers. S'agit-il d'une erreur ou l'artiste s'est-il laissé influencer par la tradition médiévale ?

42nd St, à hauteur de Park Ave • Ⓜ 4, 5, 6, 7, S Grand Central-42nd St
www.grandcentralterminal.com • tlj 5h30-2h

4. JAPAN SOCIETY

Fondée en 1907 par une poignée d'hommes d'affaires désireux de nouer des relations privilégiées avec le Japon, cette société a été mise en sommeil pour des raisons évidentes durant la Seconde Guerre mondiale, pour mieux renaître dans les années 1970. Aujourd'hui, elle organise plus d'une centaine de manifestations par an. L'élégant bâtiment est l'œuvre de l'architecte japonais Junzo Yoshimura, et se trouve près de l'ONU, sur un terrain offert par la famille Rockefeller.

Ne manquez pas les galeries, les salles de conférence et la bibliothèque, sans oublier les jardins intérieurs et la cascade.

333 E 47th St, près de 5th Ave
Ⓜ 4, 5, 6, 7, S Grand Central-42nd St ; 6 51st St ; E, M Lexington Ave-53rd St
212-832 1155 • www.japansociety.org
mar-jeu 11h-18h, ven 11h-21h, sam-dim 11h-17h • **expo adulte/étudiant et senior 10/8 $, -16 ans gratuit, galerie en entrée libre**

5. NEW YORK PUBLIC LIBRARY

GRA-
TUIT

Sorti de terre en 1897, cet impressionnant bâtiment en marbre de style Beaux-Arts est le siège de l'important réseau de bibliothèques publiques de la ville. Il fonctionne comme une salle d'étude et a été déclaré monument historique national en 1965. Visites guidées gratuites (mar-sam 11h et 14h)

Attention à ne pas vous perdre dans la majestueuse Rose Main Reading Room, qui peut accueillir jusqu'à 500 personnes !

5th Ave, à hauteur de 42nd St • Ⓜ B, D, F, M 42nd St-Bryant Park ; 1, 2, 3, 7, N, Q, R, S Times Sq-42nd St ; 4, 5, 6, 7, S Grand Central-42nd St
917-275 6975 • www.nypl.org • lun et jeu-sam 11h-18h, mar-mer 11h-19h30 • **entrée libre**

6. SIÈGE DES NATIONS UNIES

Construit en 1950 par Le Corbusier, sur un terrain offert par la famille Rockefeller, cet édifice situé en territoire international jouit d'une vue imprenable sur l'East River. La visite guidée (45 min, départ toutes les 30 min), qui permet de découvrir l'Assemblée générale, présente un intérêt limité en ce moment puisque le bâtiment est en pleins travaux de rénovation. À l'avenir, il est probable que le public n'ait plus accès qu'à un centre d'accueil des visiteurs avec photos, vidéos et objets divers.

1st Ave, à hauteur de 46th St
Ⓜ 4, 5, 6, 7, S Grand Central-42nd St ; 6 51st St
212-963 1234 ; info visites guidées 212-963-8687
www.un.org/tours • lun-ven 9h30-16h45, sam-dim 10h-16h30 • **visite guidée adulte/enfant/étudiant et senior 16/9/11 $**

7. ST PATRICK'S CATHEDRAL

En face du Rockefeller Center, la cathédrale Saint-Patrick, de style néogothique, présente des vitraux impressionnants et des voûtes majestueuses. Siège de l'archevêché de New York et référence pour tous les catholiques américains, elle a vu le jour pendant la guerre de Sécession en remplacement de l'originale, à NoLiTa (voir p. 53). Messes fréquentes ; consulter le site Internet pour les horaires.

Pendant les offices, la cathédrale est réservée aux fidèles. Les simples visiteurs ne sont pas admis.

14 E 51st St, à hauteur de 5th Ave
Ⓜ B, D, F, M 47th-50th Sts-Rockefeller Center ; E, M Fifth Ave-53rd St • 212-753 2261
www.saintpatrickscathedral.org
tlj 6h30-20h45

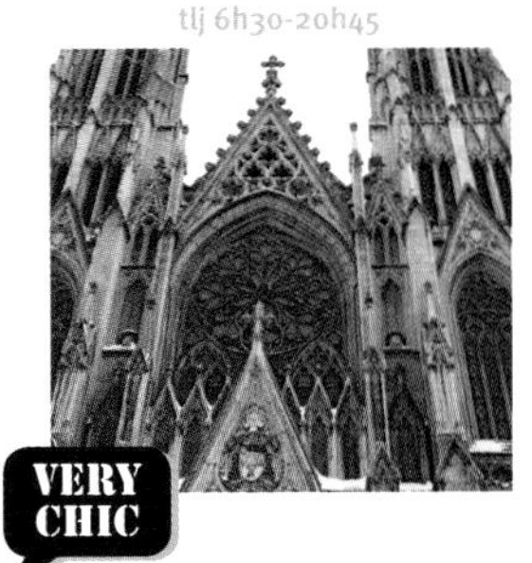

VERY CHIC

8. THE MORGAN LIBRARY

En 1924, J. P. Morgan Jr., fils de l'homme d'affaires le plus influent de l'histoire des États-Unis, a décidé d'ouvrir au public l'impressionnante bibliothèque de son père. En réalité, il s'agit d'une demeure de 45 pièces dessinée par l'architecte Charles Follen McKim, et récemment agrandie par Renzo Piano, qui renferme une précieuse collection de tableaux, tapisseries, livres et antiquités. Elle propose également des expositions temporaires de premier ordre, ainsi que des concerts et des conférences.

L'entrée est gratuite entre 19h et 21h.

225 Madison Ave, à hauteur de 36th St • Ⓜ 6 33rd St • 212-590 0390
www.themorgan.org • mar-jeu 10h30-17h, ven 10h30-21h, sam 10h-18h, dim 11h-18h
adulte/étudiant, senior et 13-16 ans 12/8 $, -12 ans gratuit

À TABLE !

9. GRAND CENTRAL OYSTER BAR AND RESTAURANT

VERY CHIC

FRUITS DE MER

Plus qu'un restaurant, une institution ! Dans le sous-sol de la gare et sous des voûtes dessinées par l'architecte espagnol Rafael Guastavino, on déguste des huîtres de toutes tailles et de toutes provenances, mais également une délicieuse soupe de crabe (6 $) ou de succulentes coquilles saint-jacques.

→ ***Préférez les tables communes en forme de U.***

Grand Central Terminal • 89 E 42nd St • Ⓜ 4, 5, 6, 7, S Grand Central-42nd St
212-490 6650 • www.oysterbarny.com • lun-ven 11h30-21h30, sam 12h-21h30

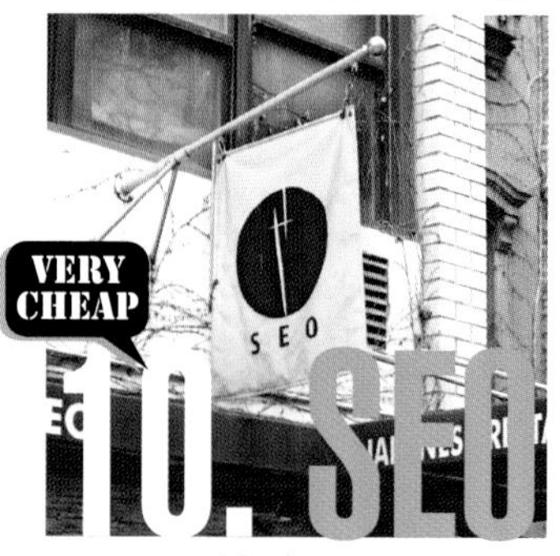

VERY CHEAP

10. SEO

JAPONAIS

Parmi les nombreux restaurants japonais du quartier, Seo se démarque par la qualité de sa cuisine. Les prix sont élevés mais le midi, deux menus très abordables et très complets (9 et 12 $) sont proposés. Préférez la salle du fond qui donne sur un paisible jardin japonais.

→ ***En dehors des menus, les soupes aux vermicelles sont excellentes.***

249 E 49th St, entre 3rd Ave et 2nd Ave
Ⓜ 6 51st St ; E, M Lexington Ave-53rd St
212-355 7722 • tlj 12h-14h15
et 17h30-22h30

11. SUSHI YASUDA

JAPONAIS

La variété et la qualité du poisson servi dans cet élégant restaurant japonais sont impressionnantes. Le chef, Naomichi Yasuda, maîtrise parfaitement l'art de préparer les sushis (12 pièces, 36 $) et attache une importance toute particulière à la cuisson du riz.

→ ***Chaque jour, Yasuda élabore une carte avec ses suggestions marquées en rouge. À suivre les yeux fermés.***

204 E 43rd St, à hauteur de 3rd Ave
Ⓜ 4, 5, 6, 7, S Grand Central-42nd St
212-972 1001 • http://sushiyasuda.com
lun-ven 12h-14h15 et 18h-22h15,

sam 18h-22h15

12. RIKI

JAPONAIS

Ce bar japonais ou *izakaya* sert de délicieuses entrées accompagnées de bière et dispose d'agréables salons privés pour les groupes. On recommande les croquettes de crabe (7 $), le *tempura* de légumes (6,50 $), les nouilles *soba* (9 $), les spaghettis piquants au bacon et champignons *shitake,* le poulpe mariné au *wasabi* (6 $) et la soupe aigre-douce aux vermicelles.

*****Le 2e étage cache un bar à saké doublé d'un karaoké, le Box Snack Riki, très animé après minuit et très prisé des Japonais.*****

141 E 45th St, près de 3rd Ave • Ⓜ 4, 5, 6, 7, S Grand Central-42nd St
212-986 5612 • lun-sam 20h-4h

13. THE WATER CLUB

FRUITS DE MER

Un restaurant d'inspiration maritime jouissant d'une vue magnifique sur l'East River, en particulier à la nuit tombée. La langouste est à l'honneur (notamment dans le menu du midi à 32 $), mais les autres fruits de mer ne sont pas en reste. Le brunch du dimanche est un buffet très complet (40 $). Ambiance assez guindée.

*****Pour les amateurs de restaurants traditionnels uniquement.*****

East River, entre 28th St et 32th St
Ⓜ 6 28th St • 212-683 3333
www.thewaterclub.com • mar-sam 12h-15h et 17h-23h, dim 11h-15h et 17h30-22h

14. TAO ASIAN BISTRO

FUSION

Le TAO mérite le détour, et pas seulement parce que les filles de *Sex and the City* avaient l'habitude d'y siroter un Cosmopolitan. La cuisine est très correcte, mais on y vient avant tout pour le cadre spectaculaire, semblable à un immense temple asiatique. L'imposant bouddha adossé à un grand mur de brique sert de toile de fond au défilé incessant de dizaines de personnes déambulant entre les tables (serveurs, clients et parfois musiciens). Il propose un menu à base de canard pékinois (62 $ pour deux).

42 E 58th St, à hauteur de Madison Ave • Ⓜ 4, 5, 6 59th St ; N, Q, R Lexington Ave-59th St
212-888 2288 • www.taorestaurant.com
lun-mer 11h30-minuit, jeu-ven 11h30-1h, sam 17h-1h, dim 17h-minuit

AUTOUR D'UN VERRE...

15. KING COLE BAR LOUNGE

BAR À COCKTAILS

Dans cet élégant bar à cocktails, le Bloody Mary est à l'honneur. Nul ne sait avec certitude si le barman Fernand Petiot l'a inventé ici ou, quelques années auparavant, quand il travaillait au mythique Harry's Bar de Paris où Hemingway avait ses habitudes. Si la célèbre peinture murale de Maxfield Parrish pouvait parler, elle livrerait la longue liste de personnalités qui sont passées par ici, parmi lesquelles des présidents, Salvador Dalí et Gala ou le gangster Frank Costello.

Attention : les baskets et les shorts n'ont pas droit de cité.

St Regis Hotel, 2 E 55th St, à hauteur de 5th Ave • Ⓜ E, M 5th Ave-53rd St ; B, D, E 7th Ave • 212-753 4500
www.stregis.com • lun-jeu 12h-22h, ven-sam 11h30-2h, dim 12h-minuit

16. CAMPBELL APARTMENT

BAR À COCKTAILS

En 1923, le multimillionnaire John Campbell loua un espace de 300 m² dans la gare Grand Central pour le convertir en bureau et lieu de réception aux allures de petit palais excentrique. Aujourd'hui, ce bar à cocktails peut se révéler difficile à trouver. Depuis l'intérieur de la gare, il faut franchir la porte ouest. Une fois sur Vanderbilt Ave, une porte sur la gauche signale l'entrée : pénétrez à nouveau dans la gare par cette porte et montez les escaliers.

Grand Central Terminal
15 Vanderbilt Ave, près de 43rd St
Ⓜ 4, 5, 6, 7, S Grand Central-42nd St • 212-953 0409
www.hospitalityholdings.com
lun-jeu 12h-1h, ven-sam 12h-2h, dim 15h-23h

16.

17. HOLE IN ONE — VERY CHIC

BAR À WHISKY

Ce bar insolite tenu par un Japonais propose plus de 300 sortes de whisky écossais à une clientèle de Japonais aisés et d'hommes d'affaires. L'endroit est très sélect. Il faut sonner avant d'entrer et monter jusqu'au 2e étage. Compter au moins 20 $ pour un verre.

Costume de rigueur.

1003-A 2nd Ave, à hauteur de 53rd St, 2e étage
Ⓜ E, M Lexington Ave-53rd St ; 6 51st St • 212-319 6070
lun-ven 19h-2h30

18. SAKAGURA — VERY CHIC

BAR À SAKÉ

Ce trésor de Midtown est caché dans le sous-sol d'un immeuble de bureaux, auquel on accède par des escaliers ou un ascenseur. La cuisine est excellente, mais il doit sa notoriété à son choix unique de saké, avec plus de 200 références à la carte. Réservation conseillée.

Les propriétaires sont tellement perfectionnistes qu'ils ont un numéro de téléphone se terminant par 7253 soit : SAKE !

211 E 43rd St, près de 3rd Ave
Ⓜ 4, 5, 6, 7, S Grand Central-42nd St
212-953 7253 • www.sakagura.com
lun-ven 11h30-14h20 et 18h-minuit, sam 18h-1h, dim 18h-23h

19. APPLE STORE

INFORMATIQUE

Tous les Apple Store de la ville sont spectaculaires mais celui de Soho, juste en face du magasin de jouets FAO, l'est encore plus avec son cube en verre en guise d'entrée. Le magasin est ouvert toute l'année, 24h/24, et propose tous les produits de la marque. Les ordinateurs sont connectés à Internet et beaucoup de touristes en profitent pour consulter leurs e-mails.

Pour éviter l'affluence, préférez les magasins d'Upper West Side ou du Meatpacking.

767 5th Ave, à hauteur de 59th St • Ⓜ N, Q, R 5th Ave-59th St • 212-336 1440
www.apple.com • 24h/24

20. ARGOSY BOOK STORE

LIBRAIRIE

Fondée en 1925, cette immense librairie familiale achète et vend des livres et documents anciens. Elle propose, sur six étages, une multitude de premières éditions, cartes et documents vieux de plus d'un siècle (lettres de rédacteurs en chef de journaux, contrats de l'époque de la guerre de Sécession, lettres d'éminents médecins et écrivains...).

Près de l'entrée, des caisses renferment des photos et des autographes d'acteurs et de musiciens (60 $ environ).

116 E 59th St, près de Park Ave
Ⓜ 4, 5, 6 59th St ; N, Q, R Lexington Ave-59th St • 212-753 4455
www.argosybooks.com • sept-avr lun-ven 10h-18h, sam 10h-17h ;
mai-août lun-ven 10h-18h

21. FAO SCHWARZ

JOUETS

C'est dans ce magasin de jouets légendaire que Tom Hanks joue du piano dans une scène du film *Big* (1988). Depuis, il a été rénové et s'il a gagné en luminosité, il a néanmoins un peu perdu de son charme. Les adorables petits ours en peluche sont toujours là. Ils ont été rejoints par des centaines d'animaux de toutes sortes et de toutes tailles. L'endroit abrite également un espace de restauration et une confiserie.

767 5th Ave, à hauteur de 58th St • Ⓜ N, Q, R 5th Ave-59th St
212-644 9400 • www.fao.com • jan-nov lun-mer 10h-19h, jeu-sam 10h-20h,
dim 11h-18h ; déc dim-mer 10h-19h, jeu-sam 10h-21h

22. DAFFY'S

VERY CHEAP

DÉGRIFFÉ MULTIMARQUE

Cette formidable enseigne discount dispose d'adresses dans tous les quartiers de la ville et fait le bonheur des dénicheurs de bonnes affaires les plus exigeants. Comme à la Bourse de New York, le prix et la qualité des produits varient d'un jour à l'autre, mais on trouve toujours des manteaux en laine et cachemire, des chaussures de marque et des vêtements à des prix imbattables.

···› ***Ne ratez pas le rayon bonnets et chapeaux pour hommes (qui peuvent aussi être portés par les femmes), ainsi que le rayon manteaux.***

125 E 57th St, près de Lexington Ave
Ⓜ 4, 5, 6 59th St ; N, Q, R Lexington Ave-59th St • 212-376 4477 • www.daffys.com
lun-ven 10h-20h, sam 10h-19h,
dim 11h-18h

23. JAPANESE CULINARY CENTER

VERY CHIC

USTENSILES DE CUISINE JAPONAIS

L'enseigne du principal importateur d'ustensiles de cuisine japonaise propose rien moins que 4 000 articles, des meilleurs couteaux nippons aux théières, en passant par des produits d'alimentation (huile de soja, miso, saké...).

···› ***Le Centre dispose d'une cuisine et propose des cours gratuits et des dégustations de saké.***

711 3rd Ave, entrée au 45th St,
entre 3rd et 2nd Ave • Ⓜ 4, 5, 6, 7, S
Grand Central-42nd St • 212-661 3333
http://japaneseculinarycenter.com
lun-ven 9h-18h

24. KALUSTYAN'S

ÉPICES

Fondé en 1944, ce magasin d'épices de Little India compte les meilleurs chefs de la ville parmi ses clients. Si, à l'origine, il ne vendait que des spécialités indiennes, aujourd'hui, il offre une sélection de plus de 4 000 épices, herbes, cafés, thés et autres produits des quatre coins du monde, dont plus de 50 variétés de légumes et 100 sortes de piments.

123 Lexington Ave, à hauteur de 28th St • Ⓜ 6 28th St • 212-685 3451
www.kalustyans.com • lun-sam 10h-20h, dim 11h-19h

25. NIKETOWN NEW YORK

ARTICLES DE SPORT

Un bâtiment entier dédié à l'univers Nike. Le magasin s'adresse à tous les publics, pas seulement les sportifs, même s'il abrite aussi le siège d'un club de coureurs de fond qui se réunissent deux fois par semaine (la participation est gratuite et les courses commencent et se terminent dans le magasin, avec une petite collation à la clé).

→ ***Le rayon chaussures de sport est la vitrine de la maison ; les modèles demandés par le client sont acheminés par un ascenceur.***

6 E 57th St, près de 5th Ave
Ⓜ 4, 5, 6 59th St ; N, Q, R Lexington Ave-59th St
212-891 6453 • lun-sam 10h-20h, dim 11h-19h

26. TIFFANY AND CO.

BIJOUTERIE

Cette bijouterie, peut-être la plus célèbre du monde, est devenue une attraction touristique. On y vient pour admirer diamants et pierres précieuses, replonger dans l'ambiance du film *Diamants sur canapé* ou jeter un coup d'œil sur les extraordinaires toilettes.

Au 4e étage, les objets en argent (porte-clés, marque-pages...) et les agendas et porte-monnaie bleus estampillés Tiffany sont à des prix raisonnables.

727 5th Ave, à hauteur de 57th St • Ⓜ F 57th St ; N, Q, R 5th Ave-59th St • 212-755 8000
www.tiffany.com • lun-ven 10h-19h, sam 10h-18h, dim 12h-17h

26.

27.

27. MAGASINS DE GRAND CENTRAL TERMINAL

CENTRE COMMERCIAL

La gare de Grand Central accueille un somptueux marché alimentaire de produits gourmets. Par ailleurs, tous les couloirs qui débouchent sur le hall principal abritent des boutiques, dont certaines valent le coup d'œil : Aveda (produits naturels pour la peau et les cheveux), Little Mismatched (lots de paires de chaussettes, certaines à motifs de New York), Pylones (la chaîne française d'objets au design coloré)... Au sous-sol, on trouvera la pizzeria Two Boots, un snack de tacos, une boutique de *cupcakes* Magnolia Bakery et d'autres enseignes de restauration rapide et bon marché.

1 E 42nd St • Ⓜ 4, 5, 6, 7, S Grand Central-42nd St • 212-340 2583
www.grandcentralterminal.com • **marché** : lun-ven 7h-21h, sam 10h-19h, dim 11h-18h • **magasins** : lun-ven 8h-20h, sam 10h-20h, dim 11h-18h
restauration : lun-sam 7h-21h, dim 11h-18h

Times Square et Midtown West

THE SHOW MUST GO ON

Pour le visiteur qui se rend à Manhattan pour la première fois, le rues de Midtown West correspondent exactement aux images qu'il aura vues tant de fois dans les films, les séries et les publicités : les lumières de Times Square, les courses chez Macy's, la patinoire du Rockefeller Center, les concerts du Radio City Music Hall, les comédies musicales de Broadway... Le New York le plus touristique est certes ici, mais son charme est indéniable.

LE QUARTIER DES THÉÂTRES : Broadway (détails p. 15)
LE QUARTIER DES DIAMANTAIRES : sur 47th St, entre 5th Ave et 6th Ave
LE QUARTIER DE LA MODE : 7th Ave, entre 34th St et Times Square
LE QUARITER DES CUISINES DU MONDE : Hell's Kitchen, entre 34th et 39th St, 8th Ave et l'Hudson

LE MOMA/⊙4 : pour la collection d'art et le nouveau bâtiment (détails p. 160).
RADIO MUSIC CITY HALL/⊙7 : la salle de spectacle des gloires passées (détails p. 161).
ROCKEFELLER CENTER/⊙5 : un site incontournable et une grande attraction à Noël (détails p. 160).
KIOSQUE TKTS DE TIMES SQUARE/⊙26 : pour acheter ses billets de spectacles à prix réduit (Broadway-47th St ; www.tdf.org/tkts).

BURGER JOINT/🍴9 : un repaire à hamburgers caché derrière le hall d'un hôtel de luxe (détails p. 162).
MÉ BAR/🍷15 : sur une terrasse de Little Korea (détails p. 164).
CLOTHINGLINE/🛍25 : des robes de marques à prix cassés (détails p. 167).

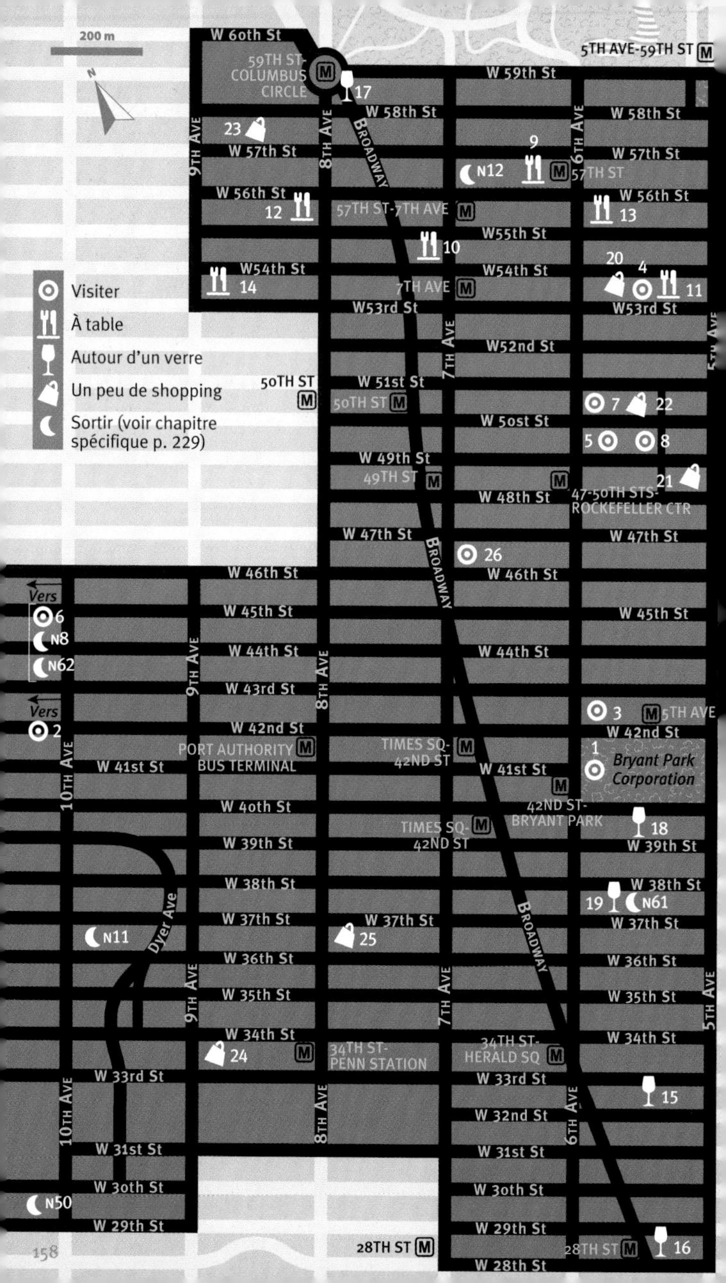
200 m
N
Visiter
À table
Autour d'un verre
Un peu de shopping
Sortir (voir chapitre spécifique p. 229)
W 60th St
59TH ST-COLUMBUS CIRCLE
5TH AVE-59TH ST
W 59th St
W 58th St
W 57th St
W 56th St
W55th St
W54th St
W53rd St
W52nd St
W 51st St
W 50st St
W 49th St
W 48th St
W 47th St
W 46th St
W 45th St
W 44th St
W 43rd St
W 42nd St
W 41st St
W 40th St
W 39th St
W 38th St
W 37th St
W 36th St
W 35th St
W 34th St
W 33rd St
W 32nd St
W 31st St
W 30th St
W 29th St
W 28th St
9TH AVE
8TH AVE
7TH AVE
6TH AVE
5TH AVE
10TH AVE
BROADWAY
Dyer Ave
57TH ST
57TH ST-7TH AVE
7TH AVE
50TH ST
49TH ST
47-50TH STS-ROCKEFELLER CTR
5TH AVE
PORT AUTHORITY BUS TERMINAL
TIMES SQ-42ND ST
42ND ST-BRYANT PARK
Bryant Park Corporation
34TH ST-PENN STATION
34TH ST-HERALD SQ
28TH ST
Vers
N12
N8
N62
N11
N61
N50

VISITER

Entre art, balades sur l' Hudson ou dans Central Park et terrasses panoramiques, Midtown West concentre un panel d' activités à fatiguer les plus actifs. Le soir, Times Square, ses lumières étourdissantes, sa foule entousiaste et ses théâtres font partie du folklore incontournable de la Grosse Pomme.

1. BRYANT PARK

Le nom de ce parc est un hommage à William C. Bryant, rédacteur en chef du *New York Evening Post* et abolitionniste. À l'époque hippie, les drogués l'avaient investi, ce qui lui valut le surnom de Needle Park ("parc des seringues"). Aujourd'hui, c'est l'un des parcs les plus prisée de la ville, qui offre une connexion Wi-Fi gratuite, des séances de cinéma en plein air l'été (The Bryant Park Summer Film Festival, entrée libre aussi), des cours de yoga (gratuits en été) et une patinoire en hiver. Couché sur la pelouse, le visiteur peut y contempler la New York Public Library (p. 146) et tous les édifices alentour.

42nd St, à hauteur de 6th Ave • Ⓜ 7 5th Ave ; B, D, F, M 42nd St-Bryant Park • 212-768 4242
www.bryantpark.org • jan-mars 7h-19h, avr et nov-déc 7h-22h, mai-sept 7h-23h, oct 7h-20h

2. CIRCLE LINE CRUISE

Cette compagnie de ferries propose cinq parcours fluviaux différents. Celui que nous préférons est une balade de trois heures dans les cinq districts, qui passe par ses sept ponts et près de vingt monuments historiques. D'autres visites plus courtes incluent Ellis Island et la statue de la Liberté. Il est conseillé d'acheter ses billets sur Internet.

➝ ***Sur le même embarcadère se trouvent les vedettes jaunes des New York Water Taxi (www.nywatertaxi.com).***

Pier 83, près de West 42nd St
Ⓜ 1, 2, 3, 7, N, Q, R, S Times Sq-42nd St ; A, C, E 42nd St-Port Authority Bus Terminal ; B, D, F, M 42nd St-Bryant Park • 212-563 3200
www.circleline42.com/new-york-cruises.aspx
circuit 3 heures adulte/senior/enfant 35/30/22 $, autres circuits 27-31 $

3. INTERNATIONAL CENTER OF PHOTOGRAPHY

À la fois musée, école et centre de recherche photographique, ce lieu a été créé en 1974 par Cornell Capa, le photographe américain membre de l'agence Magnum et frère du célèbre Robert Capa. La collection permanente de l'ICP compte plus de cent mille photographies sur les guerres et les conflits sociaux qui ont au lieu notamment en Europe et aux États-Unis, des années 1930 à nos jours. Ne manquez pas les œuvres de W. Eugène Smith, Henri Cartier-Bresson et Robert Capa.

Le vendredi, entrée sur don libre entre 17h et 20h.

1133 6th Ave, à hauteur de 43rd St • Ⓜ B, D, F, M 42nd St-Bryant Park ; 1, 2, 3, 7, N, Q, R, S Times Sq-42nd St • 212-857 0001 • www.icp.org • mar-jeu et sam-dim 10h-18h, ven 10h-20h • **adulte/étudiant et senior 12/8 $, -12 ans gratuit**

VERY CHIC

4. MUSEUM OF MODERN ART – MOMA

Fondé par Abby Aldrich Rockefeller, le MoMA accueille la meilleure collection d'art moderne du monde (peinture, photographie, architecture, sculpture, livres illustrés et documents cinématographiques. Parmi ses trésors, *Les Demoiselles d' Avignon*, de Picasso, *La Nuit étoilée* de Van Gogh, *La Persistance de la mémoire*, de Dalí et les boîtes de soupe Campbell de Warhol. Le MoMA a gagné en espace et en renommée grâce à l'extension des bâtiments opérée par l'architecte japonais Yoshio Taniguchi, terminée en 2002. En sortant, admirez la vitrine du magasin de chaussures de Manolo Blahnik, une authentique bonbonnière (31 West 54th St).

Le vendredi après-midi, c'est gratuit de 16h à 20h.

11 West 53rd St, entre 5th Ave et 5th Ave Ⓜ E, M 5th Ave-53rd St ; F 57th St 212-708 940 • www.moma.org • sam-lun et mer-jeu 10h30-17h30, ven 10h30-20h **adulte/senior/étudiant 20/16/12 $, -16 ans accompagné d'un adulte gratuit**

5. ROCKEFELLER CENTER

Ce complexe industrialo-commercial est constitué de 14 immeubles Art déco construits par le promoteur immobilier John D. Rockefeller Jr. pendant la Grande Dépression des années 1930, et de quatre autres ajoutés dans les années 1960, ainsi que du Lehman Brothers Building. Le GE Building (30 Rockefeller Plaza) se distingue des autres par sa hauteur et sa position centrale.

Dans le lobby du GE Buildinglevez les yeux vers les deux impressionnantes fresques de Josep Maria Sert **(American Progress *et* Time)*****. Autre œuvre à ne pas manquer, la sculpture*** **News*****, d'Isamu Noguchi, qui se trouve dans l'Associated Press Building (50 Rockefeller Plaza).***

Rockefeller Pl, entre 5th Ave et 7th Ave, 48th St et 51st St • Ⓜ B, D, F, M 47th-50th Sts-Rockefeller Center • 212-632 3975 www.rockefellercenter.com

6. INTREPID SEA, AIR & SPACE MUSEUM

Un patriote multimillionnaire a acheté ce porte-avions de l'US Navy qui a volé pendant la Seconde Guerre mondiale et la guerre du Vietnam pour en faire un musée et un hommage permanent aux anciens combattants. Bien que ce lieu s'adresse en priorité aux admirateurs d'exploits guerriers et au public américain, son pont sert de cinéma en plein air gratuit l'été et offre une expérience inoubliable.

...} *Qui peut se vanter d'avoir vu Rambo sur un porte-avions, entouré de patriotes et de vétérans de guerre ? On peut apporter son pique-nique.*

Pier 86, 12th Ave, à hauteur de 46th St • Ⓜ C, E 50th St • 212-245 0072
www.intrepidmuseum.org • avr-sept lun-ven 10h-17h, sam-dim 10h-18h, oct-mars mar-dim 10h-17h • **adulte/senior et étudiant/3-17 ans 22/18/17 $, -3 ans gratuit**

7. RADIO CITY MUSIC HALL

Ce cinéma datant de 1932 est classé monument historique. L'intérieur de style Art déco, avec ses salles pouvant accueillir jusqu'à 6 000 personnes, a retrouvé sa splendeur après une restauration de très belle qualité. Malheureusement, la programmation n'est pas toujours à la hauteur. Chaque année, le spectacle du Nouvel An des célèbres Rockettes attire un millon de spectateurs.

1260 6th Ave, à hauteur de 50th St
Ⓜ B, D, F, M 47th-50th Sts-Rockefeller Center
212-247 4777 • www.radiocity.com
visites guidées toutes les 30 min
tlj 11h-15h • **22,50 $**

8. TOP OF THE ROCK

Contempler New York depuis cette spectaculaire plate-forme en plein air, posée 70 étages au-dessus de Midtown, est un des must de la ville. Le trajet en ascenseur est sensationnel. Le site Internet permet de réserver ses billets et offre un vaste choix de visites combinées (Rockefeller Center-MoMA par exemple) ou le NY City Pass (que nous ne conseillons pas puisque l'entrée est libre au Met et à l'American Museum of Natural History).

30 Rockefeller Pl, près de 6th Ave
Ⓜ B, D, F, M 47th-50th Sts-Rockefeller Center • 212-698 2000
www.topoftherocknyc.com
tlj 8h-minuit (dernier ascenseur 23h) • **adulte/senior/6-12 ans 20/18/13 $, -6 ans gratuit**

À TABLE !

9. BURGER JOINT

VERY CHEAP

HAMBURGERS

“Only in New York”... L’un des hôtels les plus exclusifs de la ville, qui possède en outre deux superbes restaurants, Norma’s et Knave, cache un comptoir à hamburgers, un secret que l’on se passe de bouche à oreille entre étudiants et touristes. Le lieu est minuscule, les sandwichs son bons et pas chers : 7 $ (frites 3 $). Il faut traverser le hall de l’hôtel et passer derrière les lourds rideaux pour y entrer.

→ ***Comble du chic : les clients de l’hôtel peuvent se faire porter leur hamburger dans la chambre (room-service 20 $).***

Le Parker Meridien, 119 West 6th St, près de 6th Ave • Ⓜ N, Q, R 57th St, F 57th St
212-708 7414 • parkermeridien.com • dim-jeu 11h-23h30, ven-sam 11h-minuit

10. CARNEGIE DELI

DELI

Fondé en 1937, ce *deli* n’a pas bougé. À la fois touristique et authentique, le Carnegie est célèbre pour ses *pastrami* garnis d’un demi-kilo de viande (17 $, nous vous conseillons de partager !), ses cornichons géants et son sandwich Broadway Danny Rose, absolument énorme. Dans l’une des salles bruyantes, on pourra renconter le même jour l’écrivain Don DeLillo, un agent de Broadway et un touriste du Kansas.

→ ***Des scènes du film Danny Rose, de Woody Allen ont été tournées ici.***

854 7th Ave-55th St • Ⓜ N, Q, R 57th St ;
B, D, E 7th Ave • 800-334 5606
www.carnegiedeli.com • tlj 6h30-16h

VERY CHIC

11. CAFETERIAS DU MOMA

CAFÉTÉRIAS

Café 2 est une cafétéria italienne située au 2e étage du MoMA, qui propose de délicieux paninis, des plats de pâtes, des salades, des soupes et une grande variété de pâtisseries. Comme le musée, c’est un espace minimaliste et élégant quoique informel. Au 5e étage se trouve une autre cafétéria plus sophistiquée, **Terrace 5**, avec vue imprenable sur le patio intérieur du musée.

→ ***Une bonne option pour le déjeuner si on visite le musée (les cafétérias ne sont accessibles qu’avec le billet d’entrée au musée).***

Museum of Modern Art, 11 West 53rd St
Ⓜ E, M 5th Ave-53rd St, F 57th St
212-708 940 • www.moma.org
sam-lun et mer-jeu 10h30-17h30,
ven 10h30-20h

12. GUANTANAMERA

CUBAIN

Ce restaurant cubain situé au cœur du quartier de Hell's Kitchen et décoré dans un style colonial chic sert des plats caribéens et des mojitos dans une ambiance festive. À la carte, on retrouve les typiques *tostones* (bananes plantains), le cochon de lait grillé, le *mojo* (sauce au piment), les beignets et les blancs-mangers. Mais le meilleur reste les concerts, tous les soirs à partir de 20h30.

939 8th Ave, près de 56th St
Ⓜ 1, A, B, C, D 59th St-Columbus Circle
212-262 5354 • www.azucarnyc.com
dim-jeu 11h30-minuit, ven-sam 11h30-1h

13. ISE

JAPONAIS

L'ambiance de ce restaurant évoque celle d'un bar de quartier à Tokyo, les fameux *izakaya*. Les menus du midi (*lunch specials*) sont intéressants mais il faut venir tôt (avant midi) pour en profiter car la quantité est limitée. Le soir, la solution la plus économique est le menu du dîner pour deux, qui inclut sushi, sahimi, tempura, salade, soupe miso, entrées de viande et de légumes et dessert (40 $).

58 West 56th St, près de 5th Ave
Ⓜ F 57th St ; E, M 5th Ave-53rd St ; N, Q, R 57th St-7th Ave
212-707 8702 • www.iserestaurant.com
lun-ven 11h30-14h30 et17h30-22h30, sam-dim 17h30-22h30

14. AGUA DULCE

LATINO-AMÉRICAIN

Les propriétaires de ce restaurant latino-américain stylé et bon marché ont longtemps été restaurateurs à Downtown. Cette fois, ils ont misé sur un spacieux local avec patio de Hell's Kitchen. Les tacos de poisson (12 $), le guacamole et les boissons à bases de fruits frais sont délicieux.

Excellent choix pour dîner tard après un spectacle à Broadway.

802 9th Ave-53rd St • Ⓜ C, E 50th St ; 1 50th St-Broadway ; B, D, E 7th Ave
212-262 1299 • www.aguadulceny.com • lun-ven 11h-4h, sam-dim 9h-4h

AUTOUR D'UN VERRE...

15.

15. MÉ BAR

TERRASSE

C'est bien connu : tout hôtel branché de Manhattan possède un bar sur le toit. Plus surprenant est d'en trouver un sur le toit d'un hôtel de Little Korea. Le Quinta Manhattan (à la belle façade de style Beaux-Arts) a quitté depuis longtemps la cour des grands et on était loin de se douter qu'il possédait une terrasse aussi spectaculaire au 14e étage !

Vue imprenable sur l'Empire State Building.

La Quinta Manhattan
17 West 32nd St-5th Ave,
14e étage • Ⓜ B, D, F, M, N, Q, R
34th St-Herald Sq • 212-290 2460
www.applecorehotels.com
dim-mar 17h30-2h,
mer-sam 17h30-4h

16. THE BRESLIN BAR AND DINING ROOM

BAR-RESTAURANT

Ce bar-restaurant extrêmement spacieux et très animé est parfait pour les carnivores et pour ceux qui veulent prendre un verre en bonne (et nombreuse) compagnie. Le chef, persuadé du bien-fondé de la maxime “tout est bon dans le cochon”, réserve à l'animal une bonne place dans la majorité de ses entrées et de ses plats. Le lieu possède deux bars : optez pour le vin (de toutes les origines et nationalités possibles) ou pour la bière (de fabrication maison).

Ace Hotel, 20 West 29th St, près
de Broadway St • Ⓜ N, R 28th St ;
1 28th St • 212-679 1939
www.thebreslin.com
tlj 7h-minuit

17. ROBERT AT MAD

COCKTAILS AVEC VUE

Ce restaurant et bar à cocktails offre, depuis le 9e étage du Museum of Arts & Design (MAD), de superbes points de vue sur Central Park. Le rapport qualité/prix du restaurant laisse à désirer, c'est pourquoi nous conseillons d'aller simplement y boire un verre. La déco, que certains trouvent "stylée", semble plutôt pencher vers l'univers de Barbie. Possibilité de réserver sur Internet.

Museum of Art & Design
2 Columbus Circle, 9e étage
Ⓜ 1, A, C, B, D 59th St-Columbus Circle ; N, Q, R 57th St-7th Ave • 212-299 7730
www.robertatmad.com
tlj 11h-minuit

18. CELLAR BAR

BAR

Le Bryant Park Hotel est devenu depuis quelques années le repaire des rédacteurs en chef de magazines de mode, des stylistes et des mannequins pendant la New York Fashion Week. KOI, son restaurant de cuisine fusion japonaise est toujours plein à craquer. La salle du sous-sol, ornée de magnifiques arches imaginées par l'architecte valencien Rafael Guastavino a été transformée en bar et salon de réception.

The Bryant Park Hotel
40 West 40th St, près de 5th Ave
Ⓜ 7 5th Ave ; B, D, F, M 42nd St-Bryant Park • 212-642 2260
http://bryantparkhotel.com
lun-ven 17h-4h, sam 22h-4h

19. THE TOP OF THE STRAND

TERRASSE

Partie intégrante de l'hôtel Strand, cette prestigieuse terrasse a tout pour elle : vue imprenable sur l'Empire State Building, boissons savoureuses ambiances musicales variées et atmosphère décontractée.

The Strand Hotel, 33 West 37th St • Ⓜ B, D, F, M 42nd St-Bryant Park ; 4, 5, 6, 7, S Grand Central-42nd St • www.thestrandnyc.com • tlj 17h-minuit

20. MOMA DESIGN AND BOOK STORE

OBJETS ET LIVRES D'ART

La boutique du musée d'Art moderne propose des objets d'art, des reproductions d'œuvres originales et plus de 2 000 ouvrages ayant trait à l'art. En sortant du musée, sur le trottoir d'en face, une seconde boutique (44 West 53rd St) vend des bijoux, des accessoires et des articles de décoration. Une troisième boutique du MoMA est installée à Soho (81 Spring St).

··· ***La boutique du musée est accessible sans billet d'entrée.***

11 West 53rd St, près de 5th Ave • Ⓜ E, V 5th Ave-53rd St ; B, D, F, M 47th St-50th Sts-Rockefeller Center • 212-708 9700 • www.moma.org • sam-jeu 9h30-18h, ven 9h30-21h

20.

21. MINAMOTO KITCHOAN

VERY CHIC

PÂTISSERIES JAPONAISES

On dirait une bijouterie, mais c'est une pâtisserie japonaise. Tels des diamants, les gâteaux individuels exposés en vitrine sont de véritables œuvres d'art. Forme parfaite, dessin surprenant, texture exquise et saveur délicieuse… Chacune des ces petites merveilles est emballée avec une extrême délicatesse.

··· ***Entrez pour essayer deux ou trois gâteaux différents (ce sont les seuls bijoux de la ville à 3 ou 4 $!).***

608 5th Ave,
entrée par 49th St
Ⓜ B, D, F, M 47th St-50th Sts-Rockefeller Center ; E, M 5th Ave-53rd St ; 6, E, M Lexington Ave-53rd Ave
212-489 3747 • www.kitchoan.com
dim-jeu 10h-19h, ven-sam 10h-20h

22. ANTHRO-POLOGIE

MODE FEMMES ET DÉCORATION

Cette chaîne de boutiques de vêtements et d'accessoires pour femmes et d'objets déco doit, entre autres, son succès à des mises en scène spectaculaires. Des robes, des savons, des parfums, des bougies, des plats, des tasses, des verres, des draps, des serviettes de toilette, des paumelles colorées et beaucoup d'objets venant d'Inde pour la plupart.

··· ***Au sous-sol, l'explorateur intrépide découvrira vêtements et objets à moitié prix.***

50 Rockefeller Pl,
près de 50th St
Ⓜ B, D, F, M 47th St-50th Sts-Rockefeller Center • 212-246 0386
www.anthropologie.com
lun-sam 10h-20h,
dim 11h-19h

23. BIKE RENTAL CENTRAL PARK

LOCATION DE VÉLOS

Pour arpenter Central Park comme un vrai New-Yorkais, rien de tel que de louer un vélo à l'heure (quelques heures suffisent à faire le tour complet et même une petite sieste à l'ombre d'un arbre). La boutique se trouve tout près de l'entrée du parc, à deux blocs au sud de Colombus Circle près de 9th Ave.

...> *Réductions pour ceux qui font leur location sur Internet (vélo/tandem 14/38 $ pour 2 h).*

348 West 57th St • Ⓜ 1, A, C, B, D 59th St-Columbus Circle ; N, Q, R 57th St-7th Ave ; B, D, E 7th Ave-53rd St • 212-664 9600 • www.bikerentalcentralpark.com • tlj 7h30-minuit

23. 24.

24. B&H PHOTO VIDEO

VERY CHEAP

MATÉRIEL PHOTO ET VIDÉO

La plus grande boutique de matériel photo et vidéo (à l'exception des chaînes) et l'une des plus fiables : le personnel de B&H ne raconte pas d'histoire et on peut se laisser conseiller les yeux fermés. C'est ici que les professionnels achètent leur matériel. La boutique vend également du matériel informatique.

...> *Le propriétaire et tous ses employés sont des juifs ultra-orthodoxes : l'établissement est donc fermé le samedi et tous les jours de fête – consultez le site Internet avant de passer.*

420 9th Ave-34th St
Ⓜ A, C, E 34th St-Penn Station ;
1, 2, 3 34th St-Penn Station • 212-444 5000 • www.bhphotovideo.com
lun-jeu 9h-19h, ven 9h-13h,
dim 10h-17h

25. CLOTHINGLINE

STOCK

Dans cet immense magasin situé dans “Garment District” (quartier des ateliers de couture) sont organisés chaque semaine des *sample sales*, ventes à prix cassés de modèles d'exposition de créateurs et de collections de prêt-à-porter pour hommes, femmes et enfants des années précédentes (J. Crew, Helmut Lang, Theory, Furla, Jacadi, etc.). Les ventes concernent chaque semaine une marque différente et sont annoncées deux semaines à l'avance sur le site Internet.

...> *Un conseil : inscrivez-vous sur la liste de diffusion avant votre voyage (cela ne prend qu'une minute : seule l'adresse mail est nécessaire).*

261 West 36th St-8th Ave, 2e étage
Ⓜ A, C, E 34th St-Penn Station ;
1, 2, 3 34th St-Penn Station ; PATH 33rd St
www.clothingline.com • lun et mer 10h-18h, mar et jeu 11h-19h, horaires variables selon les ventes

Upper East Side ET LE BRONX

ART ET TRADITION

L'Upper East Side est connu pour ses institutions culturelles et ses boutiques de luxe, mais ce ne sont pas là ses seuls atouts. La Cinquième Avenue (Fifth Ave) rassemble un nombre impressionnant de musées (le Metropolitan, le Guggenheim, la Frick Collection, la Neue Gallery...). Madison Ave est jalonnée de magasins de marques prestigieuses (Prada, Valentino, Gucci...), tandis que Park Ave est une artère résidentielle aux superbes immeubles. Un quartier très huppé s'élève à l'est, avec des commerces de proximité et des appartements. Le Carl Schurz Park, qui donne sur l'East River, est un secret jalousement gardé par les habitants. La résidence du maire, la Gracie Mansion, se trouve également ici.

LE “MUSEUM MILE” : une concentration impressionnante de musées de renommée internationale.
MADISON AVE : une explosion de luxe et de glamour.
YORKVILLE : la zone la plus accessible et authentique du quartier, où ont notamment vécu les Marx Brothers.

ESSENTIELS

FRICK COLLECTION/⊙3 : un hôtel particulier réunissant une étonnante collection, dont trois toiles de Vermeer (détails p. 172).
METROPOLITAN MUSEUM/⊙8 : la meilleure façon de voyager à travers l’histoire de l’art (détails p. 173).
CAFE SABARSKY/18 : dans la Neue Gallery, une évocation de l’Europe du siècle dernier (détails p. 177).
LADY M/19 : le rendez-vous des dames les plus gourmandes du quartier (détails p. 177).

CARL SCHURZ PARK/⊙2 : un des secrets les mieux gardés des habitants du quartier (détails p. 171).
CARLYLE HOTEL/⊙25 : Woody Allen se produit ici tous les lundis à 20h45.
TENDER BUTTONS/21 : une minuscule boutique vendant des milliers de boutons (détails p. 178).
169 EAST 71st ST/⊙26 : le narrateur et l’héroïne de *Petit déjeuner chez Tiffany* vivaient ici.
TERRASSE DU METROPOLITAN MUSEUM/⊙8 : ouverte l’été, elle offre une vue imprenable sur Central Park (détails p. 173).

Visiter
À table
Un peu de shopping
Sortir (voir chapitre spécifique p. 229)
Central Park
East River
5TH AVE
MADISON AVE
PARK AVE
Lexington Ave
3RD AVE
2ND AVE
1ST AVE
York Ave
East End Ave
EAST RIVER DR
E 105th St
E 104th St
103RD ST
E 103rd St
E 102nd St
E 101st St
E 100th St
E 99th St
E 98th St
E 97th St
96TH ST
E 96th St
E 95th St
E 94th St
E 93rd St
E 92nd St
E 91st St
W 91st St
E 90th St
E 89th St
E 88th St
E 87th St
86TH ST
E 86th St
E 85th St
E 84th St
E 83rd St
E 82nd St
E 81st St
E 80th St
E 79st St
E 78th St
77TH ST
E 77th St
E 76th St
E 75th St
E 74th St
E 73rd St
E 72nd St
E 71st St
E 70th St
Vers
N30
N23
N
200 m

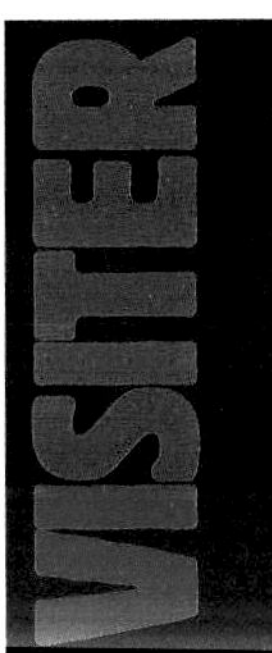

Les œuvres d' art du "Museum Mile" sont un concentré d' histoire de l' humanité et les boutiques de Madison Ave, une vitrine des plus grands stylistes de mode. À l' extrémité est, on découvre un quartier plus modeste et authentique, où ont vécu les Marx Brothers et l' héroïne de "Petit-déjeuner chez Tiffany".

1. ASIA SOCIETY

Fondée en 1956 par le philanthrope John D. Rockefeller III pour aider à la compréhension de l'Asie aux États-Unis, cette organisation à but non lucratif dispose aujourd'hui d'antennes aux quatre coins du monde. Son siège de New York présente la collection d'art asiatique de la famille Rockefeller, et propose un ambitieux programme de manifestations visant à faire connaître les réalités économiques, culturelles et sociales des pays d'Asie.

···› ***L'entrée est gratuite le vendredi entre 18h et 21h.***

725 Park Ave, à hauteur de 70th St
Ⓜ 6 68th St-Hunter College • 212-288 6400
www.asiasociety.org • mar-jeu et sam-dim 11h-18h, ven 11h-21h, été 11h-18h mar-dim • **adulte/senior/étudiant 10/7/5 $, -16 ans gratuit**

2. CARL SCHURZ PARK

Un parc idéal pour se balader et profiter d'une vue spectaculaire sur l'East River, en particulier à la tombée de la nuit. Pour une raison mystérieuse, les touristes ne viennent pas jusqu'ici et on n'y croise que des joggeurs et des riverains promenant leurs chiens. C'est ici qu'a été tournée la scène de bagarre dans le film de Spike Lee, *La 25e heure*.

···› ***Gracie Mansion, la résidence officielle du maire de New York, se cache à l'intérieur du parc. Elle peut se visiter (mer 10h, 11h, 13h et 14h ; adulte/senior 7/4 $) à condition de réserver par téléphone (311 depuis New York).***

East 86th St • Ⓜ 4, 5, 6 86th St-Lexington Ave
212-459 4455 • www.carlschurzparknyc.org

3. FRICK COLLECTION

VERY CHIC

Dans un hôtel particulier où vivait autrefois le multimillionnaire et philanthrope Henry Clay Frick, ce musée intimiste réunit un nombre important d'œuvres d'art, réparties dans 16 salles. L'endroit mérite une visite ne serait-ce que pour admirer les trois magnifiques Vermeer de la collection, l'ensemble de toiles illustrant *Les Progrès de l'amour* de Jean-Honoré Fragonard, et *Saint Jean l'Évangéliste* de Piero della Francesca.

··· *Au hasard des différentes salles, on découvrira des œuvres de Goya, le Greco, Velázquez, John Constable, Rembrandt, Renoir, Titien...*

1 E 70th St, près de 5th Ave
Ⓜ 6 68th St-Hunter College
212-288 0700 • www.frick.org
mar-sam 10h-18h, dim 11h-17h
adulte/senior/étudiant 18/12/5 $

4. COOPER-HEWITT, NATIONAL DESIGN MUSEUM

Ce musée est logé dans l'ancienne demeure du multimillionnaire et philanthrope Andrew Carnegie et est affilié à la prestigieuse Smithsonian Institution. Il s'agit de l'unique musée des États-Unis consacré exclusivement à l'évolution du design. Il est incontournable pour quiconque s'intéresse à l'architecture, au design industriel, à la joaillerie et au textile.

··· *Après avoir parcouru les 64 pièces de cet hôtel particulier de 1901, on peut faire un tour dans le jardin.*

2 E 91st St, à hauteur de 5th Ave • Ⓜ 6 96th St
212-849 8400 • www.cooperhewitt.org
lun-ven 10h-17h, sam 10h-18h, dim 12h-18h, été
lun-jeu 10h-17h, ven 10h-21h, sam 10h-18h, dim 12h-18h
adulte/étudiant et senior 15/10 $, -12 ans gratuit

5. EL MUSEO DEL BARRIO

VERY CHEAP

Ce musée fut fondé en 1969, en réaction contre le peu d'intérêt que les principales institutions culturelles prêtaient aux artistes latino-américains présents dans le pays. Son histoire est intimement liée au mouvement de défense des droits civils et au "Nuyorican", un courant en faveur de la promotion de la création artistique des New-Yorkais d'origine portoricaine. Aujourd'hui, sa collection compte plus de 6 500 objets d'Amérique latine, des Caraïbes et des communautés hispaniques des États-Unis.

1230 5th Ave, à hauteur de 104th St • Ⓜ 6 103rd St • 212-831 7272 • www.elmuseo.org
mar-dim 11h-18h • **adulte/étudiant 6/4 $, -12 ans gratuit**

6. GALERIES D'ART

Non loin du quartier des musées, une poignée de galeries méritent une visite. Par exemple, Gagosian (980 Madison Ave), Jane Kahan (922 Madison Ave, 2e ét.) et Jack Tilton Gallery (8 E 76th St). Cette dernière organise des conférences très intéressantes (attention : même si elle est ouverte au public, il est préférable d'appeler pour prendre rendez-vous).

Ⓜ 6 77th St
Gagosian : www.gagosian.com
212-744 2313 • mar-sam 10h-18h
Jane Kahan : www.janekahan.com
212-744 1490 • mar-sam 10h-18h, été lun-ven 11h-17h
Jack Tilton Gallery : www.jacktiltongallery.com • 212-737 2221
mar-sam 10h-18h

7. JEWISH MUSEUM

Avec plus de 26 000 pièces (peintures, sculptures et objets divers), ce musée d'art juif est le plus important des États-Unis (et sans doute aussi du monde en dehors d'Israël). Il présente des œuvres de Marc Chagall, George Segal, Eleanor Antin et Deborah Kass, et retrace l'évolution de la culture et de l'art juifs de l'Antiquité à nos jours, à travers des expositions temporaires et des activités éducatives.

...› *Le samedi, c'est gratuit.*

1109 5th Ave, à hauteur de 92nd St • Ⓜ 6 96th St
212-423 3200 • www. thejewishmuseum.org
sam-mar et jeu 11h-17h45, ven 11h-16h
adulte/senior/étudiant 12/10/7,50 $, -12 ans gratuit

8. METROPOLITAN MUSEUM OF ART

Le "Met" abrite plus de deux millions d'œuvres. L'espace actuel, fruit de plusieurs agrandissements, possède une superficie 20 fois supérieure à celle du bâtiment d'origine, inauguré en 1880. La galerie consacrée à l'art égyptien n'a d'égal que ce qu'on peut trouver au Caire. La collection de peinture européenne est impressionnante, tout comme l'aile dédiée à l'art moderne et à la peinture américaine.

Le musée compte également des cafés très agréables : le Great Hall Balcony at the Met, en surplomb du hall principal, est un piano-bar idéal où siroter une coupe de champagne. La terrasse du musée (The Iris and B. Gerald Cantor Roof Garden), ouverte de mai à octobre, offre, quant à elle, une vue magnifique sur Central Park. On y accède par les ascenseurs situés dans l'aile sud-est du rez-de-chaussée (à côté des salles consacrées à l'art du XXe siècle).

...› *L'entrée au Met n'est pas vraiment gratuite. Elle se fait sur don – fortement – recommandé ; certains New-Yorkais n'y viennent que pour admirer une seule salle ou une seule œuvre et déboursent alors entre 2 $ et 5 $.*

1000 5th Ave, à hauteur de 82nd St • Ⓜ 4, 5, 6 86th St • 212-535 7710
www.metmuseum.org • mar-jeu et dim 9h30-17h15, ven-sam 9h30-20h45
don recommandé adulte/senior/étudiant 20/15/10 $

9. MUSEUM OF THE CITY OF NEW YORK

À mi-chemin entre une galerie d'art et un musée d'histoire, la collection permanente de cette institution renferme des peintures, des costumes, des meubles, des jouets, des cartes, des livres et des manuscrits. Le fonds photographique est particulièrement intéressant, avec des travaux d'artistes aussi prestigieux que Jacob Riis et Berenice Abbott, et des témoignages d'une grande valeur historique sur la Grande Dépression.

1220 5th Ave, à hauteur de 103rd St
Ⓜ 6 103rd St • 212-534 1672
www.mcny.org • mar-dim 10h-17h
famille/adulte/senior et étudiant 20/10/6 $, -12 ans gratuit

10. SOLOMON R. GUGGENHEIM MUSEUM

Fondé par l'homme d'affaires, collectionneur et philanthrope Solomon R. Guggenheim, ce musée est consacré à l'art impressionniste, postimpressionniste, moderne et contemporain. Il réunit des œuvres de Wassily Kandinsky, Piet Mondrian, Marc Chagall, Robert Delaunay, Fernand Léger, Amedeo Modigliani et Pablo Picasso.

...› *L'édifice, conçu par le génial Frank Lloyd Wright, est tout aussi intéressant que les peintures qu'il renferme.*

1071 5th Ave à hauteur 89th St
Ⓜ 4, 5, 6 86th St • 212-423 3500
www.guggenheim.org • dim-mer et ven 10h-17h45, sam 10h-19h45
adulte/étudiant et senior 18/15 $, -12 ans gratuit

VERY CHIC

11. NEUE GALLERY

Vitrine de l'art autrichien et allemand de la première moitié du XXe siècle, ce musée organise d'intéressantes expositions temporaires. Le 2e étage est dédié à d'importants artistes autrichiens (Gustav Klimt, Egon Schiele, Oskar Kokoschka, Richard Gerstl et Alfred Kubin), tandis que le 3e étage réunit des artistes allemands de différents courants (Wassily Kandinsky, August Macke, Franz Marc, Paul Klee, Otto Dix, Marcel Breuer, Ludwig Mies van der Rohe, entre autres).

1048 5th Ave, à hauteur de 86th St • Ⓜ 4, 5, 6 86th St • 212-628 6200
www.neuegalerie.org • jeu-lun 11h-18h • **adulte/étudiant et senior 15/10 $**
entrée interdite aux -12 ans et aux 12-16 ans non accompagnés

12. TÉLÉPHÉRIQUE DE ROOSEVELT ISLAND

Rouvert en novembre 2010, le téléphérique qui relie l'Upper East Side à Roosevelt Island permet, pour un prix très modique, de profiter pendant 3 minutes d'une vue spectaculaire sur la ville. Les visiteurs désireux de partir à la découverte de cette curieuse île-dortoir trouveront un autobus à leur arrivée (0,25 $). Jusqu'en 1828, l'île s'appelait Blackwell's Island, du nom de la famille de fermiers à laquelle elle appartenait. La ville racheta le terrain pour y construire des hôpitaux et, plus tard, des logements pour 10 000 personnes.

Roosevelt Island Tramway • Tram Plaza, 59th St, à hauteur de 2nd Ave
Ⓜ 4, 5, 6 59th St ; N, R, W Lexington Ave-59th St • www.rioc.com • lun-ven 6h-2h30, sam-dim 6h-3h30 • **aller/aller-retour 2,25/4 $ (MetroCard acceptée)**

13. WHITNEY MUSEUM OF AMERICAN ART

Fondé par Gertrude Vanderbilt Whitney, ce musée, construit par l'architecte d'origine hongroise Marcel Breuer, est spécialisé dans l'art américain actuel et du XXe siècle. Il présente 18 000 œuvres sur divers supports et organise une biennale très prisée et très médiatique avec de jeunes artistes plus méconnus.

Le Whitney ouvrira en 2015 une annexe sur Gansevoort St (juste à côté de l'entrée de la High Line). Les travaux doivent commencer à la mi-2011, sous la houlette de l'architecte Renzo Piano.

945 Madison Ave, à hauteur de 75th St • Ⓜ 6 77th St • 212-570 3600
www.whitney.org • mer-jeu et sam-dim 11h-18h, ven 13h-21h
adulte/étudiant, 19-25 ans et senior 18/12 $, -18 ans gratuit

À TABLE !

14. ANDRE'S CAFÉ

HONGROIS

Cette boulangerie doublée d'un restaurant est un établissement authentique, fréquenté par plusieurs générations de New-Yorkais. Au dire de tous, il vend les meilleurs strudels de la ville. Le strudel à la pomme et celui à la ricotta sont un régal, mais la véritable pépite de la maison est le strudel au chou (5 $).

L'écrivaine Nora Ephron, également connue pour ses chroniques gastronomiques, affirme que seul le strudel au chou du Andre´s Cafe parvient à lui rappeler les saveurs de son enfance.

1631 2nd Ave, entre 84th St et 85th St • Ⓜ 4, 5, 6 86th St • 212-327 1105
www.andrescafeny.com • tlj 9h-23h

15. KING'S CARRIAGE HOUSE

AMÉRICAIN

Ce restaurant est logé dans un ancien garage de voitures. La déco avec des scènes de chasse aux murs et de la vaisselle d'époque lui confère une ambiance rustique, très "Nouvelle-Angleterre". La cuisine est à l'image des lieux : très traditionnelle, avec de nombreux plats typiques de la région du Maine.

Menu midi et brunch à 25 $; menu soir à 45 $. Également ouvert à l'heure du thé (15h-17h). Réservation conseillée.

251 E 82nd St, près de 2nd Ave
Ⓜ 6 77th St ; 4, 5, 6 86th St • 212-734 5490
www.kingscarriagehouse.com
tlj 10h30-21h

16. LUKE'S TASTE OF MAINE

FRUITS DE MER

Faute de louer une voiture pour partir à la découverte du Maine, on peut déguster les spécialités de cet État dans ce restaurant de Manhattan. Les plats, simples et sans prétention, mettent à l'honneur la langouste, les crevettes et le crabe.

Les soupes de fruits de mer sont un délice (7-9 $) et les rouleaux de langouste (14 $), un classique de la maison.

242 E 81st St, entre 2nd Ave et 3rd Ave
Ⓜ 6 77th St ; 4, 5, 6 86th St
212-249 4241 • www.lukeslobster.com
lun-jeu et dim 11h-22h,
ven-sam 11h-23h

17. YURA ON MADISON

SNACK

Ce charmant établissement disposant de six petites tables propose des plats préparés savoureux et équilibrés, avec un large choix de salades, viandes et poissons. L'ambiance est décontractée mais la clientèle assez huppée : petites filles en uniforme venant acheter leur goûter après l'école, élégantes dames de l'Upper East savourant des pâtisseries, jeunes femmes oisives dégustant une délicieuse salade (7 $), et parents faisant le plein de plats à emporter avant de partir en week-end dans les Hamptons.

···› ***Les œufs sont préparés à la demande, au goût du client.***

1292 Madison Ave, à hauteur de 92nd St • Ⓜ 6 96th St • 212-860 1707
www.yuraonmadison.com • lun-ven 6h30-20h, sam-dim 7h-17h

18. CAFE SABARSKY AT THE NEUE GALERIE

VERY CHIC

SALON DE THÉ

Un salon de thé d'Europe centrale en plein cœur de New York, qui rappelle l'ambiance des romans de Sándor Márai situés dans la Hongrie d'avant la Seconde Guerre mondiale. Le musée abrite un autre établissement, le Café Fledermaus, qui doit son nom à l'opérette de Johann Strauss et offre une décoration tout aussi soignée.

···› ***À goûter absolument : un café accompagné d'un strudel aux pommes (8 $ environ).***

1048 5th Ave, à hauteur de 86th St • Ⓜ 4, 5, 6 86th St • 212-628 6200 • www.cafesabarsky.com
lun-mer 9h-18h, jeu-dim 9h-21h

19. LADY M

VERY CHIC

SALON DE THÉ

Dans ce salon de thé BCBG, on peut prendre place à l'une des six tables et commander une part de Mille Crêpes (8 $; également en vente dans les établissements de la chaîne Dean and Deluca), la spécialité de la maison. Le gâteau au chocolat et celui à la mousse de potiron sont tout aussi recommandables.

···› ***À savoir : l'endroit n'est pas adapté aux groupes de plus de 4 personnes ni aux enfants qui risqueraient de casser les assiettes en porcelaine de Limoges.***

41 East 78th St, à hauteur Madison Ave
Ⓜ 6 77th St • 212-452 2222 • www.ladymconfections.com • lun-ven 10h-19h, sam 11h-19h, dim 11h-18h

20. RAISING ROVER AND BABY

MODE BÉBÉS ET MODE CANINE

Que beaucoup de New-Yorkais considèrent leurs chiens comme leurs propres enfants n'est pas une nouveauté, et nombreuses sont les boutiques à s'être engouffrées dans la brèche en proposant vêtements et produits de beauté canins. L'originalité de cette enseigne réside dans le fait de proposer des vêtements identiques (mais de forme différente !) pour les chiens *et* les bébés. T-shirts, manteaux, sacs à dos, chaussures, savons et montagnes de jouets en caoutchouc feront le bonheur des têtes blondes et de leurs compagnons à quatre pattes.

1428 Lexington Ave, à hauteur de 93rd St • Ⓜ 6 96th St • 212-987 7683
www.raisingroverltd.com • tlj 11h-19h

21. TENDER BUTTONS

MERCERIE

Cette adorable petite boutique de boutons doit son nom au titre d'un essai de l'écrivaine et féministe américaine Gertrude Stein, *Tendres Boutons*. Véritable caverne d'Ali Baba, on y trouve de tout : boutons design, boutons du XVIIIe siècle, boutons de contrées lointaines, boutons aux formes originales, boutons de maîtres artisans, boutons en plastique, en porcelaine, en bois...

L'endroit idéal pour dénicher des boutons pas toujours pratiques mais tellement jolis !

143 E 62nd St, à hauteur de Lexington Ave
Ⓜ N, Q, R Lexington Ave-59th St ; 4, 5, 6 59th St ; F Lexington Ave-63rd St
212-758 7004 • http://tenderbuttons-nyc.com • lun-ven 10h30-18h, sam 10h30-17h30

22. J. CREW BRIDAL BOUTIQUE

ROBES DE MARIÉE ET ACCESSOIRES

Les inconditionnelles de la marque sont aux anges : désormais, elles peuvent aussi s'habiller en J. Crew le jour de leur mariage ! Les vêtements et accessoires proposés dans cette spacieuse boutique s'inscrivent dans le même esprit chic et décontracté des autres collections, mais les prix sont nettement plus élevés.

...› *La majorité des vêtement peuvent être portés pour d'autres occasions qu'un mariage.*

769 Madison Ave, à hauteur de 66th St • Ⓜ 6 68th St-Hunter College ; F Lexington Ave-63rd St • 212-824 2500 • www.jcrew.com • lun-ven 10h-19h, sam 10h-18h, dim 12h-17h

24.

23. DONNA KARAN NEW YORK

MODE FEMMES ET ENFANTS

Le magasin historique de Donna Karan, figure emblématique de la mode new-yorkaise, présente sur trois étages les créations urbaines, modernes et pleines d'élégance de la styliste qui a donné naissance au parfum 212 (l'indicatif téléphonique le plus prisé de Manhattan) : vêtements, chaussures, sacs, parfums et objets divers (bougies, ours en peluche...). Même si le 3e étage propose des articles à prix réduits toute l'année, les soldes les plus spectaculaires ont lieu en mai et en décembre.

819 Madison Ave, à hauteur de 68th St
Ⓜ 6 68th St-Hunter College
212-861 1001 • www.donnakaran.com
lun-mer et ven-sam 10h-18h,
jeu 10h-19h, dim 12h-17h

24. VOSGES HAUT-CHOCOLAT

VERY CHIC

CHOCOLATS

Cette élégante chaîne de chocolatiers a été créée par une audacieuse cuisinière de Chicago, qui s'est formée à Paris, dans une douzaine d'établissements en Asie et auprès de Ferran Adrià, dans son restaurant El Bulli. La tablette de chocolat au bacon est le produit phare de la maison. Un régal pour les papilles, à la portée de toutes les bourses (7 $ la tablette).

...› *D'étonnant mélanges à tester : au piment, aux fleurs, au bacon...*

1100 Madison Ave, près de 83rd St
Ⓜ 4, 5, 6 86th St • 212-717 2929
www.vosgeschocolate.com
lun-ven 9h30-20h, sam-dim 10h-20h

LE BRONX

YANKEES ET "HIP-HOP"

Le Bronx est le district septentrional de New York. C'est ici que l'on trouve le Yankee Stadium et les célèbres jardins zoologique et botanique. La population y est multiethnique, mais c'est les composantes hispanique et afro-américaine qui dominent. Un siècle plus tôt, les communautés juive, irlandaise et italienne avaient créé ici un quartier de classe moyenne, qui est entré en déshérence dans les décennies 1960 et 1970 avec une hausse du nombre de délinquants et de marginaux. Ces dernières années, les loyers moins élevés des appartements et des lofts et l'amélioration des lignes de métro ont attiré de Manhattan de jeunes artistes et des familles.

1. NEW YORK BOTANICAL GARDEN

Ce jardin botanique de près de 100 ha a plus d'un siècle d'existence et fait partie du patrimoine national. Il reçoit environ un million de visiteurs par an dans ses jardins, ateliers et conférences scientifiques. Il s'agit en fait de 50 jardins différents et il faut se perdre dans les 20 ha de forêt vierge originelle pour comprendre à quoi ressemblait New York avant les gratte-ciel. Bien que ce jardin soit situé au nord du zoo du Bronx, il ne faut pas espérer visiter les deux lieux le même jour, c'est impossible.

···› ***Entrée libre les mercredi et samedi entre 10h et 12h.***

Bronx River Pkwy, à hauteur de Fordham Rd • Ⓜ 4, B, D Kingsbridge Rd 718-817 8700 • www.nybg.org adulte/étudiant et senior/enfant 6/3/1 $

2. ZOO DU BRONX

Ce zoo urbain plus que centenaire est le plus vaste et le plus ancien du pays. Sur un terrain d'environ 100 ha a été récréée un grande diversité d'habitats, qui accueille plus de 4 000 animaux, dont certaines espèces en voie d'extinction. Idéal pour des visites en famille avec les enfants : les balades à dos de dromadaire (6 $ de plus) et la contemplation des chauves-souris sont les activités préférées des petits, qui pourront aussi voir de près les tigres, les lions, les zèbres, les girafes, les rhinocéros, les singes, et quantité d'oiseaux et de papillons.

···› ***Le mercredi, entrée sur don.***

Entrées : Bronx Park, Bronx River Pkwy, Fordham Rd, Crotona Pkwy Ⓜ 5, 2 West Farms Sq-E Tremont Ave ou bus BxM11 • 718-367 1010 www.bronxzoo.com • avr-oct lun-ven 10h-17h sam-dim 10h-17h30, nov-mars tlj 10h-16h30 • **adulte/senior/3-12 ans 16/14/12 $, -3 ans gratuit**

3. CITY ISLAND

Cet îlot de pêcheurs de 2,4 km de longueur, relié au continent par un pont suspendu, fait mentir l'image du Bronx avec ses paysages qui évoquent la Nouvelle-Angleterre. L'île a effectivment été colonisée par les Anglais en 1685 ; elle est célèbre pour ses maisons victoriennes, ses restaurants de fruits de mer, ses clubs nautiques et son unique avenue commerçante, City Island Ave. C'est une destination de choix pour les amateurs d'activités sous-marines, de pêche ou de voile.

→ *Pour de plus amples informations, il faut contacter la chambre de commerce de City Island (718-885 9100 ; www.cityislandchamber.org).*

Ⓜ 6 Pelham Bay Park (terminus), puis bus Bx29

LES NEW YORK YANKEES

Aller au Yankee Stadium pour voir jouer les Yankees est une expérience très américaine. Le baseball est l'un des sports les plus populaires des États-Unis : bien que taper sur une balle avec un bâton soit une pratique qui remonte aux origines de l'humanité, une légende plus que contestable en confère la paternité à Abner Doubleday, officier de l'Armée confédérée pendant la guerre de Sécession, qui aurait inventé le jeu à Cooperstown (New York) en 1839. Dans ce village minuscule, on peut visiter le Mémorial et le Musée national du Baseball.

Les New York Yankees constituent l'équipe du Bronx et les Mets, de Flushing Meadows, celle de Queens. Les deux équipes ont récemment changé de stade. Les supporters des New York Yankees soutiennent que les Mets sont une équipe de jeunes blancs-becs qui n'arriveront jamais à la hauteur des grands noms qui ont fait la renommée de l'équipe historique (Babe Ruth, Lou Gehrig, Joe DiMaggio, Mickey Mantle y Yogi Berra). Le véritable rival de l'orgueilleuse équipe du Bronx est celle des Boston Red Sox.

En réalité, Yogi Berra a joué et a entraîné les Yankees comme les Mets. Yogi est réputé pour ses reparties pleines d'humour, ses bourdes et sa sagesse. Voici quelques-unes de ses célèbres affirmations : "Le baseball, c'est à 90 % du mental, l'autre moitié c'est le physique." ; "Assiste toujours à l'enterrement des autres, sinon ils ne viendront pas au tien."

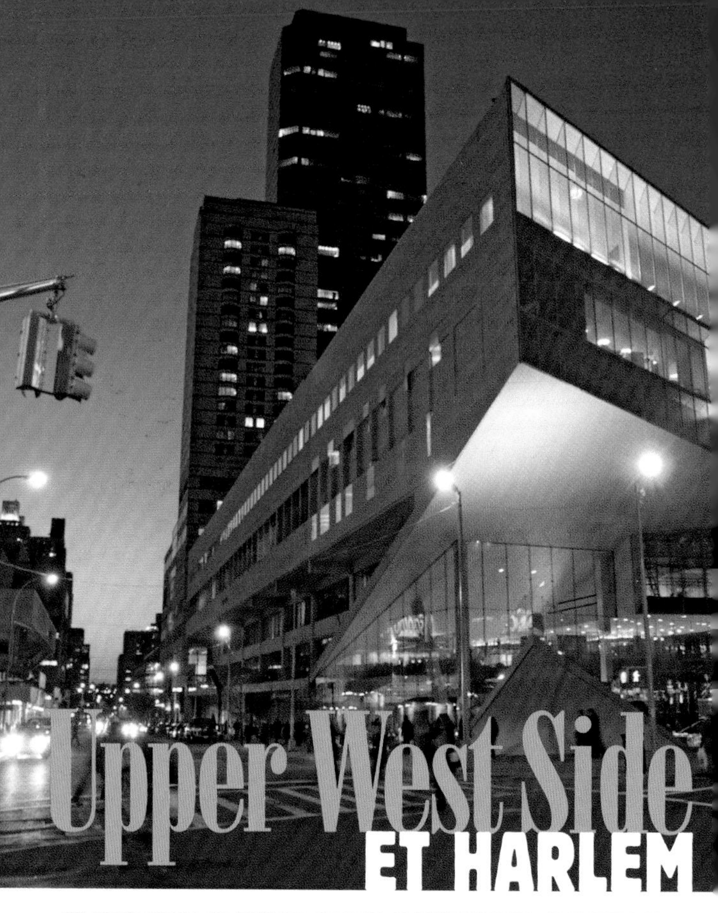

Upper West Side ET HARLEM

MUSIQUE ET NEURONES

L'Upper West Side, à l'ouest de Central Park, est considéré comme un moteur intellectuel et artistique pour la ville. C'est ici que que se trouve le Lincoln Center à la programmation ambitieuse, et que résident beaucoup de musiciens, d'écrivains et d'artistes. Le quartier réunit également des édifices mythiques, comme l'immeuble Dakota, l'American National Museum, les meilleurs supermarchés et de fameuses boutiques gourmets telles que Zabar's (2245 Broadway), Fairway (2127 Broadway), Murray's Sturgeon Shop (2429 Broadway) et Monks (2880 Broadway).

REPÈRES

CRÉATION THÉÂTRALE : Lincoln Center (détails p. 187)
IMMEUBLES EMBLÉMATIQUES : sur Broadway Ave et Central Park West
VIE ÉTUDIANTE : campus de la Columbia University (détails p. 188)
SUPERMARCHÉS GOURMETS : Zabar's et Fairway, à Broadway (détails p. 182)

ESSENTIELS

AMERICAN MUSEUM OF NATURAL HISTORY/⊙1 : pour se gaver de sciences naturelles et contempler l'univers (détails p. 186).
BARNEY GREENGRASS/11 : un *deli* absolument incontournable (détails p. 190).
IMMEUBLE DAKOTA/⊙3 : l'immeuble où John Lennon a vécu et a été assassiné (détails p. 187).

Confidentiels

JAZZ AU LINCOLN CENTER/⊙8 : caché au sommet du Time Warner Center (détails p. 238).
RIVERSIDE PARK/⊙6 : une balade reposante ponctuée de découvertes (détails p. 188).
MOBAR/21 : le bar du Mandarin Oriental n'est pas réservé qu'aux clients de l'hôtel (détails p. 193).
DINER MONKS/28 : pour les inconditionnels de la série *Seinfeld* (2880 Broadway).

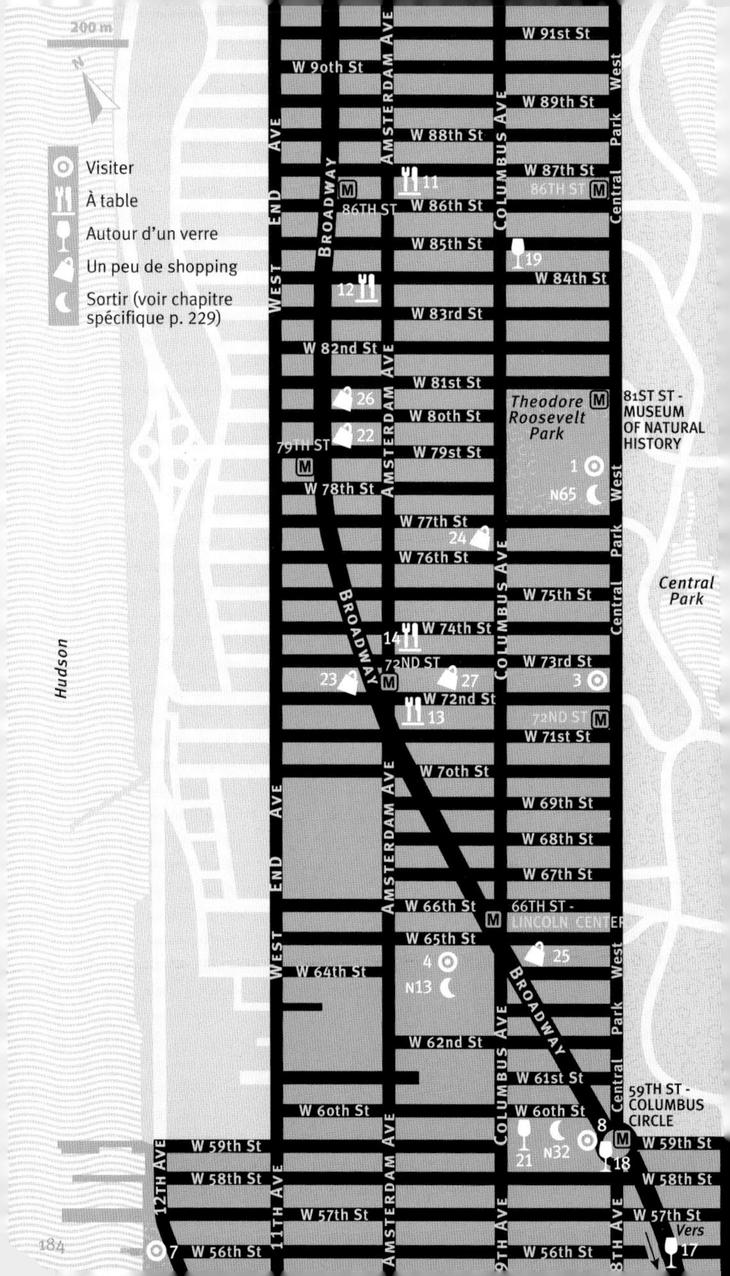

200 m

N

- Visiter
- À table
- Autour d'un verre
- Un peu de shopping
- Sortir (voir chapitre spécifique p. 229)

W 91st St
W 90th St
W 89th St
W 88th St
W 87th St
86TH ST
W 86th St
W 85th St
W 84th St
W 83rd St
W 82nd St
W 81st St
W 80th St
79TH ST
W 79st St
W 78th St
W 77th St
W 76th St
W 75th St
W 74th St
72ND ST
W 73rd St
W 72nd St
72ND ST
W 71st St
W 70th St
W 69th St
W 68th St
W 67th St
66TH ST - LINCOLN CENTER
W 66th St
W 65th St
W 64th St
W 62nd St
W 61st St
W 60th St
59TH ST - COLUMBUS CIRCLE
W 59th St
W 58th St
W 57th St
W 56th St

WEST END AVE
BROADWAY
AMSTERDAM AVE
COLUMBUS AVE
Central Park West
12TH AVE
11TH AVE
9TH AVE
8TH AVE

Theodore Roosevelt Park
81ST ST - MUSEUM OF NATURAL HISTORY
Central Park
Hudson

1, 3, 4, 7, 8, 11, 12, 13, 14, 17, 18, 19, 21, 22, 23, 24, 25, 26, 27, N13, N32, N65

Vers

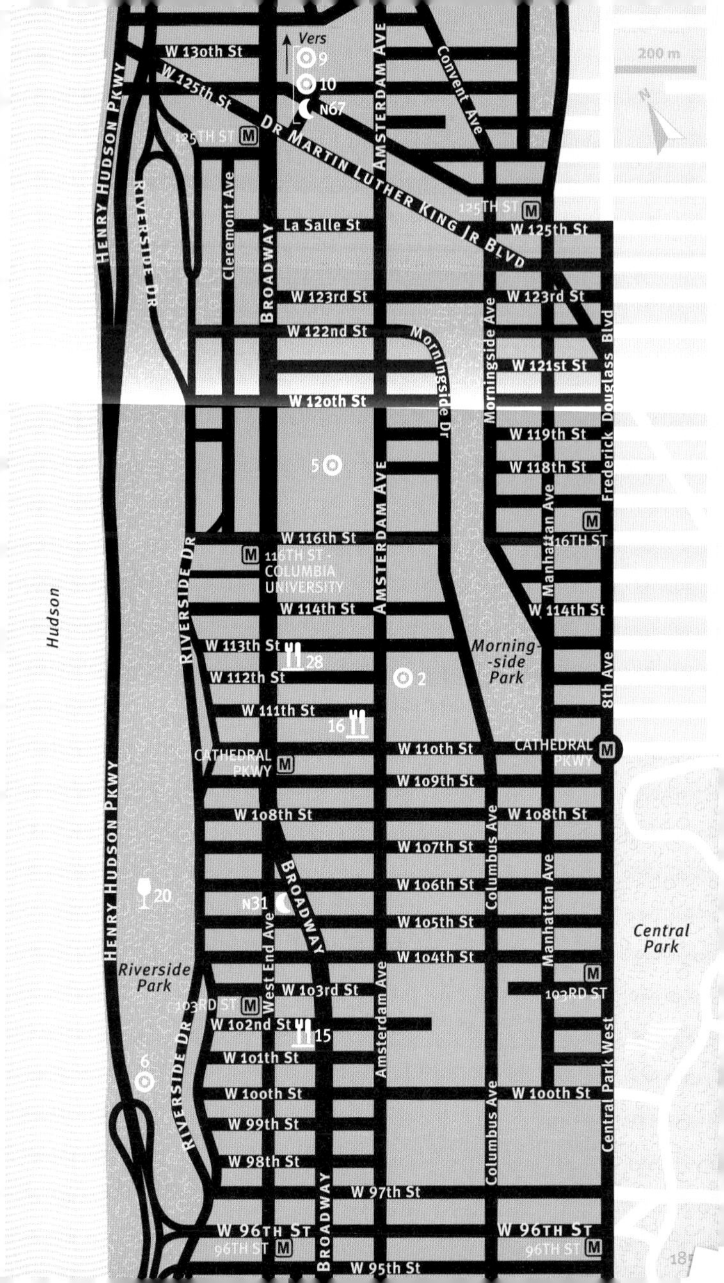

Vers
9
10
N67
200 m
N
W 130th St
W 125th St
Dr Martin Luther King Jr Blvd
Convent Ave
Amsterdam Ave
125TH ST
Henry Hudson Pkwy
Riverside Dr
Claremont Ave
Broadway
La Salle St
125TH ST
W 125th St
W 123rd St
W 123rd St
W 122nd St
Morningside Dr
Morningside Ave
W 121st St
Frederick Douglass Blvd
W 120th St
W 119th St
W 118th St
5
W 116th St
116TH ST
116TH ST - COLUMBIA UNIVERSITY
Manhattan Ave
W 114th St
W 114th St
Hudson
W 113th St
28
Morning-side Park
W 112th St
2
8th Ave
W 111th St
16
CATHEDRAL PKWY
W 110th St
CATHEDRAL PKWY
W 109th St
W 108th St
W 108th St
Columbus Ave
W 107th St
W 106th St
20
N31
W 105th St
Central Park
W 104th St
West End Ave
Riverside Park
W 103rd St
103RD ST
103RD ST
W 102nd St
15
W 101st St
6
Central Park West
W 100th St
W 100th St
W 99th St
W 98th St
W 97th St
W 96th St
W 96th St
96TH ST
96TH ST
W 95th St

VISITER

L' Upper West Side est réputé pour son exceptionnelle concentration de neurones. Une balade à Broadway commence au Lincoln Center et s' achève sur le campus de Columbia University. La concentration de névroses est aussi notoire : de nombreux films de Woody Allen et la série Seinfeld ont été tournés dans ce quartier.

1. AMERICAN MUSEUM OF NATURAL HISTORY

Le fonds impressionnant (plus de 30 millions de pièces) du musée, mis en valeur par une présentation didactique et interactive, ne peut que laisser admiratif. Les trois salles consacrées aux dinosaures sont dans nos imaginaires depuis toujours grâce au cinéma. Une visite à faire avec les enfants, mais aussi vivement recommandée aux adultes.

→ *Le planétarium (Rose Center for Earth & Space) est un lieu magique, et particulièrement la nuit, quand il est tout illuminé.*

79th St, à hauteur de Central Park West • Ⓜ B, C 81st St-Museum of Natural History ; 1 79th St • 212-769 5100 • www.amnh.org • tlj 10h-17h45
don suggéré adulte/étudiant et senior/enfant 15/11/8,50 $

2. CATHEDRAL CHURCH OF ST JOHN THE DIVINE

C'est le plus grand lieu de culte des États-Unis et le troisième du monde. Haute de 183 m, cette cathédrale épiscopale possède en outre un beau jardin, le Biblical Garden, où l'on peut assister à des concerts de qualité.

→ ***Essayez de faire coïncider votre visite avec le jour de la bénédiction des animaux (1er dim d'octobre) ou celui de la bénédiction des bicyclettes (1er mai).***

1047 Amsterdam Ave, à hauteur de 112th St
Ⓜ 1 Cathedral Pkwy-110th St • 212-316 7490
www.stjohndivine.org • tlj 7h-18h

3. IMMEUBLES MYTHIQUES

Dans ce quartier se concentrent quelques immeubles d'habitation mythiques comme le **Dakota** (72nd St-Central Park West), où a vécu John Lennon et où il fut assassiné le 8 décembre 1980, ou encore le **San Remo** (145 Central Park West), le **Dorado** (300 Central Park West), le **Beresford** (211 Central Park West), l'**Ansonia** (2109 Broadway), l'**Apthorp** (Broadway-78th St), le **Belnord** (West 86th St), le **Dorilton** (171 West 71st St), l'**Astor Court Building** (Broadway-89th St) et le **Cornwall** (255 West 90th St).

VERY CHIC

4. LINCOLN CENTER FOR THE PERFORMING ARTS

Ce temple des arts de la scène, qui a récemment été agrandi – le résultat est spectaculaire – est constitué de plusieurs espaces consacrés à diverses programmations : ballet, opéra, théâtre, concerts et cinéma. Dans le hall du Metropolitan Opera House, on peut admirer deux peintures murales de Marc Chagall. L'Avery Fisher Hall est le siège permanent du New York Philarmonic. L'ensemble accueille également les compagnies de danse du New York City Ballet et de l'American Ballet, ainsi que la prestigieuse Juilliard School.

70 Lincoln Center Pl, à hauteur de 62nd St
Ⓜ 1 66th St-Lincoln Center ; 1, A, B, C, D 59th St-Columbus Circle • 212-875 5030 • www.lincolncenter.org

5. COLUMBIA UNIVERSITY

Le campus de cette prestigieuse université a été transféré de Lower Manhattan à Morningside Heights en 1897. Il occupe actuellement un espace compris entre 114th St et 121st St, mais il grignote du terrain et a installé des annexes dans les rues situées à l'extrême nord. Lors d'une balade sur le campus, profitez-en pour observer les bâtiments, vous reposer sur l'esplanade centrale et faire des emplettes dans les librairies de l'université.

Broadway, à hauteur de 116th St • Ⓜ 1 116th St-Columbia University
212-854 1754 • www.columbia.edu

6. RIVERSIDE PARK

Encore un merveilleux espace vert près de l'Hudson, qui se prête aux balades (beau point de vue pour le coucher du soleil), à la course à pied et au vélo. Il y a quelques années, le parc commençait au niveau de 72nd St. Donald Trump, qui souhaitait faire construire un quartier entier entre 59th St et l'entrée du parc, dut céder en contrepartie – sous la pression des habitants du quartier – l'espace situé sur les berges de l'Hudson, rallongeant ainsi l'étendue du parc. L'agréable balade le long de la rivière est pontuée de bancs, de snacks, de terrains de baseball et de basket et d'aires de jeux pour enfants. Remarquez la statue d'Eleanor Roosevelt réalisée par Penelope Jencks.

De 59th St à 125th St, le long de l'Hudson
Ⓜ 1 66th St-Lincoln Center ; 1, A, B, C, D 59th St-Columbus Circle

7. THE NEW YORK CITY DOWNTOWN BOATHOUSE

GRATUIT

Downtown Boathouse est une asso-ciation à but non lucratif qui assure la promotion et la défense de l'Hudson. Dans ce but, elle met des kayaks (individuels et doubles) à disposition de tous ceux qui veulent naviguer sur le fleuve, à partir de la mi-juin et jusqu'à fin août. On peut utiliser les cabines avec vestiaires et les douches, il suffit d'apporter son maillot de bain, un T-shirt et un cadenas.

L'association donne des cours gratuits. Une expérience unique et une façon originale de découvrir la ville !

Pier 96, West Side Hwy, à hauteur de 56th St • Ⓜ 1, A, B, C, D 59th St-Columbus Circle • www.downtownboathouse.org
sam-dim 9h-18h

8. TIME WARNER CENTER

Les deux tours épurées du Time Warner Center, conçues par le cabinet d'architecture Skidmore, Owings & Merrill, abritent un centre commercial, des appartements, l'hôtel Mandarin Oriental, des bureaux de CNN et Jazz at Lincoln Center, une antenne du Lincoln Center (voir p. 187). William Sonoma (cuisine), Aveda (produits de beauté naturels), Bouchon Bakery (pâtisserie) et New York Running Compagny (vêtements et articles de sport) font partie des boutiques que l'on peut trouver sur place.

Le supermarché Whole Foods, au sous-sol, possède un rayon d'alimentation bio, parfait pour un pique-nique à Central Park.

10 Columbus Circle, à hauteur de 59th St • 1, A, B, C, D 59th St-Columbus Circle • 212-484 8000 • www.shopsatcolumbuscircle.com • tlj 10h-22h

9. INWOOD, THE CLOISTERS

Cette annexe du Metropolitan Museum (voir p. 173) est située sur 190th St, à 20 minutes en métro de l'Upper West Side, ce qui explique qu'elle soit peu visitée par les touristes. Le musée des Cloîtres abrite des pièces provenant de monastères pyrénéens français et la collection de fresques, de tapisseries et de peintures médiévales du Met.

Fort Tryon Park 99 Margaret Corbin Dr, près de Park Dr • A 190th St • 212-923 3700 • www.metmuseum.org/cloisters • mars-oct mar-jeu 9h30-17h15, nov-fév mar-dim 9h30-16h45 • **don suggéré adulte/senior/étudiant 20/15/10 $, -12 ans gratuit**

GRATUIT

10. HISPANIC SOCIETY OF AMERICA

On s'étonne de trouver un musée de style Beaux-Arts aussi impressionnant dans le quartier de Washington Heights. Plus insolite encore : on y entre sans autre formalité qu'un salut au portier (l'entrée est libre) pour admirer des tableaux de Velazquez, Goya, le Greco et Miró. La salle attenante est tout entière occupée par les toiles du peintre espagnol Joaquín Sorolla (1863-1923) composant la fresque *Visión de España*. La collection comprend aussi des tapisseries, des sculptures et des pièces d'art décoratif espagnol, portugais et latino-américain.

Profitez-en pour faire un tour dans le quartier hispanique.

613 West 155th St, près de Broadway • B, D 155th St • 212-926 2234 • www.hispanicsociety.org • mar-sam 10h-16h30, dim 13h-16h • **entrée libre**

À TABLE !

11. BARNEY GREENGRASS

KASHER

Ce *delicatessen* centenaire est l'un des joyaux du quartier. Deux ambiances se présentent à vous : la minuscule salle à manger ou bien les quatres tables de l'épicerie, avec ses poissons fumés, ses *bagels* et autres spécialités juives. Installez-vous à l'une des tables près du comptoir, goûtez l'une des spécialités de la maison, comme les œufs brouillés à l'esturgeon (17 $), accompagnés d'un *bagel* au fromage fondu (*cream cheese*). Pour le dessert, essayez le *rugelagh* (rouleau de pâte feuilletée) au chocolat.

→ ***Un autre deli traditionnel pour acheter du poisson fumé : Murray's Sturgeon Shop (2429 Broadway).***

541 Amsterdam Ave,
près de 86th St • Ⓜ B, C 86th St ;
1 86th St • 212-724 4707
www.barneygreengrass.com
mar-ven 8h30-16h,
sam-dim 8h30-17h

12. CAFE LALO

SNACK

C'est dans cette charmante cafétéria que Nora Ephron a choisi de filmer la rencontre de Meg Ryan et de Tom Hanks dans *Vous avez un message*. Il y a également d'autres raisons d'aller y déjeuner ou y bruncher, à commencer par les délicieuses tortillas et par les innombrables pâtisseries : on a vraiment l'embarras du choix parmi la vingtaine de gâteaux différents confectionnés chaque jour.

→ ***C'est l'endroit rêvé pour goûter au fameux cheesecake (6,5 $ la part).***

201 West 83rd St,
près d'Amsterdam Ave • Ⓜ 1 86th St
212-496 6031 • www.cafelalo.com
lun-jeu 8h-14h, ven 8h-16h,
sam 9h-16h, dim 9h-14h

13. GRAY'S PAPAYA

VERY CHEAP

HOT-DOGS

Une autre institution. Bien que le slogan de la maison soit : "Where the chic Westsider dines" ("le lieu où dînent les gens chics d'Upper West Side"), c'est un chic un peu particulier puisque l'établissement ne vend que des hot-dogs... Des milliers de hot-dogs sont vendus chaque jour à une clientèle d'étudiants, d'artistes, de jeunes, d'anciens et de célébrités. On peut y manger à sa faim pour 3 $ (hot-dog 1,50 $; jus de papaye 1,50 $).

→ ***Ouvert 24/24h.***

2090 Broadway, à hauteur de 72nd St
Ⓜ 1, 2, 3 72nd St • 212-799 0243 • 24/24h

14. SALUMERIA ROSI PARMACOTTO

ITALIEN

Ce restaurant propose des spécialités de Toscane servies en petites portions économiques, que l'on peut accompagner d'un assortiment de charcuteries et de fromages et d'un bon verre de vin italien. Il n'y a que quelques tables et elles sont presque toujours occupées (souvent par des habitués du quartier). Les plats de pâtes, le riz aux courgettes et pesto et le friand à la ricotta font partie des must de la carte.

→ ***Le chef, Cesare Casella, est le doyen de l'Italian Culinary Academy de New York.***

283 Amsterdam Ave, près de 73rd St • Ⓜ 1, 2, 3 72nd St • 212-877 4800
www.salumeriarosi.com • tlj 11h-23h

15. PICNIC MARKET & CAFE

FRANÇAIS

Ce petit restaurant de cuisine alsacienne est l'un des secrets les mieux gardés du voisinage. Les habitants du quartier adorent le chef, Jean-Luc Kieffer, et toute sa famille. Le menu varie en fonction des saisons et du marché, mais les classiques confit, bœuf bourguignon et coq au vin y figurent en permanence. Le chef propose un menu du midi à 19 $.

→ ***Jean-Luc Kieffer possède aussi une délicieuse pâtisserie, Silver Moon (2740 Broadway).***

2665 Broadway, à hauteur de 102nd St
Ⓜ 1 103rd St • 212-222 8222
www.picnicmarket.com • lun-ven 8h-23h,
sam 9h-23h, dim 9h-22h

16. HUNGARIAN PASTRY SHOP

CAFÉTÉRIA HONGROISE

Cette cafétéria un peu sombre et vieillotte est une annexe officieuse de la bibliothèque de la Columbia University : professeurs et étudiants viennent ici s'installer avec ordinateurs portables, livres et notes. Outre une grande concentration de matière grise, on y trouve du bon café (on ne paie qu'une fois, la tasse est ensuite remplie gratuitement) et des pâtisseries hongroises.

1030 Amsterdam Ave, à hauteur
de 111th St • Ⓜ 1 Cathedral Pkwy-110th St
212-866 4230 • lun-ven 7h30-23h30,
sam 8h30-23h30, dim 8h30-22h30

AUTOUR D'UN VERRE...

17. BAR BOULUD

VERY CHIC

BAR-RESTAURANT

Daniel Boulud a ouvert ce bar très classe en face du Lincoln Center. L'ambiance est très élégante mais décontractée et, bien que le lieu soit souvent plein, une grande table commune permet à ceux qui sont pressés de boire un verre sans forcément y dîner. Le meilleur choix dans le quartier pour siroter un verre de vin accompagné d'excellents pâtés maison et de fromages.

1900 Broadway, près de 64th St
Ⓜ 1 66th St-Lincoln Center
212-595 0303 • www.danielnyc.com
lun-jeu 12h-minuit, ven 12h-1h,
sam 11h-1h, dim 11h-22h

18. CLO

BAR À VIN

Au 4e étage du Time Warner Center, ce bar à vin pour le moins original propose une sélection d'excellents vins à déguster dans une ambiance futuriste, où la technologie règne en maître : ici, le sommelier est une table digitale à laquelle on s'installe pour faire son choix parmi une centaine de bouteilles, et la maison possède un système scientifique de "conservation et de contrôle individualisé de la température pour chaque vin".

→ ***Pour ceux qui s'accomodent du tout-robotisé (self-service).***

Time Warner Center, 10 Columbus Circle,
4e étage • Ⓜ 1, A, B, C, D 59th St-
Columbus Circle • 212-823 9898
www.clowines.com • lun-jeu 16h-23h,
ven-sam 16h-minuit, dim 15h-22h

19. PROHIBITION

BAR

Un bar de quartier animé et plein de cachet, qui organise des concerts quasiment chaque soir (sessions jeu 22h-23h, ven-sam 22h30-1h30, dim-mer 21h-minuit). On peut aussi y dîner (nouvelle cuisine américaine).

503 Columbus Ave, près de 84th St • Ⓜ B, C 86th St ; 1 86th St • 212-579 3100
www.prohibition.net • lun-ven 17h-4h, sam-dim 15h-4h

19.

20. HUDSON BEACH CAFÉ

VERY CHEAP

CAFÉ-PUB

D'avril à octobre, on peut y prendre un verre (et manger un hamburger) au bord de l'Hudson, à proximité des embarcadères. C'est un endroit où les New-Yorkais aiment venir se ressourcer et échapper un moment au tumulte urbain.

Autre possibilité, 30 rues plus bas vers le sud : The West 79th St Boat Basin Café (West 79th S-Henry Hudson Pkwy).

Riverside Park
Riverside Dr, à hauteur de 105th St
Ⓜ 1 103rd St • 917-370 3448
www.pdohurleys.com
avr-oct lun-jeu 16h-22h, ven-dim 11h-22h, fermé nov-mars

21. MOBAR

BAR AVEC VUE

Le Mandarin Oriental est l'hôtel des stars d'Hollywood qui viennent faire la promotion de leurs films sur la côte est. Une tenue "smart chic" devrait vous permettre d'accéder au 35e étage pour profiter de la vue panoramique dans une ambiance très sophistiquée.

Mandarin Oriental Hotel
80 Columbus Circle, à hauteur de 60th St • Ⓜ 1, A, B, C, D 59th St-Columbus Circle • 212-805 8876
www.mandarinoriental.com
mar-jeu 16h-23h, ven-sam 16h-1h30

22. FILENE'S BASEMENT

STOCK

Le slogan de cette maison fondée à Boston en 1909 est : "Where Bargains Were Born", littéralement "Le lieu où sont nées les bonnes affaires". Et des bonnes affaires, il y en a dans cette boutique, qui propose une vaste sélection de vêtements, chaussures et accessoires de marques (Guess, Calvin Klein, Ralph Lauren, Laura Ashley...) pour hommes, femmes et enfants.

2222 et 2228 Broadway, entre 79th St et 80th St • Ⓜ 1 79th St ; 1, 2, 3 72nd St
212-873 8000 • www.filenesbasement.com • lun-sam 9h-22h, dim 11h-20h

23. URBAN OUTFITTERS

MODE ET OBJETS

Le paradis des *hipsters* (équivalent américain des "bobos"). Mode *streetwear*, accessoires *fashion*, objets déco et gadgets en tous genre à la pointe de la mode (appareils photo lomo, mobilier rétro, *art toys*...), ont fait la renommée de cette enseigne américaine qui possède plus de 150 succursales à travers le monde. New York possède des boutiques dans presque chaque quartier.

2081 Broadway, à hauteur de 72nd St
Ⓜ 1, 2, 3 72nd St • 212-579 3912
www.urbanoutfitters.com
lun-mer 10h-21h, jeu-sam 10h-22h, dim 10h-20h

24. GREENFLEA

PUCES DE QUARTIER

Une vraie curiosité. À première vue, cela ressemble à un marché de légumes et de produits bios installé dans une cour d'école. Mais les salles de classe sont ouvertes et, quand on pénètre dans l'établissement, on constate que les couloirs, les salles et le grand réfectoire sont envahis par des dizaines de stands d'objets artisanaux et d'occasion : chapeaux, bijoux, BD, meubles vintage, etc.

→ ***Une balade idéale pour le dimanche matin.***

Middle School 44 William J O'Shea
100 West 77th St, à hauteur de Columbus Ave • Ⓜ 1 79th St ; B, C 72nd St • 212-239 3025
www.greenfleamarkets.com
nov-mars dim 10h-17h45, avr-oct dim 10h-18h

25. LULULEMON ATHLETICA

VÊTEMENTS DE SPORT FEMMES

Créée à Vancouver en 1998, cette chaîne canadienne propose des tenues de yoga, de danse et de course à pied de grande qualité, dans des matériaux étudiés et très bien coupés. La marque possède déjà plus de 100 points de vente au Canada, aux États-Unis et en Australie.

1928 Broadway, près de 64th St • Ⓜ 1 66th St-Lincoln Center
212-712 1767 • www.lululemon.com • lun-sam 10h-20h, dim 11h-19h

26. 27.

26. WESTSIDER RARE & USED BOOKS

LIVRES D'OCCASION

Cette librairie spécialisée dans les romans et les livres illustrés (art et jeunesse) vend des livres d'occasion, ainsi que des premières éditions et des exemplaires dédicacés ou avec illustrations originales des auteurs. Les soldes à 1 $ sont entreposées à l'extérieur. C'est une institution très prisée des habitants du quartier.

Les premières éditions sont difficiles à trouver ; mieux vaut s'adresser au libraire.

2246 Broadway, près de 80th St
Ⓜ 1 79th St • 212-362 0706
www.westsiderbooks.com
tlj 10h-minuit

27. OFF BROADWAY BOUTIQUE

MODE VINTAGE

La propriétaire extravertie de cette boutique insolite vend des vêtements neufs et d'occasion ayant appartenu à des stars... d'un certain âge. Robes de soirée, bijoux, châles, strass et paillettes.... On se croirait dans le dressing de Liza Minnelli ! Les articles les plus intéressants et les moins chers se trouvent au fond du magasin.

139 West 72nd St,
à hauteur d'Amsterdam Ave
Ⓜ 1, 2, 3 72nd St • 212-724 6713
www.boutiqueoffbroadway.com
lun-ven 10h30-20h, sam 10h30-19h,
dim 13h-19h

HARLEM

PLUS D'UNE VOIX AU CHAPITRE

Pendant des décennies, Harlem a constitué une frontière quasi infranchissable au nord de Manhattan. Ce quartier longtemps délaissé, et associé par son histoire à la lutte pour l'égalité des droits civiques, au jazz, à la culture afro-américaine, connaît aujourd'hui un véritable renouveau. Reconquête urbaine et gentrification obligent, boutiques et restaurants sont revenus sur la 125ᵉ rue, épine dorsale de Harlem. D'illustres lieux ont été rénovés tels que l'Apollo Theater ou les fameux *brownstones*, ces maisons de grès rouge construites en alignement. Aussi, il serait dommage de ne s'en tenir qu'à un concert de gospel dans une église. Harlem a bien plus que cela à offrir.

1. APOLLO THEATER

L'Apollo a connu les grandes heures du jazz. Sur la scène de ce théâtre néoclassique, d'abord dévolu au burlesque (avant que le genre ne tombe en désuétude dans les années 1930), se sont illustrés Billie Holiday, Duke Ellington, Dizzy Gillespie, Count Basie... Après une période en creux dans les années 1970-1980, durant laquelle le club fermera quelque temps, l'Appollo renoue avec le succès en reprogrammant sa fameuse soirée hebdomadaire, "Amateur Night at the Apollo", tremplin qui aura notamment lancé Stevie Wonder, James Brown et Michael Jackson. Voir aussi le chapitre *Sortir* pour la programmation (p. 239).

253 W 125th St, près de Frederick Douglass Blvd
Ⓜ 1 125th St ; A, B, C, D 125th St • 212-531 5300
www.apollotheater.com

2. STUDIO MUSEUM

Dédié à la création contemporaine, cet espace s'est donné, depuis sa création en 1968 dans un loft situé à quelques encablures de son emplacement actuel, la mission de promouvoir la culture afro-américaine. Le Studio Museum accueille ainsi depuis 40 ans des résidences d'artistes, des expositions temporaires et un fonds permanent riche de plus de 1 700 références. Chaque année, des photographes sont invités à porter leur regard sur ce quartier en pleine mutation dans le cadre des *Harlem Postards*.

Entrée gratuite le dimanche.

144W 125th St
Ⓜ 2,3 125th St ; bus M-2, M-7, M-10, M-100, M-101, M-102, BX 15 • 212-864 4500
www.studiomuseum.org
mar et ven 12h-21h, sam 10h-18h, dim 12h-18h
adulte/senior et étudiant 7/3 $, -12 ans gratuit

3. DWYER CULTURAL CENTER

GRATUIT

Autre symbole du renouveau de Harlem, le centre culturel de Dwyer programme, dans un bel et vaste espace, des artistes locaux émergents comme confirmés, s'illustrant dans le domaine de l'art visuel, de la danse, de la musique ou de toute autre performance en relation avec l'histoire du quartier. Des ateliers sont également ouverts au public.

→ ***Toutes les manifestations du centre sont gratuites (mais il est préférable de réserver).***

258 St Nicholas Ave • Ⓜ A, B, C, D 125th St ; Bus M3, M10, M101, BX15, M60
212-222 3060 • www.dwyercc.org • mar-ven 10h-17h, sam 13h-17h • entrée libre

LE SON GOSPEL

Le gospel a porté les couleurs de Harlem sur l'agenda touristique de la ville, bien avant l'heure du renouveau du quartier. Il est devenu une forte attraction, si bien qu'il n'est pas inutile de rappeler que l'on vient assister à une rencontre spirituelle prise très au sérieux par le public de fidèles, et non à un spectacle de Broadway. Ces considérations mises à part, les paroissiens ont pris l'habitude d'accueillir les touristes. Aux États-Unis, on se met sur son trente et un pour la messe du dimanche, et à Harlem, on ne déroge pas à la règle. Les hommes sont en costume et les femmes, en jupe ou en robe, ont la tête couverte. Les petites filles nouent généralement des rubans dans leurs cheveux. Aucune obligation de les imiter, mais évitez tout de même le short et les tongs. De même, il convient d'éteindre les téléphones portables, de ne pas parler, de ne pas faire de photos des paroissiens et de ne pas quitter l'église quand on en a assez vu.

Le mot gospel vient de *God* et *spell* (Dieu et incantation). En principe, ce chant choral *a capella* n'est pratiqué que dans les églises évangélistes. Voici quelques lieux où y assister : Abyssinian Baptist Church (132 Odell Clark Pl), Mother African Methodist Episcopal Zion Church (146 West 137th St), Canaan Baptist Church (132 West 116th St), Baptist Temple (20 West 116th St), Metropolitan Baptist Church (151 West 128th St), St Paul Baptist Church (249 West 132nd St). En général, le service religieux commence le dimanche à 11 h. Pour parachever l'expérience, rien de tel qu'un brunch dans l'un des restaurants du quartier (préparez-vous à de l'attente !).

Brooklyn

L'AUTRE NEW YORK

Au cours des dix dernières années, l'engouement des New-Yorkais pour Brooklyn n'a cessé de croître, avec une préférence pour Brooklyn Heights, la zone la plus proche de Manhattan. Le quartier a toujours attiré de nombreux écrivains, parmi lesquels Walt Whitman, Arthur Miller, Norman Mailer ou Truman Capote. Paul Auster a consacré de nombreuses pages à ses rues et Jonathan Lethem y a puisé son inspiration pour écrire *Les Orphelins de Brooklyn*. De son côté, Williamsburg est le quartier branché de New York, avec ses entrepôts et ses hangars industriels reconvertis en lofts. Au sud, il flotte un parfum de Russie à Brighton Beach.

REPÈRES

BEAUX HORIZONS : Brooklyn Heights
PARC ET RUES VICTORIENNES : Park Slope
ALTERNATIF : Williamsburg
RUSSE : Brighton Beach

ESSENTIELS

BROOKLYN BRIDGE ET BROOKLYN PROMENADE/⊙4 : à ne manquer sous aucun prétexte (détails p. 205).
BAM/⊙1 : une salle à la pointe des arts scéniques (détails p. 203).
BROOKLYN MUSEUM/⊙7 : il cache de véritables trésors (détails p. 205).
PROSPECT PARK/⊙31 : le cousin germain de Central Park.

Confidentiels

LARRY LAWRENCE/23 : caché tout au bout d'un très long couloir (détails p. 211).
UNE CHARMANTE CRIQUE DE SABLE/⊙5 : entre le pont de Brooklyn et le pont de Manhattan (détails p. 204).

4, 5 ET 6
Vers
12
N21 ET N22
Henry St
Clinton St
COURT ST
2
Joralemon St
Court St
ADAMS ST
JAY ST - METROTECH
Willoughby Ave
FLATBUSH AVE
Myrtle Ave
Ashland Pl
Fort Green Park
BOROUGH HALL
HOYT ST
Fulton St
DEKALB AVE
State St
25
29
Boerum Pl
Livingston St
DEKALB AVE
NEVINS ST
ATLANTIC AVE
HOYT - SCHERMERHORN STS
FULTON ST
N16
21
State St
1
BERGEN ST
Dean St
Court St
Bergen St
Warren St
St Marks Ave
Pacific St
Baltic St
ATLANTIC AVE
ATLANTIC AVE - PACIFIC ST
FLATBUSH AVE
Smith St
Hoyt St
Bond St
Nevins St
3rd Ave
Union St
18
CARROLL ST
Douglass St
Degraw St
Sackett St
4TH AVE
Prospect Pl
Park Pl
5th Ave
St Johns Pl
UNION ST
Lincoln Pl
Berkeley Pl
27
30
Union St
16
President St
Garfield Pl
Carroll St
4TH AVE
3rd St
5th Ave
6th Ave
9TH ST
5th St
7th St
7TH AVE
200 m
4TH AVE
9th St
Vers
N51
Vers
10

Downtown Brooklyn, Park Slope et Prospect Park

Williamsburg
À table
Autour d'un verre
Un peu de shopping
Sortir (voir chapitre spécifique p. 229)
GREENPOINT AVE
Kent St
19
GREENPOINT AVE
Milton St
N24
Noble St
West St
FRANKLIN ST
Calyer St
MANHATTAN AVE
Meserole Ave
Norman Ave
NASSAU AVE
N 15th St
NASSAU AVE
N 13th St
BEDFORD AVE
20
BERRY ST
Wythe Ave
26
KENT AVE
East River
N 9th St
N 8th St
28
N 7th St
N17
N22
24
BEDFORD AVE
N 5th St
Roebling St
N 4th St
Driggs Ave
N 3rd St
METROPOLITAN AVE
N 1st St
9
Grand St
23
S 1st St
KENT AVE
Wythe Ave
BERRY ST
BEDFORD AVE
S 2nd St
Roebling St
Havemeyer St
17
S 4th St
22
N
WILLIAMSBURG BRIDGE
11
N9
N66
Broadway
Broadway
200 m

VISITER

L'embourgeoisement du quartier n'a pas suivi une logique de proximité avec Manhattan. En effet, ce sont les maisons victoriennes de Park Slope qui ont été les premières à se remplir de couples avec enfants, d'intellectuels végétariens et de journalistes démocrates.

1. BROOKLYN ACADEMY OF MUSIC (BAM)

Prestigieux et avant-gardiste, ce centre des arts scéniques compte aujourd'hui plusieurs espaces : le BAM Howard Gilman Opera House, qui peut accueillir 2 000 personnes ; le BAM Harvey Lichtenstein Theater de 874 places dont la décoration évoque des ruines urbaines ; le BAM Rose Cinemas ; le BAM Café et le BAM Hillman Atic Studio, pour les répétitions et les spectacles expérimentaux. Depuis 1983, il organise chaque année le New Wave Festival, qui s'intéresse aux nouvelles tendances du monde entier.

→ ***Une navette, le Bambus, peut venir vous chercher et vous déposer à Manhattan (7 $; réservation au 718-636 4100).***

30 Lafayette Ave à hauteur d'Ashland Pl, Fort Greene • Ⓜ D, N, R Atlantic Ave-Pacific St ; 2, 3, 4, 5, B, Q Atlantic Ave ; G Fulton St ; C Lafayette Ave • 718-636 4100
www.bam.org • programme et horaires sur le site Internet

2. BROOKLYN BOROUGH HALL

Construit en 1849 pour accueillir la mairie de la ville, cet édifice est devenu le siège du gouvernement du district quand Brooklyn a été annexé à New York, en 1898. Il conserve un impressionnant tribunal qu'on peut aujourd'hui louer pour des soirées et des tournages de films ou de séries (comme *New York, police judiciaire*).

→ ***Visite guidée gratuite le jeudi à 13h.***

209 Joralemon St près de Court St, Brooklyn Heights • Ⓜ 2, 3, 4, 5 Borough Hall ; A, C, F Jay St-Borough Hall ; R Court St • 718-802 3700 • www.visitbrooklyn.org
lun-ven 9h-17h • **entrée libre**

3. BROOKLYN BOTANIC GARDEN

Très apprécié des habitants du quartier pour une balade ou pour y organiser un banquet de mariage, ce jardin botanique offre de nombreuses ambiances différentes, tels le Cranford Rose Garden et ses 1 400 types de roses, le Japanese Hill-and-Pond Garden, un jardin japonais très soigné, le Fragance Garden, véritable aventure olfactive, le Herb Garden et sa grande variété de plantes médicinales, ou encore le Steinhardt Conservatory et ses bonsaïs.

···› ***Visite guidée gratuite le samedi et le dimanche à 13h. Le mardi toute la journée et le samedi de 10h à 12h, l'accès est gratuit (et le vendredi, c'est gratuit pour les seniors).***

1000 Washington Ave, à hauteur de Montgomery St, Prospect Heights
Ⓜ 2, 3 Eastern Parkway-Brooklyn Museum ; B, Q, S Prospect Park
718-623 7200 • www.bbg.org
avr-sept mar-ven 8h-18h, sam-dim 10h-18h, oct-mars mar-ven 8h-16h30, sam-dim 10h-16h30 • **adulte/étudiant et senior 10/5 $, -12 ans gratuit**

4. BROOKLYN BRIDGE

Achevé en 1883, ce monument historique de style néogothique, reconnaissable à ses impressionnants câbles en acier, est l'un des plus anciens ponts suspendus des États-Unis. L'idéal est de le traverser à la tombée du jour, de Brooklyn vers Manhattan, pour admirer les lumières de la ville. Cette promenade d'à peine 500 m constitue l'une des expériences les plus magiques que New York aie à offrir.

···› ***Si vous avez le temps, traversez le pont deux fois pour comparer la vue au lever du jour et à la tombée de la nuit.***

Tillary St, à hauteur d'Adams St, Dumbo • Ⓜ F York St ; A, C High St ; 4, 5, 6 Brooklyn Bridge-City Hall

5. BROOKLYN BRIDGE PARK

En contrebas du pont de Brooklyn et face à Manhattan, cette oasis urbaine offre des vues spectaculaires et permet de découvrir de superbes entrepôts du XIXe siècle.

···› ***Une crique de sable et de galets où s'épanouissent poissons, crabes et oiseaux se cache entre les ponts de Brooklyn et de Manhattan, tout au bord de l'East River.***

Entrée par le Empire Fulton Ferry State Park : 1 Main St, à hauteur de Plymouth St, Dumbo ; entrée par le Pier 1 : 2 Old Fulton Street ; entrée par le Pier 6 : Furman St et Atlantic Ave
Ⓜ F York St • 718-802 060 www.brooklynbridgepark.org • tlj 6h-minuit

6. BROOKLYN HEIGHTS PROMENADE

VERY CHIC

Cette promenade d'à peine 400 m offre une vue incomparable sur Manhattan, et plus particulièrement sur Lower Manhattan. De ce côté-ci de l'East River, on peut voir la skyline de Manhattan, le vide laissé par les tours jumelles et observer les bateaux aller et venir depuis les quais. Elle permet également d'apprécier l'avancée des travaux en cours sur les quais de Brooklyn, en contrebas de la promenade, qui donneront bientôt naissance à une formidable zone de loisirs.

Columbia Heights, à hauteur de Middagh St, Brooklyn Heights • Ⓜ 2, 3 Clark St

7. BROOKLYN CHILDREN'S MUSEUM

Fondé en 1899, ce premier musée au monde conçu spécialement pour les enfants a connu une nouvelle jeunesse un siècle plus tard, grâce à l'architecte uruguayen Rafael Viñoly, qui a dessiné un bâtiment écologique et translucide. La collection permanente compte plus de 30 000 objets, jouets et animaux vivants. Il s'agit d'un musée remarquablement interactif qui organise très régulièrement des activités en lien avec le théâtre, la danse et la musique.

→ *L'entrée est gratuite avant 11h et le le 2e week-end de chaque mois.*

145 Brooklyn Ave, à hauteur de St Mark's Ave, Crown Heights
Ⓜ C Kingston Ave-Throop Ave ; 3 Kingston Ave ; A, C Nostrand Ave
718-735 4400 • www.brooklynkids.org
mer-ven 13h-17h, sam-dim 10h-17h
entrée 7,50 $, -1 an gratuit

8. BROOKLYN MUSEUM

Cet édifice de style Beaux-Arts, conçu par les architectes McKim, Mead et White, abrite une collection permanente d'un million et demi d'œuvres d'art réparties sur 52 000 m². Les galeries consacrées à l'art égyptien, à la peinture européenne (avec des tableaux de Claude Monet, José de Ribera, Edgar Degas et Henri Matisse), à la peinture moderne et à la photographie sont particulièrement intéressantes. Le musée organise des expositions temporaires exigeantes, ou parfois plus populaires afin d'attirer davantage de visiteurs.

200 Eastern Parkway, à hauteur de Washington Ave, Park Slope
Ⓜ 2, 3 Eastern Parkway-Brooklyn Museum
718-638 5000 • www.brooklynmuseum.org • mer-ven 10h-17h, sam-dim 11h-18h
adulte/étudiant et senior 10/6 $, -12 ans gratuit

À TABLE !

9. AURORA

ITALIEN

Entouré de boutiques jeunes et branchées, ce restaurant propose une cuisine toscane traditionnelle à prix doux, dans une ambiance raffinée et chaleureuse. Ses principaux atouts sont ses plats de pâtes et son jardin. Les pâtes à la saucisse de porc et au chou, accompagnées d'une friture de ricotta sont un régal.

→ *Un menu à 15 $ est servi le dimanche, à l'heure du brunch.*

70 Grand St,
près de Wythe Ave, Williamsburg
Ⓜ L Bedford Ave • 718-388 5100
www.aurorarestorante.com
lun-jeu 12h-15h30 et 18h-23h,
ven 12h-15h30 et 18h-minuit,
sam 11h-16h et 18h-minuit,
dim 11h-22h

10. CAFE STEINHOF

AUTRICHIEN

Véritable institution dans le quartier, ce restaurant autrichien traditionnel est tenu par un Viennois aussi professionnel que sympathique. La carte ne se complique pas la vie avec les prix : 10 $ les entrées, 13 $ les plats. L'escalope (*schnitzel*) de poulet, le strudel au boudin noir et les saucisses (*bratwurst, kielbasa, weisswurst*) accompagnées de pommes de terre et de légumes sont les spécialités de la maison. Le lundi, le goulasch (6 $) est à l'honneur. Concerts le mercredi et projections gratuites de films le dimanche.

422 Seventh Ave, à hauteur de 14th St, Park Slope • Ⓜ F, G Seventh Ave
718-369 7776 • www.cafesteinhof.com • dim-jeu 11h-16h et 17h-23h,
ven-sam 11h-16h et 17h-minuit

11. DINER

DINER

Ce restaurant logé dans un *diner* historique (1926) est très prisé des bobos du quartier. On peut bien sûr y savourer des hamburgers (11 $), mais la carte réserve quelques sur-prises, avec des plats étonnamment recherchés. Qui s'attendrait à trouver ici du faisan à la confiture de coing ou des *pancakes* à la poire caramélisée et au praliné ? Ne prend pas les réservations.

···> ***Même si la terrasse est très fréquentée, l'intérieur a plus de charme.***

85 Broadway, à hauteur de Berry St, Williamsburg • Ⓜ L Bedford Ave ; J, M, Z Marcy Ave • 718-486 3077 www.dinernyc.com • dim-jeu 11h-minuit, ven-sam 11h-1h

12. GRIMALDI'S PIZZERIA

PIZZERIA

Ce restaurant mitonne de délicieuses pizzas artisanales, cuites au feu de bois. Institution locale, c'est un passage obligé avant de traverser le pont de Brooklyn. La pizza qui n'a de "petite" que le nom est à 12 $; compter 14 $ pour la "grande" (vraiment énorme). On peut ajouter autant d'ingrédients qu'on le souhaite (2 $ de supplément/ingrédient). L'établissement ne prend pas de réservation et de longues files se forment souvent dans la rue (l'attente est généralement inférieure à 30 minutes).

···> ***Si le temps le permet, on peut ensuite s'offrir une glace à la Brooklyn Ice Cream Factory (1 Water St).***

19 Old Fulton St, près de Front St, Dumbo • Ⓜ A, C High St ; 2, 3 Clark St ; F York St • 718-858 4300 • www.grimaldis.com • lun-jeu 11h30-22h45, ven 11h30-23h45, sam 12h-23h45, dim 12h-22h45

13. HABANA OUTPOST

VERY CHEAP

CUBAIN

Ouvert d'avril à octobre, ce bar simple et décontracté est idéal par une belle journée d'été. Il dispose d'un agréable patio avec des tables communes où l'on se presse pour commander des mojitos. La cuisine est préparée dans une caravane installée dans le patio et l'attente y est un peu moins longue que pour les boissons. On peut grignoter de délicieux épis de maïs au parmesan, des hamburgers et des hot-dogs. Par les mêmes propriétaires que le Café Habana de NoLiTa.

757 Fulton St, près de Portland St, Fort Greene • Ⓜ C Lafayette Ave ; G Fulton St
718-858 9545 • www.ecoeatery.com • avr-oct tlj 12h-minuit, nov-mars fermé

14. LOCANDA VINI E OLII

ITALIEN

Ce restaurant traditionnel de Toscane occupe une pharmacie centenaire du quartier et a conservé des objets et des meubles de l'ancien commerce. La cuisine est aussi solide que le mobilier.

Les plats de pâtes au lard ou au poisson (14 $ environ) et le vin de la maison sont de très bons choix. Fermé le lundi.

129 Gates Ave à hauteur de Cambridge Pl, Clinton Hill
Ⓜ C ou G Clinton Ave-Washington Ave
718-622 9202 • www.locandany.com
mar-jeu 18h-22h30, ven-sam 18h-23h30, dim 18h-22h (réservations par téléphone à partir de 16h)

15. MADIBA

SUD-AFRICAIN

Ce restaurant spécialisé dans la cuisine sud-africaine rend hommage à Nelson Mandela, surnommé Madiba dans son pays, un titre honorifique donné aux sages d'un clan. La simplicité de la décoration et de l'ambiance tranche avec le soin tout particulier apporté aux délicieuses spécialités. Les plats de viande sont chaudement recommandés, tout comme le gâteau à la crème en dessert, le tout arrosé d'un bon vin sud-africain.

La carte étant assez compliquée, il ne faut pas hésiter à demander conseil. Mieux vaut réserver.

195 DeKalb Ave, à hauteur de Carlton Ave, Fort Greene
Ⓜ C Lafayette Ave • 718-855 9190
www.madibarestaurant.com • lun-jeu 11h45-23h, ven-dim 12h-minuit

16. MOUTARDE, LE BISTRO DE LA RUE

FRANÇAIS

Un bistrot parisien en plein cœur de Williamsburg. On peut s'asseoir à l'une des tables dans la rue, mais l'intérieur mérite vraiment le coup d'œil. Excellente adresse pour déjeuner sans se ruiner (crêpes et croque-monsieur autour de 10 $). Le soir, le menu est composé de cinq ou six plats, comme la bouillabaisse aux crevettes, pour un prix plus que raisonnable (14 $).

···› ***Le brunch du dimanche est délicieux et tout aussi bon marché.***

239 5th Ave, à hauteur de Carroll St, Park Slope • Ⓜ R Union St • 718-623 3600
www.restaurantmoutarde.com • lun-ven 11h-23h, sam-dim 10h30-23h

17. THE RABBITHOLE

AMÉRICAIN

Alice aurait été aux anges dans ce "terrier de lapin", un établissement rustique, avec des tables et des canapés confortables et un plaisant jardin. Devenu la seconde maison de bien des habitants du quartier, il sert des petits-déjeuners bios avec des viennoiseries maison et de généreuses tasses de café, et est également ouvert pour le déjeuner, le brunch et le dîner.

···› ***Les pancakes au citron et compote de pommes, qui figurent au menu du brunch, sont divins.***

352 Bedford Ave, près de S 4th St, Williamsburg • Ⓜ L Bedford Ave ; J, M, Z Marcy Ave
718-782 0910 • www.rabbitholerestaurant.com • lun 9h-23h, mar-dim 8h-minuit

AUTOUR D'UN VERRE...

18.

18. BLACK MOUNTAIN WINEHOUSE

BAR

Avec ses tables en chêne, ses fauteuils, ses étagères en bois blanc et sa cheminée, ce bar de Brooklyn ressemble davantage à la bibliothèque d'une maison de campagne du Maine. Idéal pour se réchauffer par une froide après-midi d'hiver, on peut y siroter un verre de vin rouge accompagné d'une entrée, comme le pâté maison ou le fromage de chèvre issu d'une ferme locale.

415 Union St, à hauteur de Hoyt St, Carrol Gardens • Ⓜ F, G Carroll St
718-522 4340 • www.blackmountainwinehouse.com • lun-ven 16h-minuit, sam-dim 15h-minuit

19. BLACK RABBIT

BAR

Un autre bar qui rend hommage à la Prohibition et à Eliot Ness. La cheminée, une télévision des années 1970 et une sélection de jeux de société en ont fait l'une des adresses les plus appréciées du quartier. Dispose de petits salons privés, parfaits pour une soirée entre amis.

→ *On peut prendre place dans le jardin, sur l'une des deux très longues tables communes.*

91 Greenpoint Ave, entre Franklin St et Manhattan Ave, Greenpoint
Ⓜ G Greenpoint Ave • 718-349 1595
www.blackrabbitbar.com
lun-mer 16h-2h, jeu-sam 16h-4h, dim 16h-2h

20. BROOKLYN BREWERY

VERY CHEAP

BRASSERIE

Envie d'une bière typiquement new-yorkaise ? Direction la Brooklyn Brewery où les plus de 21 ans pourront visiter la brasserie et goûter toutes les bières de leur choix.

→ *Visites guidées gratuites le samedi (13h, 14h, 15h, 16h et 17h) et le dimanche (13h, 14h, 15h et 16h).*

→ *Formidable happy hour (ven 18h-23h) qui permet de goûter à 8 sortes de bières différentes (4 $ la bière ou 6 bières pour 20 $ pour les groupes).*

79 N 11th St, à hauteur de Wythe Ave, Williamsburg • Ⓜ L Bedford Ave ; G Nassau Ave
718-486 7422 • www.brooklynbrewery.com • ven 18h-23h, sam-dim 12h-18h

20.

21. BUILDING ON BOND

BAR-RESTAURANT

Logé dans une ancienne cave, cet établissement à l'ambiance décontractée sert petit-déjeuner, déjeuner, brunch et dîner, ainsi que des cocktails, sur fond de concerts folk la plupart des soirs. La cuisine est très simple et typiquement américaine. Proche de la promenade de Brooklyn Heights et des boutiques de Montague St et Atlantic Ave.

112 Bond St, à hauteur de Pacific St, Borum Hill
Ⓜ D, N, R Atlantic Ave-Pacific St ; A, C, G Hoyt St-Schermerhorn St ; F, G Bergen St
347-853 8687 • www.buildingonbond.com
lun-jeu 7h-2h, ven-sam 7h-3h, dim 7h-1h

22. DRAM

BAR À COCKTAILS

Cet excellent bar prend l'art du cocktail très au sérieux et offre une ambiance à la fois raffinée et détendue. La carte ne propose que des boissons alcoolisées de très grande qualité, mélangées à des fruits secs et quatre sortes de glaçons. Tous les cocktails sont préparés à la demande. Le barman peut vous concocter un breuvage personnalisé.

177 S 4th St, près de Driggs Ave, Williamsburg
Ⓜ J, M, Z Marcy Ave • 718-486 372
www.drambar.com • tlj 16h-variable

23. LARRY LAWRENCE

BAR

Quand on arrive à l'adresse indiquée, on tombe sur une enseigne "Bar" et un long couloir. Derrière la porte, on découvre un *speakeasy* moderne et très urbain, avec des murs en brique et une terrasse fumeurs. L'ambiance est très feutrée ; souvent, les bougies sont la seule source d'éclairage.

295 Grand St, près de Roebling St, Williamsburg • Ⓜ G Metropolitan Ave ; L Lorimer St • 718-218 7866
www.larrylawrencebar.com • tlj 18h-4h

24. ROSEMARY'S GREENPOINT TAVERN

BAR

Ce n'est peut-être pas le bar le plus chic du quartier, mais les habitants de Brooklyn adorent Rosemary, qui a fondé cet établissement il y a 60 ans et qui est toujours fidèle au poste. Les curieux, les romanciers et les anthropologues sont à leur affaire : l'endroit est réputé pour sa clientèle éclectique.

188 Bedford Ave, près de N 7th St, Williamsburg • Ⓜ L Bedford Ave
718-384 9539 • tlj 11h-4h

25. ATLANTIC BOOKSHOP

LIBRAIRIE

En 2008, alors que le quartier était en plein boom, Isaac Kosman, le propriétaire d'une librairie d'occasion du West Village, a décidé de déménager à Brooklyn, et de louer cet espace pour le moins intime. On peut y dénicher des romans, des essais, des livres d'art et de cuisine, le tout à des prix dérisoires (3-14 $).

···> ***N'hésitez pas à demander conseil à Kosman.***

179 Atlantic Ave, près de Clinton St, Cobble Hill • Ⓜ 2, 3, 4, 5 Borough Hall
718-797 5756 • tlj 10h-20h

26. BEACON'S CLOSET

VERY CHEAP

VÊTEMENTS D'OCCASION

Acheter et vendre des vêtements d'occasion est actuellement du dernier chic et Beacon's Closet remporte un énorme succès à Brooklyn. Ici, on recycle chapeaux, bijoux, manteaux, T-shirts, robes, lunettes de soleil et CD. Ceux qui se sont déjà lassés des vêtements achetés le mois dernier les revendent ou les échangent contre des articles du magasin. Les prix excèdent rarement les 50 $. Certains accessoires, comme les bas résille de toutes les couleurs, sont neufs.

···> ***Autre adresse à Park Slope (220 5th Ave).***

88 N 11th St,
près de Wythe Ave, Williamsburg
Ⓜ L Bedford Ave • 718-486 0816
www.beaconscloset.com • lun-ven
12h-21h, sam-dim 11h-20h

27. BOB&JUDI'S COOLECTIBLES

ANTIQUITÉS

Coolectibles est la contraction de *cool* et de *collectibles* (objets de collection), et cette boutique porte bien son nom. On peut y dénicher de vieilles photos de Brooklyn, des cartes postales des années 1930, des radios des années 1950, des jouets qui ne se fabriquent plus depuis longtemps, des bijoux anciens et de la porcelaine.

···> ***La plupart des articles affichent des prix raisonnables (en général inférieurs à 30 $).***

217 5th Ave, entre President St
et Union St, Park Slope
Ⓜ R Union St • 718-638 5770
mar-dim 11h-19h

28. BUFFALO EXCHANGE

VÊTEMENTS D'OCCASION

Ce dépôt-vente de vêtements et d'accessoires pour hommes et femmes, neufs ou d'occasion, reflète les goûts du quartier. Cette adresse a plus d'espace et plus de choix que le Buffalo Exchange de l'East Village, mais la boutique de Manhattan reçoit de temps à autre des stocks de grands couturiers et des vêtements en provenance d'enseignes de Soho. Avec un peu de chance, on peut tomber sur une très bonne affaire.

504 Driggs Ave, près de 9th St, Williamsburg • Ⓜ L Bedford Ave • 718-384 6901
www.buffaloexchange.com • lun-sam 11h-20h, dim 12h-19h

29. SAHADI'S

ÉPICES

Ce magasin d'épices est devenu au fil du temps une épicerie fine, plébiscitée par les cuisiniers professionnels et amateurs. Il y flotte un parfum d'épices orientales et de café, et les rayons multicolores présentent un large choix de fruits secs, houmous, olives, fromages, céréales et légumes.

➔ ***Après avoir exploré ce supermarché, on peut partir à la découverte des magasins d'antiquités d'Atlantic Ave.***

187 Atlantic Ave, près de Clinton St, Cobble Hill • Ⓜ 2, 3, 4, 5 Borough Hall
718-624 4550 • www.sahadis.com
lun-sam 9h-19h

30. TWO LOVERS

MODE VINTAGE

Cette boutique fera le bonheur des collectionneuses de robes : de jour, de soirée, en soie, en coton, courtes, longues, modernes, vintage... La propriétaire a créé sa garde-robe idéale, avec des pièces uniques qui sont parfois des prototypes et des articles d'occasion en parfait état. Elle vend aussi des chemisiers et des T-shirts. Le style est très féminin, avec une touche rétro.

227 5th Ave, entre Union St et President St, Park Slope
Ⓜ R Union St • 718-734 1206
www.twoloversnyc.com
mar-sam 11h30-19h30, dim 11h30-18h30

Queens

LA FORCE DE LA DIVERSITÉ

Le Queens est un quartier méconnu, non seulement des touristes mais aussi de la majorité des habitants de Manhattan. Il abrite 2,3 millions de personnes, dont près de la moitié sont d'origine étrangère. Une balade dans ses rues s'apparente à un tour du monde à travers la Grèce (Astoria), la Roumanie et la Turquie (Sunnyside), l'Irlande (Woodside), l'Inde et les Philippines (Jackson Heights), l'Amérique latine (Corona Heights), la Chine et la Corée (Flushing)... On comprend mieux pourquoi l'Assemblée générale de l'ONU se réunissait ici avant la construction de son siège, à Manhattan. En outre, si le Queens était une ville indépendante, elle serait la 4e plus grande des États-Unis.

REPÈRES

CUISINE DU MONDE : Astoria
LE QUARTIER QUI MONTE : Long Island City
L'AUTRE QUARTIER CHINOIS : Flushing

ESSENTIELS

PS1 CONTEMPORARY ART CENTER/⊙5 : pour les amateurs d'art alternatif (détails p. 220).
MUSEUM OF THE MOVING IMAGE/⊙8 : ludique (détails p. 221).
FLUSHING MEADOWS/⊙23 : pour les fans de tennis.

Confidentiels

GANTRY PLAZA STATE PARK/⊙2 : un parc très photogénique où il fait bon prendre le soleil (détails p. 218).
LA MAISON DE LOUIS ARMSTRONG/⊙4 : ouverte au public, au cœur du Queens (détails p. 219).
DUTCH KILLS/17 : un bar à cocktails clandestin (détails p. 225).

Astoria

21st Rd
21st Dr
19th St
21st St
23rd St
21st Ave
Ditmars Blvd
22nd Rd
22nd Dr
25th St
26th St
28th St
Astoria-Ditmars Blvd
East River
Shore Blvd
Astoria Park
23rd Rd
23rd Dr
23rd Terrace
23rd Ave
24th St
Crescent St
27th St
29th St
31st St
Place de Clichy
Vers
24th Ave
Robert F. Kennedy Bridge (péage)
33rd St
Triboro Plaza
Astoria Blvd
35th St
37th St
Steinway St
41st St
Newton Ave
28th Ave
30th St
30th Ave
30th Rd
34th St
36th St
38th St
31st Ave
31st Rd
32nd St
Broadway
Broadway Station
33rd Ave
33rd Rd
Vernon Blvd
10th St
11th St
12th St
14th St
34th Ave
Steinway St
21st St
24th St
35th Ave
36th St
36th Ave
200 m
37th Ave
28th St
N

1 2 3 4 6 7 8 9 10 11 12 15 16 21 22

Long Island City
Visiter
À table
Autour d'un verre
Un peu de shopping
Queensboro Bridge
42nd Rd
Hunter St
Queens St
59TH ST BRIDGE
42rd Ave
Crescent St
21ST ST
22nd St
23rd St
24th St
Purves St
JACKSON AVE
44th Ave
44th Rd
LONG ISLAND CITY-COURT SQ
THOMPSON AVE
23RD ST - ELY AVE
44th Dr
45TH RD -
Court Square
45th Ave
Pearson St
45th Rd
46th Ave
46th Rd
11th St
47th Ave
47th Rd
21ST ST
49TH AVE
48th Ave
VERNON BLVD
PULASKI BRIDGE
11th Pl
21st St
LONG ISLAND EXPY
VERNON BLVD-JACKSON AVE
49th Ave
50th Ave
51st Ave
BORDEN AVE
Gantry Plaza State Park
East River
100 m

VISITER

Le Queens a le vent en poupe, comme en témoigne le PS1, l'annexe du MoMA pour l'art contemporain. Un passage à Astoria permet de découvrir de grands restaurants, tandis que Long Island City pourrait bien devenir le nouveau Williamsburg.

1. ASTORIA PARK

Depuis ce parc, situé entre les ponts de Triborough et Hell Gate, on peut jouir d'une vue imprenable sur Manhattan et, si on le souhaite, piquer une tête dans sa piscine publique de style Art déco, qui serait la plus grande et la plus ancienne de la ville (1936).

De 23rd Rd à Hoyt Ave S, entre 19th St et Shore Blvd, Astoria • Ⓜ N, Q 36th Ave, Broadway, 30th Ave, Astoria Blvd ou Astoria-Ditmars Blvd ; M, R Steinway, 46th St ou Northern Blvd
718-626 8621 • www.nycgovparks.org/parks/AstoriaPark

2. GANTRY PLAZA STATE PARK

Sur les bords de l'East River, ce parc offre le plus beau panorama sur Midtown East. On peut y admirer comme nulle part ailleurs la *skyline* est de Manhattan, où s'alignent le siège des Nations unies, l'Empire State Building et le Chrysler Building. Sa situation en fait un lieu très prisé lors des feux d'artifice du 4 juillet. En semaine, le matin, on peut profiter du paysage dans une solitude presque totale, confortablement installé sur un transat en bois ou un joli fauteuil rouge.

474 48th Ave, Long Island City • Ⓜ 7 Vernon Blvd-Jackson Ave ; G 21st St-Jackson Ave
718-786 6385 • http://nysparks.state.ny.us/parks/149/details.aspx • tlj 8h-22h

3. ISAMU NOGUCHI GARDEN MUSEUM

VERY CHIC

Ce musée fut fondé par le sculpteur américain d'origine japonaise Isamu Noguchi (1904-1988) en 1985, dans le but d'exposer ses créations en pierre, métal, bois et argile, ses projets pour des espaces publics et ses décors de théâtre. Logé dans un bâtiment industriel, le musée compte 13 galeries et une cour intérieure plantée de gigantesques sculptures en granit et basalte.

Entrée sur don le 1er vendredi de chaque mois.

9-01 33rd Rd, à hauteur de Vernon Blvd, Long Island City • Ⓜ N, Q Broadway ; F Queensbridge-21st St • 718-204 7088 www.noguchi.org • mer-ven 10h-17h, sam-dim 11h-18h • **adulte/ étudiant et senior 10/5 $, -12 ans gratuit**

4. LOUIS ARMSTRONG HOUSE MUSEUM

La maison du célèbre jazzman Louis Armstrong (1901-1971) et de son épouse Lucille (1914-1983) est aujourd'hui un monument historique national ouvert au public. Les Armstrong en firent l'acquisition en 1943, un an après leur mariage, et malgré le succès du musicien, ils y restèrent jusqu'à la fin de leur vie. Une visite guidée de 40 minutes est proposée toutes les heures. La maison a été conservée dans l'état où l'ont laissé ses illustres occupants.

Curieusement, les salles de bains constituent un temps fort de la visite.

34-56 107th St, près de 37th Ave, Corona • Ⓜ 7 103rd St-Corona Plaza 718-478 8274 • www.satchmo.net • mar-ven 10h-17h, sam-dim 12h-17h **adulte/4-12 ans, étudiant et senior 8/6 $, -4 ans gratuit**

5. PS1 CONTEMPORARY ART CENTER

Cette annexe du MoMA dédiée à l'art contemporain est logée dans ce qui était à l'origine la première école publique de Long Island City. Fondé en 1976 par Alanna Heiss, le centre fut placé sous la houlette du MoMA en janvier 2000. En plus d'organiser des expositions temporaires de premier ordre, il accueille également un prestigieux programme à destination des jeunes architectes.

→ *En été, le samedi après-midi (Warm Up Saturdays), des DJ s'emparent des platines dans le cadre des Warm Up Summer Series.*

22-25 Jackson Ave, à hauteur de 46th Ave, Long Island City • Ⓜ G 21st St ; E, M 23rd St-Ely Ave ; 7 45th Rd-Court House Sq • 718-784 2084 • www.ps1.org
jeu-lun 12h-18h, sam jusqu'à 21h en été • **don suggéré adulte/étudiant et senior 10/5 $; entrée libre sur présentation du billet du MoMA (sauf Warm Up) ; Warm Up Saturdays 15 $**

6. QUEENS MUSEUM OF ART

Même s'il est très excentré et qu'il ne peut rivaliser avec les autres musées de New York, l'édifice qui abrite cette collection jouit d'une histoire intéressante. Il a été construit pour l'Exposition universelle de 1939. Il a ensuite accueilli le siège de l'ONU jusqu'à son déménagement à Manhattan, en 1951, puis est redevenu le pavillon de l'Exposition universelle de 1964. Des travaux d'agrandissement sont en cours (la fin des travaux est prévue pour 2012).

→ *Le musée possède quelques œuvres de Salvador Dalí.*

Flushing Meadows Corona Park, 49th Ave, à hauteur de 111th St, Corona
Ⓜ 7 Flushing-Main St (terminus) • 718-592 9700 • www. queensmuseum.org
sept-juin mer-ven 10h-17h, sam-dim 12h-17h, juil-août mer-ven 12h-18h, sam-dim 12h-18h • **adulte/étudiant et senior 5/2,50 $, -5 ans gratuit**

GRA-TUIT

7. SOCRATES SCULPTURE PARK

Grâce à la persévérance d'un groupe d'artistes locaux et de riverains, ce parc expose désormais des sculptures et des installations à ciel ouvert. Jusqu'en 1986, ce terrain longeant le fleuve était à l'abandon et faisait office de décharge illégale. Aujourd'hui, les artistes peuvent laisser libre cours à leur imagination, sans limitation d'espace, et les habitants ont plaisir à flâner au milieu des œuvres.

Des expositions temporaires ainsi que de nombreuses activités culturelles sont proposées tout au long de l'année ; consulter le site Internet.

32-01 Vernon Blvd, près de Broadway, Long Island City • Ⓜ N, Q Broadway • 718-956 1819
www.socratessculpturepark.org • tlj 10h-coucher du soleil • accès libre

8. THE AMERICAN MUSEUM OF THE MOVING IMAGE & KAUFMAN ASTORIA STUDIO

Même si les principaux acteurs de l'industrie cinématographique américaine se trouvent à Hollywood, sur la côte ouest, ces studios du Queens ont produit de nombreux films muets dans les années 1920 et 1930, et ont accueilli le siège de la Paramount. Les Marx Brothers, Rudolph Valentino et Greta Garbo y ont notamment travaillé. Au cours des dix dernières années, ils se sont fait une place dans le secteur du cinéma indépendant (Woody Allen) et des émissions de télévision. Le musée retrace l'histoire de ces studios, à travers de vieilles photos, des projections et des costumes (*Annie Hall, Star Trek*...).

34-12 36th St, Astoria • Ⓜ M, R Steinway St ; N, Q Broadway • 718-392 5600
www.kaufmanastoria.com • mar-ven 10h-15h • adulte 7 $, -8 ans gratuit

À TABLE !

9. AGNANTI MEZE RESTAURANT

GREC

Maria Lambrianidis, la propriétaire de ce restaurant très couru, reprend les recettes de son enfance. La carte est variée mais le poulpe (13 $) est la spécialité de la maison, tout comme les moules *midia* et leur réduction au vin (13,50 $). Quelques plats turcs adoptés autrefois par la communauté grecque de Constantinople sont également proposés.

Lambrianidis a ouvert un autre établissement à Brooklyn (78-02 5th Ave, Brooklyn).

1906 Ditmars Blvd, à hauteur de 19th St, Astoria • Ⓜ N, Q Astoria-Ditmars Blvd
718-544 4554 • www.agnantimeze.com • tlj 12h-23h30

10. MOMBAR

ÉGYPTIEN

Situé à Little Egypt, l'enclave égyptienne d'Astoria, cet établissement se distingue par la qualité de sa cuisine et l'originalité de son décor. Moustafa El Sayed, le sympathique propriétaire, est un chef très créatif.

Le couscous d'agneau est divin, tout comme le canard laqué à la mélasse égyptienne garni d'épinards et de riz.

25-22 Steinway St, près de 25th Ave,
Astoria • Ⓜ N, Q Astoria Blvd
718-726 2356 • mar-dim 17h-23h

11. ELIAS CORNER

FRUITS DE MER

Un petit restaurant grec de poisson et fruits de mer. Ici, pas de carte : on choisit le poisson qui nous fait envie et les cuisiniers le font griller. Simple, efficace et délicieux. L'établissement n'accepte pas les réservations ni les cartes de crédit. Service très rapide en raison de l'affluence. Fermé le midi.

Le serveur énonce les plats et les poissons du jour avant de prendre votre commande : soyez attentif !

24-02 31st St, à hauteur de 24th Ave,
Astoria • Ⓜ N, Q Astoria Blvd
718-932 1510 • tlj 16h-minuit

12. OMONIA CAFE

PÂTISSERIES GRECQUES

Cette boulangerie doublée d'un snack est l'endroit où les familles grecques viennent acheter leurs gâteaux d'anniversaire. La pièce montée du film *Mariage à la grecque* venait d'ici. C'est le paradis des gourmands (la tarte Napoléon est un classique) mais aussi une bonne adresse pour le déjeuner (tarte aux épinards et à la feta fondue), après une promenade dans le Queens.

Brunch à 12 $ le dimanche.

[illegible] Broadway, Astoria • Ⓜ N, Q Broadway ; M, R Steinway St • 718-274 6650
www.omoniacafe.com • [illegible]

13. TOURNESOL

FRANÇAIS

Après avoir officié pendant des années dans des restaurants de Manhattan, le chef français Pascal Escriout a décidé de miser sur un quartier en plein boom (Long Island City) et d'y ouvrir son propre établissement. Il propose une cuisine excellente et bon marché, et sert diverses spécialités bien de chez nous, comme un foie gras maison, de la quiche lorraine, une soupe aux oignons, des croque-monsieur ou des escargots. Aucun des ces plats n'excède les 9 $ et la longue carte des vins (français) est une valeur sûre.

Détail insolite dans un restaurant pas cher : les nappes en lin blanc.

50-12 Vernon Blvd, près de 50th St,
Long Island City • Ⓜ 7 Vernon Blvd-Jackson Ave
718-472 4355 • www.tournesolnyc.com
lun 17h30-23h, mar-jeu 11h30-15h et 17h30-23h,
ven 11h30-15h et 17h30-23h30, sam 11h-15h30
et 17h30-23h30, dim 11h-15h30 et 17h30-22h

14. RIVERVIEW

RESTAURANT AVEC VUE

Avec son spectaculaire panorama sur l'East River et Manhattan, ce restaurant offre un cadre idéal pour un apéritif en terrasse, un dîner aux chandelles ou un dernier verre en fin de soirée. Le soir, la carte est correcte mais sans grande originalité. Il s'agit de la meilleure alternative au célèbre River Café de Brooklyn qui, en plus d'être beaucoup plus cher, est toujours pris d'assaut. Inutile de s'y rendre en cas de pluie, de brouillard ou de neige si on veut pouvoir profiter du spectacle sur Manhattan.

2-01 50th Ave, à hauteur de 2nd St,
Long Island City • Ⓜ 7 Vernon Blvd-Jackson Ave ; G 21st St
718-392 5000 • www.riverviewny.com
lun-jeu 11h-23h, ven-sam 11h-1h,
dim 10h30-22h30

AUTOUR D'UN VERRE...

15. BOHEMIAN HALL AND BEER GARDEN

BRASSERIE EN PLEIN AIR

Ce *beergarden* d'Astoria est une étape incontournable pour tous ceux qui souhaitent sortir des sentiers touristiques. Le Bohemian Hall fait partie intégrante de l'histoire du quartier. Il a ouvert ses portes en 1910 et aujourd'hui, c'est un centre culturel tchèque mais aussi, en été, la meilleure brasserie à ciel ouvert de la ville.

→ *Impossible d'entrer sans présenter une pièce d'identité.*

29-19 24th Ave, à hauteur de 29th St,
Astoria • Ⓜ N, Q Astoria Blvd
718-274 4925 • www.bohemianhall.com
lun-mer 17h-2h, jeu-ven 17h-3h,
sam 12h-3h, dim 12h-2h

16. CAFÉ BAR ASTORIA

BAR À COCKTAILS

Ce café et bar de nuit est logé dans un local clair et spacieux à la décoration rétro, avec des meubles et des objets rappelant l'esthétique des années 1960 et de grandes baies aux vitres de couleur. Sa cuisine, équilibrée et à prix doux, attire les familles du quartier pour le petit-déjeuner, le déjeuner ou le brunch. Le soir, les cocktails (margaritas, pisco sour, mojitos, martini au chocolat blanc...), les milkshakes aux fruits secs, la terrasse et les confortables canapés sont très appréciés d'une clientèle plus jeune.

3290 36th St, à hauteur de 34th Ave,
Long Island City • Ⓜ M, R Steinway St ;
N, Q Broadway • 718-204 5273
www.cafebarastoria.com
dim-jeu 10h-2h, ven-sam 10h-4h

17.

17. DUTCH KILLS

BAR À COCKTAILS

Les propriétaires du Milk & Honey (voir p. 30), un bar à cocktails clandestin de Manhattan, ont choisi d'ouvrir un *speakeasy* dans une rue industrielle de Long Island City. Attirer des clients dans un établissement situé dans une rue reculée du Queens n'a rien d'évident, surtout quand il n'est signalé que par une vague enseigne "Bar" (à droite d'un panneau publicitaire). À l'intérieur, on découvre une salle à la décoration raffinée où l'on peut siroter d'excellents cocktails (9 $), sur fond de bonne musique.

27-24 Jackson Ave, près de
Dutch Kills St, Long Island City
Ⓜ G Long Island City-Court Sq ;
E, M, R Queens Plaza • 718-383 2724
www.dutchkillsbar.com
tlj 17h-2h

18. DOMAINE

BAR À VIN

Devant le bon accueil réservé dans le quartier à son restaurant Tournesol, Pascal Escriout a décidé d'ouvrir, à côté de son compatriote Robert Gonçalves, un bar très chic, dévolu aux vins du sud de la France, qu'on peut accompagner d'huîtres, de foie gras et de fromages issus de fermes new-yorkaises. Un groupe de jazz se produit régulièrement le mardi et le vendredi. Le nom de l'établissement fait référence au "domaine" que la famille Escriout possède en France.

50-04 Vernon Blvd,
à hauteur de 50th Ave,
Long Island City • Ⓜ 7 Vernon Blvd-Jackson Ave • 718-784 2350
www.domainewinebar.com
dim-jeu 17h-2h, ven-sam 17h-4h

19. DELTA FORCE ARMY NAVY

SURPLUS MILITAIRE

Un des principaux magasins de surplus militaire des États-Unis. Dans un joyeux désordre, on pourra dénicher la parfaite panoplie du soldat : T-shirts, bottes, casquettes, lunettes, trompettes, drapeaux, boussoles, lampes de poche, gourdes, sacs à dos, etc.

49-10 Vernon Blvd, Long Island City • Ⓜ 7 Vernon Blvd-Jackson Ave • 718-577 1249
www.deltaforcearmynavy.com • lun-ven 9h-18h, sam 9h-17h

20. NOOK N'CRANNIE

ANTIQUAIRE

Cette boutique de meubles et d'objets anciens reverse ses bénéfices à une organisation à but non lucratif et propose des pièces uniques en excellent état : tables, secrétaires, horloges, lampes, miroirs, jouets en bois, céramiques et nombreuses pièces de collection.

Les propriétaires reçoivent des marchandises tous les jours et possèdent une "liste de souhaits" pour ceux qui cherchent une pièce précise. Quand ils la reçoivent, ils appellent la personne concernée. Autre adresse à Astoria (29-18 Ditmars Blvd).

47-42 Vernon Blvd, Long Island City • Ⓜ 7 Vernon Ave-Jackson Ave ; G 21st St (Van Alst) • 718-706 6477 • www.nookcrannie.com
lun-mar et jeu-sam 10h-19h, mer 13h-19h

21. RUDY'S. HOBBY & ART & RELIGIOUS ITEMS

MAQUETTES

Ce magasin possède un rayon très intéressant consacré aux maquettes de bâtiments, de scènes de guerre, d'avions et de trains. Il fournit tous les ingrédients nécessaires à la fabrication d'une maquette parfaite : peinture, arbres, personnages et animaux.

Propose des maquettes très difficiles à trouver sur le marché.

3516 30th Ave, à hauteur de 36th St, Astoria • Ⓜ N, Q 30th Ave
718-545 8280 • mer-sam 11h-18h30

22. KRISTEES

MODE FEMMES

Il y a encore quelques années, on ne trouvait ce genre de boutique que dans le Lower East Side, mais aujourd'hui, plus personne ne s'étonne de voir les créations de stylistes britanniques, italiens, scandinaves et japonais se partager la rue avec des enseignes grecques. Kristie Foster-Chapman, la propriétaire, voyage aux quatre coins du monde à la recherche de vêtements, sacs, gants et bijoux. Il s'agit de pièces uniques et les prix varient entre 100 $ et 300 $, mais certains articles affichent une réduction de 50%.

24-01 23rd Ave, à hauteur de 24th St, Astoria
Ⓜ N, Q Astoria-Ditmars Blvd • 718-204 5031 • www.kristeesny.com
mer-sam 12h-20h, dim 12h-18h

SORTIR

La cote de popularité des bars de nuit et des clubs new-yorkais est très changeante. Certains connaissent une gloire éphémère, et d'autres parviennent à s'inscrire dans la durée. Les noctambules les plus avertis snobent habituellement les établissements qui, le week-end, sont pris d'assaut par les habitants de l'État voisin (le New Jersey), les touristes (eh oui !) ou ceux qui, selon leurs critères, ne sont pas assez "cool" ou "trop vieux". En règle générale, quand les médias commencent à faire l'éloge d'un quartier à la mode, les dénicheurs de tendances sont déjà passés à autre chose. Le Lower East Side et Williamsburg sont appréciés des plus jeunes. Le Meatpacking District réunit des établissements très chics et d'autres qui aspirent seulement à l'être.
La majorité de ces lieux opèrent une sélection à l'entrée. Être ou ne pas être sur la liste, telle est la question. Dans la mesure du possible, mieux vaut réserver sur Internet et s'habiller pour l'occasion. En tout état de cause, il est utile de garder en tête certaines règles pour éviter d'être refoulé. Les adresses les plus sélectes ne sont pas accessibles aux groupes. Les "listes VIP" promises par certains sites Web ne marchent pas pour les établissements vraiment à la mode. Ces sites ont pour seul but d'attirer du monde dans des lieux en mal de clientèle et se révèlent le plus souvent des pièges à touristes. Les salles de concert et les terrasses avec vue sont d'excellents choix pour des soirées plus calmes.

SORTIR

Clubs

01 HAPPY ENDING LOUNGE

Ce club du Lower East Side doit son nom à ses précédents occupants : un établissement chinois de massage, le Xie He Health Club. Le DJ a une préférence pour la musique électro, hip-hop et groove. Une des salles est aménagée dans les anciens saunas.

302 Broome St, à hauteur de Forsythe St/ Lower East Side **(carte p. 82)**
Ⓜ B, D Grand St ; J, Z Bowery • 212-334 9676 • www.happyendinglounge.com
mar 22h-4h, mer-sam 19h-4h

02 BADDIES

Cet établissement difficile à trouver (prendre les escaliers sur la droite, sous le restaurant Kingswood) se révèle également sélectif à l'entrée, et la salle, prévue pour environ 200 personnes, est vite bondée. Il s'est néanmoins imposé comme le rendez-vous incontournable des publicitaires et autres *fashionistas*.

Baddies, 20 Greenwich Ave, près de 10th St/Greenwich **(carte p. 106)**
Ⓜ A, B, C, D, E, F, M 4th St-Washington Sq
212-645 0018 • http://baddiesnyc.com
jeu-sam 22h30-4h

03 MARQUEE EVENT FACILITY AND NIGHTCLUB

Les gardiens à l'entrée protègent Marquee comme s'il s'agissait d'un authentique temple de la musique. La décoration très stylée en fait un des plus beaux lieux de Manhattan. Un escalier pyramidal conduit à un *lounge* idéal pour voir et être vu. Excellente musique techno et délicieux cocktails.

289 10th Ave, près de 26th St/ Chelsea **(carte p. 116)**
Ⓜ C, E 23rd St • 676-473 0202
www.marqueeny.com
mar-sam 23h-4h • **20 $**

04 HIRO BALLROOM

VERY CHIC

La discothèque de l'Hotel Maritime est assez animée en fin de semaine et accueille une clientèle variée en semaine. Le cadre spectaculaire d'inspiration japonaise et les cocktails en font un haut lieu des nuits new-yorkaises.

Maritime Hotel, 88 9th Ave, près de 16th St/**Chelsea (carte p. 116)**
Ⓜ A, C, E 14th St ; L Eighth Ave ; 1 18th St • 212-727 0212
www.hiroballroom.com
ven-dim 22h-4h
ven-sam 20 $, dim 10 $

05 CIELO

Une des pistes de danse les plus bondées du Meatpacking District (ce qui n'a rien d'étonnant vu sa petitesse). Les DJ de renommée internationale passent de la house de très belle facture. Les videurs peuvent se montrer tatillons ; mieux vaut réserver une table.

18 Little W 12th St, à hauteur de 9th Ave/
Meatpacking District (carte p. 116)
[illegible]
212-645 5700 • www.cieloclub.com
lun et mer-sam 22h-4h
20 $

06 KISS & FLY NYC

Le nom, la musique, les DJ invités et même les boissons de cet établissement évoquent l'Europe et les voyages en avion des jeunes de la jet-set. Sa petite salle appelée "le temple" est la zone la plus sélecte du club.

409 W 13th St, près de 9th Ave/
Meatpacking District (carte p. 116)
Ⓜ A, C, E 14th St ; L 8th Ave
212-255 1933 • www.kissandflyclub.com
mar et jeu-sam 23h30-4h

07 SPLASH BAR

Également connu sous le nom de SBNY (Splash Bar New York). Au cœur de Chelsea, ce haut lieu de la nuit gay abrite une piste de danse à l'énergie communicative. Britney Spears, Betty Buckley, Taylor Dane, Patti Labelle, Cyndi Lauper, Grace Jones et Jennifer Holliday, entre autres stars, se sont produites ici.

50 W. 17th St, près de 6th Ave/
Union Square (carte p. 130)
Ⓜ F, M 14th St ; L 6th Ave ; 1, 2, 3 14th St
212-691 0073 • www.splashbar.com
tlj 16h-4h

08 PACHA

Cette fameuse chaîne de discothèques née à Ibiza a atterri dans le quartier de Hell's Kitchen en 2005, et n'est pas près d'en repartir. Les dimensions et la décoration des lieux sont spectaculaires. Les meilleurs DJ sont aux platines et les habitués peuvent avoir accès à la zone VIP appelée "Pachita".

618 W 46th St, à hauteur de 7th Ave/
Midtown West (carte p. 158)
Ⓜ A, C, E 42nd St-
Port Authority Bus Terminal
212-209 7500 • www.pachanyc.com
ven-sam 22h-6h
30-40 $

09 BEMBE

VERY CHEAP

Bembe réunit tous les ingrédients du club branché : situé dans la zone la plus industrielle de Williamsburg, il accueille de bons DJ et passe de l'excellente musique brésilienne. Il sert des *mojitos*, des *caipiriñas*, du rhum, du *dulce moreno* (de la tequila avec du citron enrobé de chocolat) et de la vodka-pastèque.

81 South 6th St,
à hauteur de Berry St/**Brooklyn** (carte p. 200)
Ⓜ J, M, Z Marcy Ave • 718-387 5389
www.bembe.us • tlj 19h30-4h

Danse

10 JOYCE SOHO

Le Joyce Theater se trouve à Chelsea (175 8th Ave) mais il possède une annexe à Soho. Ici, la programmation est plus avant-gardiste. Elle met en avant des chorégraphes et des danseurs indépendants. Logé dans l'ancienne caserne des pompiers du quartier, le local dispose de trois salles de taille réduite, ce qui permet d'apprécier le travail et la technique des danseurs de très haut niveau qui s'y produisent.

155 Mercer St (Houston St)/
Soho (carte p. 52)
Ⓜ 6 Bleecker St ; B, D,F, M Broadway-Lafayette St ; N, R Prince St
212-431 9233 • www.joyce.org

VERY CHIC

11 BARYSHNIKOV ARTS CENTER

Le grand danseur russe Mikhaïl Barychnikov a choisi Hell's Kitchen pour créer une fondation et un centre dédié aux arts dramatiques à la programmation de tout premier ordre. Le BAC est un laboratoire d'idées et un excellent tremplin pour les auteurs dramatiques, les acteurs, les musiciens et les danseurs.

N'hésitez pas à vous inscrire à la newsletter : de temps à autre, des danseurs étrangers se produisent gratuitement dans le centre pour montrer de nouvelles tendances et, cerise sur le gâteau, le maître Barychnikov est souvent présent.

450 West 37th St, près de 10th Ave,
suite 501/**Midtown West** (carte p. 158)
Ⓜ A, C, E 34th St-Penn Station
646-731 3200 • http://bacnyc.org

Musique classique

12 CARNEGIE HALL

Cette salle de concert est mondialement connue pour sa valeur architecturale et l'excellente acoustique de ses trois auditoriums : le Main Hall (2 800 places), le Recital Hall et le Chamber Music Hall. Se produire au Carnegie Hall est le rêve de tout musicien, d'où cette histoire drôle devenue célèbre : un touriste demande à un New-Yorkais comment accéder au Carnegie Hall et ce dernier lui répond : "En travaillant, en travaillant".

154 W 57th St, à hauteur de 7th Ave/ **Midtown West** (carte p. 158)
Ⓜ F 57th St ; N, Q, R 57th St
212-247 7800 • www.carnegiehall.org
prix variables en fonction des concerts

13 LINCOLN CENTER FOR THE PERFORMING ARTS

VERY CHIC

Ce merveilleux temple des arts scéniques compte plusieurs espaces programmant des ballets, des opéras, des pièces de théâtre, des concerts et des projections. Le hall du Metropolitan Opera House renferme deux fresques de Marc Chagall. L'Avery Fisher Hall accueille l'Orchestre philarmonique de New York. Les compagnies New York City Ballet et American Ballet sont également hébergées ici, tout comme la Juilliard School. Programme et prix sur le site web.

70 Lincoln Center Plaza, Broadway St, à hauteur de 62nd St/**Upper West Side** (carte p. 184) • Ⓜ 1 66th St-Lincoln Center ; 1, A, B, C, D 59th St-Columbus Circle • 212-875 5030
www.lincolncenter.org

SORTIR

Concerts

14 SOB'S

SOB ("Sounds of Brazil") est une institution pour les New-Yorkais et les touristes. C'est l'endroit idéal où assister à des spectacles de salsa, samba, reggae et hip-hop, ou simplement danser et siroter des *mojitos* et des *caipiriñas*. Le prix des concerts varie entre 10 $ et 55 $.

Le vendredi (19h), des cours de danse gratuits sont proposés. Horaires et spectacles sur le site web.

204 Varick St à hauteur
de W Houston/Soho (carte p. 52)
Ⓜ 1 Houston St • www.sobs.com
15-35 $

15 THE BOWERY BALLROOM

D'une capacité de 500 places, voici l'une des meilleures salles de concert de New York. Elle est logée dans une ancienne cordonnerie et jouit d'une excellente acoustique. Un espace plus petit est réservé à la musique électronique et alternative. Tarifs et horaires sur le site Internet.

6 Delancey St, près de Bowery/
Lower East Side (carte p. 82)
Ⓜ 6 Spring St ; F 2nd Ave ; J, Z Bowery ;
B, D Grand St • 212-533 2111
http://boweryballroom.com
10-50 $

16 BAM CAFÉ

Le BAM offre une solide programmation dédiée aux arts scéniques et le BAM Cafe, spacieux et plein de charme, est un paradis pour les sens : concert le vendredi soir (voir détails et horaires sur le site) et excellents cocktails.

Arrivez une heure avant le début du spectacle pour avoir une table.

Brooklyn Academy of Music
30 Lafayette Ave, près d'Ashland Pl,
2e étage/Brooklyn (carte p. 200)
Ⓜ D, N, R Atlantic Ave-Pacific St ;
2, 3, 4, 5, B, Q Atlantic Ave ;
C Lafayette Ave ; G Fulton St
718-623 7811 • www.bam.org
ven 20h-23h30 • 15 $

17 PUBLIC ASSEMBLY

Ce bâtiment industriel de Williamsburg, qui abritait autrefois le QG de la salle Galapagos (voir ci-contre), s'intéresse à l'art alternatif. Un vendredi par mois, il est le rendez-vous des amoureux de la techno, avec des DJ talentueux de New York et d'autres capitales comme Berlin. Tarifs sur le site Internet.

70 North 6th St, près de Wythe Ave/
Williamsburg, **Brooklyn (carte p. 200)**
Ⓜ L Bedford Ave • 718-384 4586
www.publicassemblynyc.com
dim-jeu 19h-2h, ven-sam 19h-4h

Spectacles

18 THE BOX

Un Moulin Rouge en miniature et à l'ambiance plus débridée. L'endroit connut un moment de gloire à son ouverture, mais les branchés et les célébrités se sont vite lassés. La plupart des spectacles peuvent être vulgaires voire scatologiques, à des années-lumière du burlesque, plus chorégraphié et théâtral. Pour couronner le tout, les consommations ne sont pas données (compter 15 $ pour un verre de vin et 200 $ pour une bouteille de champagne).

189 Chrystie St, près de Rivington/
Lower East Side (carte p. 82)
Ⓜ F 2nd Ave ; J, Z Bowery
212-987 9301 • www.theboxnyc.com
mar-sam 23h-4h

VERY CHEAP & VERY CHIC

19 LE POISSON ROUGE

En proposant une programmation éclectique qui allie spectacles pointus et représentations plus grand public, cette salle du Village connaît un succès qui ne semble pas près de se démentir. Ses propriétaires affirment vouloir concilier culture et rébellion, et les New-Yorkais sont ravis de les aider dans cette mission.

158 Bleecker St, à hauteur de Thompson St/
West Village (carte p. 106) • Ⓜ A, B, C, D, E, F, M 4th St-Washington Sq ;
6 Bleecker St • 212-505 3474
http://lepoissonrouge.com • lun-mer 17h-2h, jeu-ven 17h-4h,sam 13h-4h, dim 13h-2h • 5-20 $

20 GALAPAGOS ART SPACE

Lieu de rendez-vous des jeunes artistes et des amateurs de nouvelles tendances, cet espace industriel de Williamsburg dédié aux arts scéniques alternatifs surprend avec des spectacles très divers et intéressants : trapézistes, pianistes un brin expérimentaux, danseurs contemporains... Tarifs et horaires sur le site.

16 Main St, à hauteur de Water St/
Brooklyn (carte p. 200) • Ⓜ A, C High St ;
F York St • 718-222 8500
www.galapagosartspace.com
5-20 $

21 SAINT ANN'S WAREHOUSE

Logée dans un entrepôt de Dumbo, à Brooklyn, cette salle propose une programmation intelligente qui sort des sentiers battus. David Bowie, Lou Reed et Joe Strummer se sont produits sur sa scène, mais aussi des noms plus surprenants comme l'artiste plasticien Miquel Barceló. Consulter le site pour connaître les prix et les horaires des spectacles.

38 Water St, à hauteur de Dock St/
Brooklyn (carte p. 200) • Ⓜ A, C High St ;
2, 3 Clark St ; F York St • 718-254 8779
www.stannswarehouse.org

SORTIR

22 CAMEO

Un lieu secret et alternatif, caché derrière le Lovin'Cup Cafe (tout au bout du couloir après les toilettes), sorte de galerie des arts scéniques d'avant-garde, qui constitue une alternative originale à un club de Chelsea. Le mercredi, un humoriste est à l'honneur. Le reste de la semaine, des musiciens du quartier ou des groupes en devenir s'y produisent. L'endroit est intime sans être exigu. Programmation sur le site web.

93 N 6th St, à hauteur de Whyte St, derrière le Lovin Cup Café/
Brooklyn (carte p. 200) • Ⓜ L Bedford Ave
718-302 1180 • www.cameony.com
8 $

23 DANGERFIELD'S

Fondé en 1969, ce café-théâtre est le plus ancien des États-Unis et même si l'Upper East Side n'est pas exactement le quartier le plus branché de Manhattan, d'illustres *showmen* d'émissions de télévision comme *Late Night with Conan O' Brieny* ou *The Late Show with David Letterman* continuent de s'y produire. Horaires et prix sur le site.

1118 1st Ave, à hauteur de 61st St/
Upper East Side (carte p. 170)
Ⓜ 4, 5, 6 59th St ; N, Q, R Lexington Ave-59th St • 212-593 1650
www.dangerfields.com

24 COCO 66

Ce bar spacieux a été converti en centre culturel alternatif qui propose des représentations tous les soirs. Mieux vaut consulter préalablement la programmation sur le site, car l'offre est très éclectique, des concerts de rock aux spectacles d'humour. Un peu excentré, mais l'endroit a son charme.

66 Greenpoint Ave, à hauteur de Franklin St/Greenpoint, **Brooklyn** (carte p. 200)
Ⓜ G Greenpoint Ave • 718-389 7392 • www.coco66.com • tlj 16h-4h

Jazz

25 JOE'S PUB

Une adresse très prisée pour écouter des concerts de jazz. La programmation est éclectique et met à l'honneur des musiciens confirmés ou de jeunes talents.

Mieux vaut acheter ses places à l'avance sur Internet et arriver de bonne heure pour avoir une bonne table près de la scène.

425 Lafayette St à hauteur d'Astor Pl/
East Village (carte p. 94) • Ⓜ 6 Astor Pl ;
N, R 8th St-NYU • 212-539 8777
www.joespub.com • tlj 18h-2h
10-30 $ avec conso

26 VILLAGE VANGUARD

VERY CHEAP

Un des meilleurs clubs de jazz du Village, logé dans un ancien *speakeasy* un brin étouffant. Tous les plus grands se sont produits ici. On peut acheter des places pour les spectacles (21h et 23h) sur Internet, mais mieux vaut téléphoner.

78 7th Ave South, à hauteur de 11th St/
West Village (carte p. 106)
Ⓜ 1, 2, 3 14th St • 212-255 4037
http://villagevanguard.com
tlj 20h-1h • **25 $ avec conso**

27 BLUE NOTE

Le Blue Note a perdu de son charme d'autrefois. Touristique et cher, il sert une cuisine médiocre et certaines tables sont très mal placées par rapport à la scène. Néanmoins, il est situé en plein cœur du Village et accueille de bons musiciens.

31 W 3rd St, près de MacDougal St/
West Village (carte p. 106)
Ⓜ 1 Christopher St-Sheridan Sq ;
A, B, C, D, E, F, M 4th St-Washington Sq
212-475 8592 • www.bluenote.net
dim-jeu 18h-1h, ven-sam 18h-3h
10-80 $

28 JAZZ STANDARD

Dans le sous-sol du restaurant américain le Blue Smoke, ce club de jazz n'a pas le charme des caves du Village, mais il accueille des musiciens talentueux et offre une meilleure acoustique.

116 E 27th St, à hauteur de Park Ave
South/**Gramercy** (carte p. 130)
Ⓜ 6 28th St • 212-576 2232
www.jazzstandard.com • dim-jeu 18h30-22h30, ven-sam 18h30-0h30
15-30 $

29 TUTUMA SOCIAL CLUB

GRATUIT

Loin des sentiers battus, ce charmant petit établissement est un club de jazz afro-péruvien proposant d'excellents concerts que l'on peut écouter en dînant ou en prenant un verre.

164 E 56th, entre Lexington et 3rd Ave/**Midtown East (carte p. 144)**
Ⓜ 4, 5, 6, N,Q, R • 59th St-Lexington Ave ; 6, E, M Lexington-51st St ; F 63rd St-Lexington Ave • 646-300-0305
http://tutumasocialclub.com
lun 18h-0h30, mar-ven 17h30-0h30, sam 17h30-2h, dim 17h-23h
entrée libre

30 CAFE CARLYLE

VERY CHIC

Cher, ce club est néanmoins réputé pour ses concerts de jazz et, plus précisément, pour accueillir Woody Allen, qui se produit ici avec sa clarinette et son groupe, le Eddy Davis New Orleans Jazz Band, tous les lundis, de septembre à décembre. Pour les fans du cinéaste, comédien et clarinettiste, c'est une occasion à ne pas manquer. Veste obligatoire pour les hommes et baskets interdites. Horaires sur le site web.

The Carlyle, 35 E 76th St à hauteur de Madison Ave/**Upper East Side (carte p. 170)** • Ⓜ 6 77th St • 212-744 1600, 646-300 0305 • www.thecarlyle.com
85 $ minimum et 25 $/conso

31 SMOKE JAZZ

Nombreux sont les touristes à passer à côté de ce formidable petit club de jazz, faute d'oser se rendre le soir venu dans ce secteur de Morningsideheights (un quartier pourtant sûr et facile d'accès en métro). Idéal pour écouter de l'excellente musique et les inconditionnels de Paul Auster. Prix et horaires sur le site web.

2751 Broadway, près de 106th St/
Upper West Side (carte p. 184)
Ⓜ 1 103rd St • 212-864 6662
www.smokejazz.com

32 JAZZ AT LINCOLN CENTER

VERY CHIC

Comme son nom l'indique, il s'agit d'une annexe du Lincoln Center dédiée au jazz et située en haut de la tour du Time Warner Center. Le prestigieux musicien Wynton Marsalis est le directeur artistique de ces trois salles de capacité différente : l'auditorium Rose Theater (1 233 places), l'Allen Room (467 places) et le Dizzy's Club Coca Cola (140 places). Horaires et prix sur le site Internet.

Time Warner Center, 33 W 60th St, à hauteur de Columbus Circle/
Upper West Side (carte p. 184)
Ⓜ 1, A, B, C, D 59th St-Columbus Circle
212-258 9829 • http://jalc.org

33 APOLLO THEATER

Cela vaut la peine d'aller faire un tour à Harlem et de s'arrêter devant cette salle mythique, qui a joué un rôle capital dans l'avènement du jazz. Fondé en 1913 à titre de cabaret burlesque pour les New-Yorkais blancs, ce théâtre a connu la gloire mais aussi la banqueroute. Il a accueilli des musiciens aussi légendaires que Billie Holliday, Duke Ellington, Ella Fitzgerald, Dizzy Gillespie, Count Basie ou Aretha Franklin. Parfois, de grands noms du jazz actuel s'y produisent. Consulter le site Internet. Voir aussi p. 196.

253 W 125th St, près de Frederick Douglass Blvd/Harlem
Ⓜ 1 125th St ; A, B, C, D 125th St
212-531 5300 • www.apollotheater.com

Bars de nuit

34 ANOTHEROOM

Ce bar à peine plus grand qu'une chambre à coucher est un lieu sans prétention mais branché, et fréquenté des habitants du quartier. Idéal pour un verre de vin ou une bière avant ou après le dîner. Comme dans les autres "*rooms*" de Soho et West Village, l'ambiance est intime et conviviale.

249 West Broadway,
près de Beach St/**Tribeca (carte p. 42)**
Ⓜ A, C, E Canal St ; 1 Franklin St
212-226 1418 • www.anotheroom tribeca.com • dim-lun 17h-2h, mar-sam 17h-4h

35 THE BASEMENT AT MACAO TRADING COMPANY

Restaurant de cuisine fusion aux influences asiatiques et bar à cocktails. Depuis le hall, décoré de vieilles photos de Shanghai, on accède à un bar secret. L'ensemble de l'établissement est décoré dans le style colonial. Par les mêmes gérants que le bar Employees Only (p. 240).

311 Church St, entre Walker St et Lipsenard St/Tribeca **(carte p. 42)**
Ⓜ 6, J, N, Q, R, Z Canal St ; A, C, E Canal St ; 1 Franklin St • 212-431 875 • tlj 19h-4h

SORTIR

36 BRANDY LIBRARY

Ce salon-bibliothèque dispose d'étagères remplies de bouteilles de brandy. On peut s'installer dans un confortable fauteuil en cuir, faire son choix parmi les 900 variétés de brandy, whisky et rhum et une centaine de cocktails, et lire un livre à la lumière des lampes posées sur les tables. Organise des cours et des débats.

Le week-end, les réservations pour les groupes de plus de six personnes ne sont pas acceptées.

25 N Moore St/Tribeca **(carte p. 42)**
Ⓜ 1 Franklin St • 212-226 5545
www.brandylibrary.com • dim-mer 17h-1h, jeu 16h-2h, ven-sam 16h-4h

37 GREENHOUSE NEW YORK

VER
CHI

Faire la fête et protéger l'environnement sont parfaitement compatibles dans cet établissement de Soho autoproclamé "premier club écologique" de New York. On peut y siroter une vodka écolo dans une ambiance très branchée et assister à des concerts tous les lundis. La décoration est éclectique : à la fois futuriste ou semblant tout droit sortie d'*Alice aux pays des merveilles* de Tim Burton selon les endroits.

150 Varick St, près de Vandam/
Soho (carte p. 52) • Ⓜ C, E Spring St ;
1 Houston St • 212-807 7000
www.greenhouseusa.com
tlj 22h-4h

38 THE ANCHOR

Qui a dit que les meilleurs DJ et la meilleure musique étaient réservés au Lower East Side et à Williamsburg ? Ce bar à cocktails accueille des DJ de renom dans un cadre soigné, typique des établissements de Soho.

310 Spring St, près de Greenwich St/
Soho (carte p. 52)
Ⓜ 1 Houston St ; C, E Spring St
212-463 7406 • www.theanchornyc.com
jeu-sam 22h-4h

39 EMPLOYEES ONLY

Ce bar en hommage à l'époque de la Prohibition a beaucoup de cachet, avec ses canapés et ses meubles Art déco et sa cheminée. Le samedi, il est pris d'assaut par une clientèle assez branchée qui s'offre un verre ici avant de rejoindre le Lower East Side. Les serveurs sont souvent déguisés en gangsters, dans un style très années 1930.

À l'entrée du bar, à côté de la fenêtre, une voyante peut, moyennant 20 $, prédire l'avenir et prodiguer de précieux conseils.

510 Hudson St, à hauteur de
Christopher St/**West Village (carte p. 106)**
Ⓜ 1 Christopher St-Sheridan Sq ;
A, B, C, D, E, F, M 4th St-Washington Sq
212-242 3021 • www.employeesonlynyc.com
tlj 18h-4h

40 BOB BAR

Ce petit bar à l'ambiance décontractée se transforme en piste de danse passé minuit. Il invite des DJ réputés du quartier et de Williamsburg, qui passent habituellement de la musique hip-hop et reggae. L'endroit se remplit vite, surtout le samedi soir. Des artistes locaux sont souvent exposés sur les murs en brique.

235 Eldridge St, à hauteur de [illegible]
Lower East Side (carte p. 82)
Ⓜ F 2nd Ave • 212-529 1807
www.bobbarnyc.com

41 THE DELANCEY

Le Delancey attire une clientèle jeune qui apprécie la terrasse plantée de palmiers en été et l'ambiance à l'intérieur, avec un DJ qui mêle rock et disco.

168 Delancey St, près de Clinton St/
Lower East Side (carte p. 82)
Ⓜ F, J, M, Z Delancey St-Essex St
212-254 9920 • www.thedelancey.com
tlj 17h-4h

42 ROCKWOOD MUSIC HALL

Bar décontracté du Lower East Side, qui propose une programmation intéressante et variée de concerts (jusqu'à sept groupes différents dans la même journée). Ouvert à tous ceux qui ont envie d'écouter de la bonne musique autour d'un verre.

196 Allen St, à hauteur de Houston St/
Lower East Side (carte p. 82)
Ⓜ F 2nd Ave ; 6 Bleecker St ; N, R Prince St
212-477 4155 • www.rockwoodmusichall.com
dim-jeu 15h-3h, ven-sam 15h-4h
entrée libre la plupart du temps

43 FONTANA'S BAR

VERY CHEAP

Un bar simple et pas cher (pas de droit d'entrée), fréquenté par une clientèle jeune. Situé à la frontière entre Chinatown et le Lower East Side, il donne à écouter de la musique en permanence (concerts, juke-box et écran géant).

105 Eldridge St, près de Grand St/
Lower East Side (carte p. 82)
Ⓜ B, D Grand St ; J, Z Bowery
212-334 6740 • www.fontanasnyc.com
tlj 14h-4h

SORTIR

44 DEATH&CO

N'hésitez pas à pousser la mystérieuse porte en bois de ce bar à cocktails, l'un des meilleurs de Manhattan, qui sert des alcools de grande qualité et emploie un barman passé maître dans l'art de préparer les martinis.

433 E. 6th St, près de Ave A/
East Village (carte p. 94)
Ⓜ F 2nd Ave ; L 1st Ave ; 6 Astor Pl
212-388 0882 • www.deathandcompany.com
dim-jeu 18h-1h, ven-sam 18h-2h

45 THE HI FI BAR

Bar musical, au sens le plus strict du terme, grâce à son impressionnant juke-box numérique : le DJ mp3, qui contient 2 100 albums et plus de 30 000 chansons digitalisées par le propriétaire des lieux. On peut acheter trois chansons pour 1 $.

169 Ave A, près de 11th St/
East Village (carte p. 94) • Ⓜ 6 Astor Pl ;
L 1st Ave ; F 2nd Ave • 212-420 8392
www.browniesnyc.com • lun-ven 16h-4h,
sam-dim 15h-4h

46 THE DOVE PARLOUR

Cet élégant bar à cocktails passe inaperçu depuis la rue, car il est logé dans un demi-sous-sol. La décoration évoque un appartement bourgeois de l'Upper East Side ou un club privé de Boston. Un tableau représentant une colombe surplombe la cheminée en bois. De nombreux cocktails sont à base de champagne, mais la spécialité de la maison est le Money Dove, avec du cognac, du miel et du lait de soja aromatisé à la vanille (11 $).

228 Thompson St, près de 3rd St/
Greenwich Village (carte p. 106)
Ⓜ A, B, C, D, E, F, M 4th St-Washington Sq • 212-254 1435
www.thedoveparlour.com
lun-mar 16h-2h, mer-dim 16h-4h

47 WINE AND TEA SPOT

Cette maison historique de 1828 abrite un salon de thé, le Tea Spot et, au sous-sol, un bar à vin, le Wine Spot. On y accède depuis la rue ; descendre les escaliers en métal et pousser la porte. L'endroit est minuscule, avec des canapés et une cheminée qui crépite tout au long de l'hiver.

127 MacDougal St/
Greenwich Village (carte p. 106)
Ⓜ A, C, E, B, D, F, M 4th St-Washington Sq ;
1 Christopher St • 212-505 1248
Wine Spot : mar, jeu et sam 18h-23h,
ven-sam 18h-2h
Tea Spot : dim-jeu 7h-23h,
ven-sam 7h-14h

48 APT

Une adresse “historique” dans un quartier où les établissements les plus anciens ne peuvent se prévaloir que de quelques petites dizaines d’années d’existence. L’endroit n’est pas évident à trouver et les portiers sont un peu sélectifs mais, une fois à l’intérieur, la décoration et l’ambiance permettent de passer un moment agréable. Bons DJ.

419 W 13th St, près de [illegible]
Meatpacking District (carte p. 116)
Ⓜ L 8th Ave ; A, C, E 14th St • 212-414 4245
www.aptnyc.com • dim-jeu 21h-4h,
mar-sam 19h-4h

49 BEAUTY BAR

VERY CHEAP

Pour les nostalgiques des années 1960. Un bar avec des concerts et de la musique de l’époque qui a conservé la décoration (et les sèche-cheveux) du salon de coiffure qu’il abritait autrefois.

⋯› Aujourd’hui, il propose un service de manucure gratuit pour les clients qui consomment un minimum de 10 $.

231 E 14th St, près de 2nd Ave/
Gramercy **(carte p. 130)** • Ⓜ 4, 5, 6, L, N,
Q, R 14th St-Union Sq ; L 3rd Ave
http://beautybar.com • lun-ven 17h-4h,
sam-dim 19h-4h

50 SECRET LOUNGE

Un secret effectivement bien gardé, peu fréquenté par les touristes mais très prisé des habitants de Chelsea. Idéal pour les moins jeunes et ceux qui recherchent un peu de tranquillité. Plus la soirée avance, plus il se remplit.

525 W 29th St, près de 10th Ave/
Midtown West (carte p. 158)
Ⓜ A, C, E 34th St-Penn Station
jeu-sam 22h-4h • 5 $

51 BARBÈS

Discret et bohème, ce bar de Park Slope qui doit son nom à un quartier de Paris (qui, lui-même, doit son nom au révolutionnaire Armand Barbès) est devenu un club de jazz expérimental et une salle de spectacle du quartier.

6 9th St, à hauteur de 6th Ave/
Park Slope, **Brooklyn** (carte p. 200)
Ⓜ F, G 7th Ave • 347-422-0248
212-807 7000 • www.barbes
brooklyn.com • dim-jeu 17h-2h,
ven-sam 17h-4h

SORTIR

Bars secrets

52 MADAM GENEVA

Double Crown, un restaurant élégant de style colonial, dissimule une porte qui mène au temple du gin. Ce bar à l'éclairage tamisé et plein de charme se vante de posséder la plus belle sélection de gin de toute la ville.

Double Crown, 4 Bleecker St
à hauteur de Bowery/Noho **(carte p. 52)**
Ⓜ 6 Bleecker St ; F 2nd Ave ; B, D, F, M
Broadway-Lafayette St • 212-254 0350
www.madamgeneva-nyc.com
mar-dim 18h-2h

53 APOTHÉKE

VERY CHIC

Un bar à cocktails clandestin extrêmement beau et raffiné, caché dans une ancienne fumerie d'opium de Chinatown. La décoration est étudiée dans les moindres détails : sol en marbre, canapés anciens et mystérieux judas dans la porte. Les 250 cocktails proposés sont tout aussi insolites. Comme chez un vieil apothicaire (d'où son nom), les boissons sont classées selon diverses catégories : santé et beauté (avec des ingrédients comme le concombre et l'eau de rose), anti-stress (lavande et sauge), stimulants (café), aphrodisiaques (champagne) et – soyons fous ! – médicaments (herbes).

9 Doyers St, près de Bowery/Chinatown
(carte p. 70) • Ⓜ 6, J,N, Q, R, Z Canal St
212-406 0400 • www.apothekenyc.com
lun-sam 18h30-2h, dim 20h-2h

54 ELSA

Magasin de vêtements le jour, bar accueillant et semi-clandestin le soir ; à Alphabet City, les loyers sont tellement élevés que tout est bon pour les rentabiliser. Idéal pour un rendez-vous romantique aux chandelles. Réservation conseillée.

17 E 3rd St, à hauteur de Ave B/
East Village (carte p. 94)
Ⓜ F, J, M, Z Delancey St-Essex St
917-882 7395 • www.elsaroom.com
dim-jeu 18h-2h30, ven-sam 18h-4h

55 NUBLU

Cet établissement clandestin est difficile à trouver. La porte d'entrée, entourée de poubelles et de graffitis, se reconnaît à son enseigne bleue. À l'intérieur, on découvre un bar proposant une excellente musique (DJ ou concerts) et un jardin très agréable en été.

62 Ave C, près de 5th St/**East Village**
(carte p. 94) • Ⓜ F 2nd Ave
212-375 1500 • http://nublu.net
tlj 20h-4h

56 LITTLE BRANCH

Par les mêmes propriétaires que le club Milk & Honey (voir p. 30). En arrivant à l'adresse indiquée, on découvre une porte grise percée d'un judas et une plaque en métal portant le nom de l'établissement. Après avoir sonné, un portier vient ouvrir. On le repère facilement le samedi car les gens font la queue devant. Bons concerts de jazz à 22h.

22 7th Ave South, à hauteur de Leroy St/**West Village** (carte p. 106)
Ⓜ 1 Houston St ; A, B, C, D, E, F, M 4th St-Washington Sq
212-929 4360 • tlj 9h-3h

....Bars avec vue et terrasses....

57 GLASS BAR

Sorte d'aquarium très chic, perché en hauteur et baigné de bleu. Situé au 20e étage, il offre un magnifique panorama au coucher du soleil. Idéal pour se poser après avoir couru les boutiques et les galeries de Chelsea.

Hotel Indigo, 127 W 28th St à hauteur de 10th Ave/**Chelsea** (carte p. 116)
Ⓜ C, E 23rd St • 212-973 9000
mer-sam 21h-4h

58 PLUNGE BAR & LOUNGE

Réservé à une clientèle branchée ne souffrant ni de vertige ni d'agoraphobie, ce bar est situé au 14e et dernier étage du très chic Hotel Gansevoort.

S'y rendre de préférence en semaine pour profiter au mieux de la vue imprenable sur les toits de la ville et le New Jersey.

Hotel Gansevoort, 18 9th Ave, à hauteur de 13th St, 14e étage/Meatpacking District (carte p. 116) • Ⓜ A, C, E 14th St ; L 8ht Ave • 212-206 6700
www.hotelgansevoort.com
tlj 12h-4h

SORTIR

59 230 FIFTH BAR

Au 20e étage de l'hôtel Victoria aujourd'hui disparu, ce bar impressionnant a soigné sa décoration de style rétro jusque dans les moindres détails. Le velours, les moquettes et les canapés de Karl Lagerfeld à l'intérieur disparaissent sur la terrasse, plus minimaliste, qui donne sur l'Empire State et la tour Met Life.

230 5th Ave, à hauteur de 27th St/
Flatiron District (carte p. 130)
Ⓜ 6 28th St ; N, R 28th St
212-725 4300 • www.230-fifth.com
lun-ven 16h-4h, sam-dim 11h-4h

60 SALON DE NING

La chaîne d'hôtels s'est inspirée de l'histoire de Mme Ning, femme de la haute société de Shanghai qui organisait des soirées pour ses proches, et a recréé des "salons" dans ses établissements. Celui de New York se trouve sur la terrasse de l'hôtel et s'ouvre sur la Cinquième Avenue.

The Peninsula Hotels, 700 5th Ave,
à hauteur de 55th St/Midtown East
(carte p. 144) • Ⓜ E, M 5th Ave-53rd St ;
N, Q, R 5th Ave-59th St • 212-903 3097
www.salondening.com
tlj 16h-1h

61 THE TOP OF THE STRAND

Sur la terrasse de l'hôtel Strand, ce bar réunit tous les ingrédients d'une adresse chic et glamour : vue superbe sur l'Empire State, musique douce et variée, bonnes boissons et ambiance décontractée.

The Peninsula Hotels
700 5th Ave, à hauteur de 55th St/
Midtown East (carte p. 144) • Ⓜ E, M
5th Ave-53rd St ; N, Q, R 5th Ave-59th St
212-903 3097 • www.salondening.com
tlj 16h-1h

62 HUDSON TERRACE

Une terrasse chic qui, à la différence des autres terrasses de la ville qui tutoient les nuages, est modestement située au 3e étage mais jouit d'une vue mémorable sur l'Hudson. Ses cocktails estivaux évoquent les croisières dans les Caraïbes.

621 W 46th St, à hauteur de 11th Ave/
Midtown West (carte p. 158) • Ⓜ A, C, E
42nd St-Port Authority Bus Terminal
212-315 9400 • www.hudsonterracenyc.com
mar-ven 17h-4h, sam 22h-4h,
dim 18h-2h

63 DREAM HOUSE. MELA FOUNDATION

Cette fondation culturelle est ouverte jusqu'à minuit pour tous ceux qui veulent profiter de l'installation visuelle et sonore qu'elle abrite. À la nuit tombée, le visiteur se déchausse, s'allonge sur le tapis et observe les sculptures illuminées tout en écoutant de la musique.

275 Church St, à hauteur de Franklin St, 3e étage/**Tribeca** (carte p. 42)
Ⓜ 1 Franklin St ; 6, J, N, Q, R, Z Canal St ; A, C, E Canal St212-925 8270 • sept-juin
don suggéré 5 $

64 THE YARD

En été, le Soho Grand ouvre son discret mais très plaisant jardin et, à la différence des autres hôtels à la mode, ce joyau du Village autorise l'accès des personnes qui n'y logent pas. Idéal pour siroter un Tartini, la spécialité de la maison, en agréable compagnie. Bonne nouvelle pour les fumeurs : jusqu'à nouvel ordre, la cigarette n'est pas prohibée.

SoHo Grand, 310 W Broadway, près de Canal St/**Soho** (carte p. 52)
Ⓜ A, C, E Canal St • 212-965 3588
www.SoHoGrand.com
lun-sam 16h-minuit

Infos pratiques

- Tous les établissements de nuit sans exception sont non-fumeurs.
- Il est important d'avoir toujours une pièce d'identité sur soi.
- Le métro fonctionne 24h/24 et se révèle une solution pratique et sûre pour les couche-tard.
- Le magazine *Time Out New York* et les sites web www.Blkmarketmembership.com et www.noordinarymonkey.com sont d'excellentes sources d'information sur la vie nocturne.

Nuits décalées

65 UNE NUIT À L'AMERICAN MUSEUM OF NATURAL HISTORY

Le prestigieux muséum d'Histoire naturelle ouvre ses portes la nuit, aux enfants de 7 à 13 ans accompagnés d'un adulte (lit, dîner et petit-déjeuner compris). La promesse d'une expérience certes onéreuse, mais inoubliable. Consulter les dates sur le site Internet.

Central Park West, à hauteur de 79th St/ Upper West Side **(carte p. 184)**
Ⓜ B, C 81st St-Museum of Natural History ; 1 79th St
www.amnh.org/kids/sleepovers • **129 $/pers**

66 TIME'S UP! UNE NUIT À VÉLO DANS BROOKLYN

GRATUIT

Time´s Up est une organisation écologique basée à New York qui organise des excursions nocturnes à vélo dans Prospect Park et divers quartiers de Brooklyn. Idéal pour ceux qui possèdent une bicyclette et ont envie de découvrir la ville autrement.

http://times-up.org
gratuit

67 NUIT DES ÉTOILES À INWOOD

GRATUIT

Le Inwood Astronomy Project organise des rencontres pour observer les étoiles depuis le point culminant de Manhattan, le Inwood Hill Park, et fournit des télescopes aux participants. Les séances ont lieu le samedi à 20h, mais mieux vaut vérifier les dates et les horaires sur le site web.

Inwood Hill Park, Seaman Ave/
Inwood • Ⓜ A, 1 207th St
www.moonbeam.net
gratuit

DORMIR

À New York, on peut se loger sans se ruiner, sans pour autant renoncer à un certain confort. La meilleure façon de découvrir la ville et de vivre comme un authentique New-Yorkais consiste à abuser de l'hospitalité d'un ami ou à échanger son logement. À défaut, on peut aussi louer un appartement pour quelques jours ou quelques semaines, ou encore opter pour un *Bed and Breakfast*.

Les hébergements sont chers, mais en réservant à l'avance et en étant flexible sur ses dates, on peut dénicher de bonnes affaires sur les sites web des hôtels. Mieux vaut éviter les chaînes, et préférer des établissements plus petits et moins impersonnels : les fameux "boutique-hotels". Certains proposent des chambres accessibles à tous les budgets.

Même si ce ne sont pas des quartiers "à la mode", l'Upper East Side et l'Upper West Side sont parfaitement desservis et réunissent quelques hôtels très abordables. C'est un excellent choix pour découvrir des secteurs résidentiels et plus calmes.

Il est important de bien se renseigner en réservant. Certains établissements sont non-fumeurs, d'autres ne disposent pas d'ascenseur, d'autres encore n'ont pas de service de petit-déjeuner. Mieux vaut également connaître certains "euphémismes" classiques ; dans la plupart des cas, l'adjectif "européen" désigne un hôtel qui n'a pas été rénové, avec des couvre-lits fleuris et des salles de bains communes (sans parler de l'hygiène prétendument douteuse dont on soupçonne parfois ici le Vieux Continent).

Louer un appartement sur Internet peut se révéler risqué. Craigslist recense de vraies annonces mais aussi des escroqueries. Certains voyageurs ont eu la mésaventure de louer des hébergements qui n'existaient pas ; d'autres ont dû débourser des loyers exorbitants. La plus grande prudence est de mise.

HÔTELS

BLUE MOON HOTEL

100 Orchard St, près de Delancey St
Lower East Side
Ⓜ F, J, M, Z Delancey St-Essex St
212-533 9080
www.bluemoon-nyc.com
Pied-à-Terre 255-525 $
Cozy 295-560 $
Comfort 350-600 $
Deluxe 400-650 $
Luxury 525-950 $
Quintessential 625-1050 $

Un choix économique pour ceux qui veulent loger dans le Lower East Side. La décoration est sans prétention, en harmonie avec le style *vintage* et bohème du quartier. Les références artistiques sont nombreuses, notamment pour le nom des chambres (Groucho Marx, Frank Sinatra...). Attention, les prix flambent en août.

LARCHMONT HOTEL

27 West 11th St, près de 5th Ave
West Village
Ⓜ F, M 14th St
212-989 9333
www.larchmonthotel.com
Simple 90-120 $
Double 109-145 $
Suite 149-165 $
Familiale avec sdb 219-249 $

Le Larchmont est certes un peu défraîchi, mais ses prix sont attractifs et il est situé dans une rue très agréable du West Village, un des plus beaux quartiers de la ville.

THE JANE

VERY CHIC

113 Jane St,
près de West St/**West Village**
Ⓜ A, C, E 14th St
212-924 6700
www.thejanenyc.com
Cabine 99 $

Une des adresses à consulter en priorité. Dans le West Village, tout proche de l'Hudson, cet hôtel rappelle l'ambiance des trains européens du siècle dernier et propose des cabines pleines de charme (bien qu'un peu petites). Il est logé dans un édifice historique conçu par l'architecte qui a réalisé le poste d'immigration d'Ellis Island. Fréquenté par une clientèle de marins pendant des années, il a accueilli les survivants du *Titanic* en 1912 et est devenu aujourd'hui un établissement très chic. Ne pas manquer son site Internet.

Vous pouvez aussi réserver votre hébergement sur www.cheapandchic-lesguides.fr

WASHINGTON SQUARE HOTEL

103 Waverly Pl, près de MacDougal St
West Village
Ⓜ A, B, C, D, E, F, M 4th St-
212-777 9515
www.washingtonsquarehotel.com
Double 225-250 $/Deluxe 250-295 $
Executive King 370 $

Un classique en plein cœur du Village. Cet hôtel voisin du Washington Square, le lieu de rendez-vous incontournable des riverains, des touristes, des joueurs d'échecs, des musiciens et des étudiants de la New York University, a accueilli entre ses murs Bob Dylan et Joan Baez. Son discret restaurant est l'un des meilleurs du quartier et un secret très bien gardé.

WYNDHAM GARDEN HOTEL CHELSEA WEST

37 W 24th St, à hauteur de Broadway St/**Chelsea**
Ⓜ F, M 23rd St ; N, R 23rd St
212-243 0800
wyndhamnyc.com
Standard King 169-349 $
Standard Double 189-519 $
King Deluxe 229-449 $
King Suite 450-599 $
-18 ans gratuit

Non loin de Broadway et néanmoins à l'abri de l'agitation et du bruit, cet établissement bien situé, à mi-chemin entre Times Square et Chelsea, a des allures d'hôtel d'affaires mais pratique des prix imbattables dans le quartier. Soucieux de l'environnement, il habille son personnel d'uniformes en matériaux recyclés et ne dispose que d'ampoules basse consommation.

CHELSEA HOTEL

222 W 23rd St, près de 7th Ave
Chelsea
Ⓜ 1 23rd St ; C, E 23rd St
212-243 3700
www.hotelchelsea.com
Étudiants 99-150 $
Simple 185-250 $
Double 170-325 $
Suite 239-695 $

Logé dans un bâtiment historique, cet établissement a été le théâtre de nombreuses anecdotes liées à des personnalités du monde littéraire et artistique. Bob Dylan y a composé plusieurs chansons. L'écrivain Dylan Thomas est mort dans une de ses chambres en 1953, et c'est également ici que Sid Vicious des Sex Pistols a tué sa petite amie, le 12 octobre 1978. Arthur C. Clarke a écrit *2001, l'odyssée de l'espace* au cours d'un séjour dans l'hôtel. Les écrivains William Burroughs et Arthur Miller, les artistes Willem de Kooning et Jasper Johns, et la chanteuse Patty Smith sont tous passés par ici, et on recommande chaudement aux visiteurs. Attention : le Chelsea est en vente et selon la rumeur, il ne pourra plus maintenir les tarifs actuels.

GERSHWIN HOTEL

VERY CHEAP

7 East 27th St, près de 5th Ave
Flatiron District
Ⓜ 6 28th St ; N, R 28th St
212-545 8000
www.gershwinhotel.com
Dortoir à partir de 50 $
Économique 99-150 $
Standard 109-208 $
Supérieure 120-228 $
Suite 175-298 $

Quintessence de l'esprit *cheap and chic*, cet hôtel enchanteur réunit d'élégantes chambres "design" à partir de 200 $ et des chambres communes pour 6 à 10 personnes dans le plus pur style Ikéa (à partir de 50 $). La réception et le bar, pleins de charme, présentent d'authentiques tableaux d'Andy Warhol et de Roy Liechtenstein.

THE MAVE

62 Madison Ave, entre 27th St et 28th St/**Flatiron District**
Ⓜ 6 28th St ; N, R 28th St ; F, M 23rd St
212-532 7373
www.themavehotel.com
Double à partir de 200 $

Moderne, confortable et central, cet hôtel du Flatiron District a ouvert ses portes en juillet 2009 et peut se révéler un peu bruyant à cause de la circulation sur Madison Ave. Ses prix sont aussi variables que les cours de la Bourse, mais il propose habituellement des offres de dernière minute, ainsi que des formules tout compris.

THE MARCEL AT GRAMERCY

VERY CHIC

201 East 24th St, à hauteur de 3d Ave/**Gramercy**
Ⓜ 6 23rd St
212-696 3800
www.themarcelatGramercy.com
Double 239-394 $
Deluxe 284-444 $

La décoration spectaculaire et moderne de cet établissement tranche avec le style victorien de Gramercy Park. Pourquoi ses prix ne sont-ils pas alignés sur ceux des autres "boutique-hotels" de la ville ? Mystère. L'ambiance un brin tamisée fera le bonheur des amateurs de livres et de films de vampires. Le comble du chic. À réserver de toute urgence !

Vous pouvez aussi réserver votre hébergement sur www.cheapandchic-lesguides.fr

HOTEL 17

225 E 17th St, près de 2nd Ave
Gramercy
Ⓜ L 3rd Ave ; 4, 5, 6, L, N, Q, R 14th St-Union Sq
[illegible]
www.hotel17ny.com
Simple avec sdb commune 79-150 $
Double avec sdb commune 99-200 $
Triple avec sdb commune 120-200 $
Double avec sdb privative 150-200 $

Idéalement situé dans le Village, cet hôtel propre et bon marché affiche un excellent rapport qualité/prix. On évitera les chambres les moins chères ou avec salle de bains commune. Le cadre tristounet a servi de décor à quelques scènes du film de Woody Allen, *Meurtre mystérieux à Manhattan*, mais cela n'a pas empêché Madonna d'y séjourner.

POD HOTEL

VERY CHEAP

230 E. 51st St
près de 3rd Ave/Midtown East
Ⓜ 6 51st St ; E, M Lexington Ave-53rd St
212-355 0300
www.thepodhotel.com
Dortoir 99 $
Simple avec sdb commune 109 $
Simple 129 $
Double 139 $
Double Queen 169 $
Suite 179 $
Studio 199 $

Du style, de la simplicité et du confort à prix abordable. Idéal pour ceux qui souhaitent se loger dans le centre ou près des Nations unies. Espaces communs élégants et terrasse agréable où se détendre et prendre un verre. Même les chambres les moins chères (avec lits superposés) sont gaies et soignées. Cela vaut la peine de débourser un peu plus et de réserver une chambre avec salle de bains.

HOTEL PARAMOUNT

VERY CHIC

235 W 46th St,
près de Broadway Ave
Midtown West
Ⓜ 1 50th St ; N, Q, R 49th St ;
212-764 5500
http://nycparamount.com
Double 179-359 $
Supérieure 209-389 $
Deluxe 239-419 $

En plein cœur de Times Square et très à la mode, cet hôtel plein de charme est l'un des plus modernes et luxueux de Manhattan. Contrairement à d'autres "boutique-hotels", on peut parfois réussir à obtenir un tarif raisonnable pour l'une de ses 597 chambres.

WASHINGTON JEFFERSON HOTEL

318 W 51st St, entre 8th Ave et 9th Ave/**Midtown West**
Ⓜ C, E 50th St ; 1 50th St ; N, Q, R 49th St
212-246 7550
www.wjhotel.com
Double à partir de 200 $

L'une des meilleures adresses pour loger à Times Square tout en évitant le bruit et les gros hôtels à touristes très répandus dans le quartier. Le Washington a été récemment rénové. Toutes les chambres sont élégantes et minimalistes, dans les tons blancs. De septembre à décembre, il propose des réductions pour les réservations effectuées à l'avance et sur son site web.

HOTEL WOLCOTT

4 W 31st St, entre 5th Ave et Broadway/**Midtown West**
Ⓜ N, R 28th ; 6 33rd St ; B, D, F, M, N, Q, R 34th St-Herlad Sq
212-268 2900
www.wolcott.com
Double à partir de 200 $

Cet hôtel centenaire est le cousin germain déchu du Waldorf Astoria. Il a conservé une grande partie de sa splendeur et de son charme, mais la décoration des chambres est plus basique que celle d'autres adresses de Fifth Ave. Central et économique. On peut difficilement dormir aussi près de l'Empire State pour un prix aussi raisonnable.

BENTLEY HOTEL

500 East 62 St, à hauteur de York Ave/**Upper East Side**
Ⓜ 4, 5, 6 59th St ; N, Q, R Lexington Ave-59th St ; F Lexington Ave-63rd St
1 800 894 0680
www.hotelbentleynewyork.com
Standard 152-377 $
Double 179-427 $
Suite 267-477 $
Suite Deluxe 367-577 $

Le Bentley Hotel est une excellente surprise. Ses tarifs s'expliquent par sa situation, assez excentrée et peu touristique, à l'extrême est de l'Upper East Side (mais la vue sur le Queensboro Bridge et l'East River est magnifique). En s'y prenant à l'avance et en dehors de la haute saison, on peut effectivement dénicher une chambre parfaite au prix annoncé.

Vous pouvez aussi réserver votre hébergement sur www.cheapandchic-lesguides.fr

HOTEL BELLECLAIRE

250 W 77th St, à hauteur
de Broadway Ave/Upper West Side
Ⓜ 1 79th St
[illegible]
www.hotelbelleclaire.com
Économique 109-229 $
Double supérieure Queen et King 169-389 $
Suite supérieure avec lits jumeaux 229-489 $

Dans un bâtiment historique classé de l'Upper West Side, cet hôtel chic, peu onéreux et pratique, permet au voyageur de séjourner dans l'un des plus beaux quartiers résidentiels de la ville, tout en étant tout près du centre. Le Belleclaire a eu l'honneur d'accueillir l'écrivain Mark Twain et le révolutionnaire russe Maxime Gorki. Les chambres sont modernes et spacieuses.

THE HOTEL NEWTON

2528 Broadway Ave, à hauteur
de 94th St/Upper West Side
Ⓜ 1, 2, 3 96th St
212-678 6500
www.thehotelnewton.com
Simple/double avec sdb commune 100-160 $
Simple/double avec sdb privative 110-300 $
Suite 150-400 $

Un brin conventionnel mais très confortable, le Newton est considéré comme l'hôtel offrant le meilleur rapport qualité/prix de la ville. Un excellent choix pour tous ceux qui sont prêts à accepter de ne pas loger dans le Village et qui ont envie d'avoir une chambre spacieuse sans se ruiner. En plein cœur de l'Upper West Side et près du Riverside Park, de Central Park, de Columbus Circle, du Muséum d'histoire naturelle et de l'université Columbia.

RIVERSIDE TOWER

80 Riverside Drive, à hauteur
de 80th St/Upper West Side
Ⓜ 1 79th St
212-877 5200
www.riversidetowerhotel.com
Suite avec 2 chambres à partir de 160 $

Dans le Riverside Park (le parc de l'Upper West avec vue sur l'Hudson) et à quelques mètres du Lincoln Center, cet établissement propose des prix dignes d'une auberge de jeunesse..., et les points communs ne s'arrêtent pas là : les chambres sont petites et sans charme, et les sanitaires auraient bien besoin d'un coup de frais. Parfait pour les groupes d'amis et les familles.

PENSIONS

COLONIAL HOUSE INN

VERY CHIC

318 W 22nd St,
près de 8th Ave/**Chelsea**
Ⓜ C, E 23rd St
212-243 9669
www.colonialhouseinn.com
Double avec sdb commune 130 $
Double avec sdb 150 $
Deluxe 180 $

Ce joyau de Chelsea a été primé par de prestigieuses revues de voyage. Les chambres (certaines avec salle de bains commune), à la décoration blanche sont agrémentées d'une touche de couleur. L'établissement abrite une galerie d'art contemporain dans son hall et les murs de toutes les chambres sont ornés de tableaux. Petit-déjeuner inclus. Pas d'ascenseur.

UNION SQUARE INN

209 East 14th St, à hauteur de 3rd Ave/**Gramercy**
Ⓜ L 3rd Ave ; 4, 5, 6, L, N, Q, R 14th St-Union Sq
212-614 0500
www.unionsquareinn.com
Simple 109-169 $
Double 119-159 $
Supérieure 129-169 $
Double supérieure/Queen 139-169 $
Double King 149-189 $

Très central et à quelques rues d'Union Square, une des places les plus animées de la ville et depuis laquelle on accède à de nombreuses lignes de métro. Les 46 chambres sont confortables et relativement spacieuses. Les moins chères n'ont pas de salle de bains privée.

CHELSEA INN

46 W 17th St, entre 5th Ave et Ave of the Americas
Flatiron District
Ⓜ F, M, L, 1, 2, 3 14th St-6th Ave ; N, R 23rd St-Broadway
212-645 8989
www.chelseainn.com
Double à partir de 100 $

Un très bon choix pour vivre dans la partie victorienne de Chelsea, à des prix défiant toute concurrence dans le quartier. L'établissement ne dispose pas d'ascenseur ; demander une chambre au rez-de-chaussée si c'est un problème. Les suites sont idéales pour les couples avec de jeunes enfants.

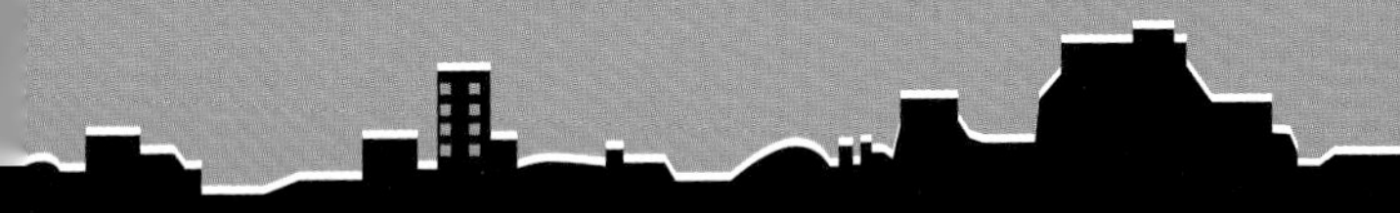

Vous pouvez aussi réserver votre hébergement sur www.cheapandchic-lesguides.fr

MURRAY HILL INN

143 E 30th St, entre 3rd et Lexington Ave/Midtown East
Ⓜ 6 33rd St ; 6 26th St
212-683 6900

Double avec sdb commune à partir de 100 $

Cette auberge est tellement bon marché que cela vaut la peine de débourser un peu plus pour avoir une salle de bains privée. Pas d'ascenseur mais l'établissement est climatisé. Dans le centre de Manhattan, dans un quartier résidentiel très calme et sûr. Les salles de bains ont été rénovées, à la différence des chambres, un peu vieillottes.

AMSTERDAM INN

340 Amsterdam Ave, à hauteur de 76th St/Upper West Side
Ⓜ 1 79th St ; 1, 2, 3 72nd St
212-579 7500
www.amsterdaminn.com
Simple 99-169 $
Double 169-229 $

En plein cœur de l'Upper West Side, les chambres de cet établissement sont très confortables et disposent pour certaines d'un petit coin cuisine pour un prix incroyablement bas. Idéal pour les familles souhaitant profiter de la tranquillité du quartier, faire de longues promenades dans Central Park ou passer plusieurs après-midi au Muséum d'histoire naturelle. Pas d'ascenseur.

BED & BREAKFAST

VERY CHIC

ABINGDON GUEST HOUSE

21 8th Ave, à hauteur de 12th St
West Village
Ⓜ A, C, E 14th St ; L 8th Ave
212-243 5384
www.abingdonguesthouse.com
Perrin 179-189 $
Essex 209-219 $
Martinique 219-229 $
Landau 229-239 $
Garden 229-239 $
Roxbury 229-239 $
Sherwin 240-250 $
Windsor 240-250 $
Ambassador 269-279 $

Idéales pour une escapade romantique, ces deux demeures historiques du XIXe siècle sont très prisées des voyageurs. Les chambres offrent luxe, calme et volupté dans une rue charmante du West Village, l'un des quartiers les plus agréables de la ville. Établissement non-fumeurs.

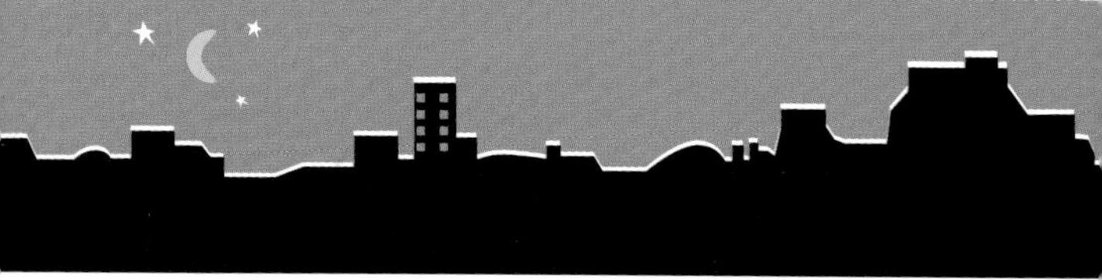

CHELSEA LODGE

VERY CHEAP

318 West 20th St,
près de 8th Ave/**Chelsea**
Ⓜ 1 18th St ; C, E 23rd St
212-243 4499
www.chelsealodge.com
Simple 119 $
Double 129 $
Deluxe 149-164 $
Suite 154-179 $

Loger dans une maison en brique de Chelsea est le rêve de nombreux New-Yorkais. Les 22 chambres de ce B&B sont équipées d'une salle de bains et ont été rénovées récemment. La décoration un brin rustique évoque davantage les maisons du Maine que la Grosse Pomme. Comme dans la plupart des bâtiments de ce type, il n'y a pas d'ascenseur.

STAY THE NIGHT

VERY CHEAP

18 East 93rd St
Upper East Side
Ⓜ 6 96th St
212-722 8300
www.staythenight.com
Chambre à partir de 150 $
Prix négociables

Dans l'une des rues les plus élégantes de la ville, Stay the Night est idéal pour les voyageurs qui souhaitent loger à proximité des musées de New York. À deux pas du Metropolitan, du Guggenheim, de la Frick Collection et de la Neue Gallery, cette demeure appartenant à un couple de psychologues offre plusieurs suites avec salle de bains, cuisine, cheminée et meubles d'époque, ainsi que deux petites chambres à prix très modique. Réservation possible sur le site web. Nick Hankin, l'administrateur et fils des propriétaires, fixe le prix en fonction de la durée du séjour et de la saison.

WYMAN HOUSE

36 Riverside Dr, à hauteur
de 76th St/**Upper West Side**
Ⓜ 1, 2, 3 72nd St ; 1 79th St
212-799 8281
www.wymanhouse.com
Suite-appartement à partir de 190 $

Pamela et Ronald Wyman, les propriétaires de ce B&B, ont décoré avec beaucoup de goût les sept suites ou appartements que compte cette demeure du XIXe siècle aux allures de petit Versailles. Les réservations s'effectuent par courrier électronique ou par téléphone. Pas d'ascenseur et séjour minimum de trois nuits. Attention : les enfants de moins de 12 ans ne sont pas admis.

UNION ST BED & BREAKFAST-CARROLL GARDENS

405 Union St, à hauteur de Hoyt
Brooklyn
Ⓜ F, G Carroll St
718-852 8406
www.unionstbrooklynbandb.com
Petite 110-125 $
Grande 150-195 $

Pour ceux qui souhaitent loger à Brooklyn, ce B&B permet de profiter du quartier riche et animé de Carroll Gardens. Les six chambres ont conservé des détails originaux de 1898 ainsi que des tableaux de la peintre Margo Spoerri, mère de l'actuelle propriétaire. Bonne adresse, mais d'autres B&B présentés dans ce guide et situés à Manhattan offrent les mêmes prestations pour un tarif similaire voire inférieur. Salles de bains communes.

HARLEM FLOP HOUSE

242 West 123rd St, près de Frederick Douglass Blvd/Harlem
212-662 0678
www.harlemflophouse.com
Ⓜ A, B, C, D 125th St
Simple 100-150 $
Double 125-170 $

Dans le Harlem historique, ce B&B plein de charme appartient à l'auteur dramatique René Calvo. Il accepte les enfants et les moins de 12 ans ne payent pas. Détail important : pour conserver le cachet historique des lieux (ou plus sûrement pour des raisons économiques), la climatisation brille par son absence. Les chambres sont néanmoins équipées de ventilateurs. Établissement non-fumeurs.

102 BROWSTONE

102 West 118th St
Harlem
Ⓜ 2, 3 116th St
212-662 4223
www.102brownstone.com
Chambre à partir de 100 $

Au cœur de Harlem et non loin de la Columbia University et de Central Park, les six chambres de ce B&B sont spacieuses (dans le centre de Manhattan, elles seraient cataloguées comme "suites") et tout confort. Certaines disposent d'un coin cuisine et d'un jacuzzi. Harlem est un quartier très sûr et très animé et, cerise sur le gâteau, les propriétaires sont charmants.

AUBERGES DE JEUNESSE

CHELSEA CENTER EAST

83 Essex St/**Chelsea**
Ⓜ F, J, M, Z Delancey St-Essex St

CHELSEA CENTER WEST

313 West 29th St, entre 8ht et 9th Aves/**Chelsea**
Ⓜ 1 28th St
www.chelseacenterhostel.com
À partir de 35 $

Deux auberges tenues par les mêmes propriétaires et de taille assez modeste. Dortoirs pour six à dix personnes, mixtes ou réservés aux femmes. Idéal pour les étudiants et les touristes les plus jeunes. Couvre-feu à 23h et silence exigé.

CENTRAL PARK HOSTEL

19 West 103rd St
Upper West Side
Ⓜ B, C 103rd St ; 1 103rd St
212-678 0491
À partir de 25 $

Située à la frontière entre l'Upper West Side et Harlem, et à une rue de Central Park, cette auberge propose des chambres individuelles et à partager, ainsi que de petits appartements ou studios. Tenue par les mêmes propriétaires que l'Union Square Inn, le Murray Hill Inn et l'Amsterdam Inn, elle offre un minimum de confort. Idéal pour les étudiants et les jeunes baroudeurs.

JAZZ ON THE PARK

36 W 106th St, entre Central Park W et Manhattan Ave/**Upper West Side**
Ⓜ C 103rd St
212-932 1600

JAZZ ON LENOX

104 W 128th St, entre Lenox et Adam Clayton Powell Aves/**Harlem**
Ⓜ 2, 3 125th St
212-222 5773
www.jazzhostels.com
À partir de 20 $

La chaîne d'auberges Jazz Hostels dispose d'établissements à Miami, à Montréal et dans une ferme située dans la vallée de l'Hudson, à 2 heures de New York. Chambres individuelles et à partager. Prix inversement proportionnel au nombre de lits. L'hébergement est gratuit pour les personnes qui acceptent de travailler à mi-temps et s'engagent à séjourner au moins trois mois.

Vous pouvez aussi réserver votre hébergement sur www.cheapandchic-lesguides.fr

WANDERERS INN WEST

257 West 113th St, à hauteur de 8ht Ave/Harlem
Ⓜ B, C Cathedral Pkwy (110 St) ;
212-222 5602
À partir de 20 $

Dans le Harlem historique, à trois rues d'un arrêt de métro et proche de Central Park. Dispose de dortoirs de 8 à 12 lits et de chambres individuelles. Petit-déjeuner inclus et service de laverie. Les plus sociables pourront participer à diverses activités (visites guidées dans la ville, soirées pizza, projections de films...).

APPARTEMENTS

38 HOTEL AKA

www.hotelaka.com

Ce site web propose un large éventail de luxueux appartements à louer (séjour minimum d'une semaine). Les prix sont équivalents à ceux d'un hôtel du centre de Manhattan, mais les appartements sont assez grands pour accueillir une famille ou un groupe d'amis. Plus cher mais plus sûr que les annonces de Craigslist.

CRAIGSLIST

http ://newyork.craigsli Storg/sub

Craigslist propose toute une gamme de services : des rencontres amoureuses à la vente d'électroménager, en passant par la location d'appartements. Les problèmes commencent quand l'une des parties vit à plusieurs milliers de kilomètres et que l'autre exige un acompte. Demander à une connaissance d'aller visiter l'appartement ou appeler le loueur pour avoir plus de détails peut se révéler très utile.